INDUSTRIAL DATA INTELLIGENCE
METHODS, TECHNOLOGIES AND APPLICATIONS

工业数据智能
方法、技术与应用

张新民　何柏村　宋执环　著

化学工业出版社
·北京·

内容简介

本书系统阐述了工业数据智能建模与分析的关键技术及其在智能制造中的应用，从工业数据智能的基本概念入手，详细介绍了数据采集、预处理到高级分析与决策的全流程框架，并针对工业时序数据、图像数据和文本数据等不同类型数据的特点，提供了专门的建模分析方法。同时，书中深入探讨了工业多源异构数据整合、虚实数据协同建模以及数据隐私保护等前沿技术，通过丰富的应用案例展示了如何利用数据智能技术优化生产流程、提升产品质量并推动企业业务创新。

本书适合制造业从业者、工业数据分析师及智能制造领域研究人员阅读，也可供自动化、计算机科学与技术、机械工程、工业工程等相关专业学生参考。

图书在版编目（CIP）数据

工业数据智能：方法、技术与应用 / 张新民，何柏村，宋执环著. -- 北京：化学工业出版社，2025. 11.

ISBN 978-7-122-49069-8

Ⅰ. F407.4

中国国家版本馆 CIP 数据核字第 20255M3C16 号

责任编辑：于成成　要利娜　　装帧设计：王晓宇

责任校对：刘曦阳

出版发行：化学工业出版社

（北京市东城区青年湖南街 13 号　邮政编码 100011）

印　　装：三河市君旺印务有限公司

787mm×1092mm　1/16　印张 10½　字数 243 千字

2026 年 3 月北京第 1 版第 1 次印刷

购书咨询：010-64518888　　售后服务：010-64518899

网　　址：http://www.cip.com.cn

凡购买本书，如有缺损质量问题，本社销售中心负责调换。

定　　价：88.00 元

PREFACE

前言

在当今制造业的数字化与智能化变革中，新质生产力的提升依赖于工业软件、工业大数据和人工智能的深度融合与应用。工业软件为制造流程提供了强大的数字化基础，使得生产管理、质量控制和资源调配变得更加高效和精准。通过对工业大数据的实时分析，企业能够洞察生产环节中的潜在问题，从而实施预测性维护和优化生产流程。而人工智能的引入，则使得机器具备了学习和自我优化的能力，实现了从传统生产向以数据驱动和智能化为核心的新制造时代的转型。这种全面的数字化和智能化升级，不仅提升了生产效率和产品质量，更为企业提供了灵活应对市场变化的能力，推动了制造业向更高水平发展迈进。

工业数据智能建模与分析是一种利用和分析海量工业数据，以优化生产流程、增强企业决策能力并实现智能制造的核心技术，其不仅是推动制造业提升新质生产力的关键工具，也是实现数字化智能化转型、提升综合竞争力的必要手段。工业数据智能的核心价值在于突破了传统工业数据的利用瓶颈，将数据从记录和监控工具转变为支持实时决策和预测未来趋势的战略资产。通过先进的数据建模技术与AI算法，在生产系统自我感知的基础上，工业数据智能建模与分析技术推进生产系统实现自我优化和自主决策，为企业创造前所未有的价值。

工业数据智能不仅仅是技术上的飞跃，更是工业运作方式的范式转变。以往的制造流程更多依赖经验驱动和固定规则，而在工业数据智能的推动下，制造业正在向数据驱动的智能决策迈进。通过利用来自物联网设备、传感器和运营系统等多样化来源的数据，制造商可以从被动的反应策略转向主动策略，从而解决低效问题实现高效率。例如，基于工业数据的故障诊断技术能够实时分析设备的运行数据，通过监测关键指标和行为模式，迅速识别设备异常并定位故障根源。这种技术不仅大幅提升了故障检测的准确性，还缩短了故障响应时间，从而减少了生产线的停机风险和维护成本。与此同时，基于工业数据的实时感知技术则通过在生产过程中部署虚拟测量系统，实时监测关键工艺参数和预测未来变化，为生产过程的优化决策提供有效的数据支持，帮助企业在提升生产效率的同时，确保产品质量和安全性，为智能制造与可持续发展提供了有力支持。

工业数据智能是工业软件实现智能决策的“智能”之源，是工业互联网的核心关键技术，是推动企业进入数智化时代的核心动力。本书以工业数据智能为主题，主要内容包括工业数据智能概述（第 1 章），介绍了全书的背景信息，讨论了智能制造的全球背景、中国智能制造战略的核心，以及工业大数据与人工智能在推动生产范式变革中的作用。工业数据智能建模与分析流程（第 2 章）则详细介绍了从数据采集、预处理到高级分析与决策的全流程框架。接下来的章节分别探讨了工业时序数据建模分析方法（第 3 章）、工业图像数据建模分析方法（第 4 章）以及工业文本数据建模分析方法（第 5 章）的相关技术与行业应用，阐释了针对不同类型工业数据的独特建模方法和技术挑战。此外，还介绍了工业数据建模在实际应用中遇到的问题及解决方案，包括工业多源异构数据建模分析方法（第 6 章）、工业虚实数据协同建模分析方法（第 7 章）、工业数据隐私保护与安全防御建模方法（第 8 章）。同时，提供大量应用案例，详解如何为企业提供更为科学的决策依据，如何优化生产流程，如何提升产品质量，如何推动企业业务模式创新和可持续发展。

本书适合多元背景的读者，包括工业领域的科研技术人员和高校研究生。对于工业领域的科研技术人员，本书呈现了直接可用的实用方法和洞见；对于高校研究生，本书提供了先进数据建模分析技术和未来前沿技术的深入讨论，助力学术研究和应用探索。读者既可以按照章节顺序系统学习工业数据智能建模与分析技术，也可以根据自身的兴趣和专业需求有选择地阅读相关内容。

期待本书成为推动工业数字化、智能化转型的重要指南，为企业的数字化转型和创新发展贡献力量。

张新民

CONTENTS

目录

第 3 章

工业时序数据建模分析方法

第 4 章

工业图像数据建模分析方法

第 5 章

工业文本数据建模分析方法

第 8 章

工业数据隐私保护与安全防御建模方法

第1章 工业数据智能概述

- 1.1 国家智能制造战略
- 1.2 工业大数据与人工智能
- 1.3 工业大数据赋能智能制造
- 1.4 开启工业智能的新篇章
- 1.5 本章小结

1.1 国家智能制造战略

1.1.1 战略背景

全球制造业正处于深刻的数字化、智能化变革浪潮之中。新一代信息技术的加速发展，特别是人工智能（AI）、大数据（BD）、云计算、物联网（IoT）等技术的应用，正在推动制造业生产方式的根本性转型。这场变革不再仅仅停留在效率提升层面，而是以技术驱动经济生产力变革为核心，全面重塑制造业的价值体系与竞争格局。

在这一背景下，我国也正在向智能制造转型。我国智能制造战略聚焦于将智能技术融入工业生产，以实现更高的效率、质量和创新。“新质生产力”的提出及相关引导政策突出了变革性工业增长的必要性，并强调数据驱动创新是未来发展的基石。这一政策强调了工业数据智能作为提升生产效率和与数字化转型及可持续发展目标相一致的重要推动力。

智能制造战略不仅反映了我国巩固制造业领导地位的决心，还体现了对全球竞争、资源约束和环境可持续性挑战的深刻认识。通过拥抱智能制造，利用先进的信息技术、数据分析技术和自动化设备，培育具有创新性和韧性的现代工业体系，实现生产过程的智能化、网络化和柔性化，为国家经济的可持续发展奠定坚实基础。

1.1.2 核心内容与目标

我国制造业的转型升级以“制造＋智能”为核心特征，融合创新技术与先进模式，构建高度数字化、智能化、柔性化的生产体系。核心目标包括以下几个方面。

① 创新驱动发展：加强研发能力，推动工业技术（尤其是人工智能、机器人和数据分析领域）的自主创新。

② 灵活和可持续生产：采用自动化和智能系统，构建能够适应市场需求并减少环境影响的灵活制造系统。

③ 资源优化与效率提升：利用数据驱动的方法优化资源配置，减少浪费，提高能源利用率。

④ 构建新型产业生态：打通企业内部与上下游产业链的数据与资源流动，推动生态协同创新。

制造业的转型升级不仅体现在技术维度，也体现在全方位的生产模式升级，从设备互联到智能生产线的构建，从精准决策到用户个性化需求的满足，旨在推动制造业从劳动密集型向智力密集型、从规模化向定制化的全面升级。

1.1.3 制造业中的“新质生产力”

我国智能制造战略的核心体现在“新质生产力”这一概念上，该概念将尖端技术与工业生产深度融合。这种范式转变重新定义了生产力，强调以下几个方面理念：数据作为核心资源、智能系统与算法、协同生态系统。具体见于表 1-1。

表 1-1 “新质生产力”范式关键理念

关键理念	描述
数据作为核心资源	工业大数据被视为创造价值的关键投入，能够通过预测分析与处理指导制造决策
智能系统与算法	AI 驱动的算法通过流程自动化、识别低效环节并实时优化操作，彻底改变了传统工作流程
协同生态系统	系统、设备和利益相关者的互联性促进了创新和问题解决的协同方式

1.2 工业大数据与人工智能

1.2.1 工业大数据的特点

工业大数据是指在制造活动的全生命周期中，从设计、生产到分销和服务阶段生成的海量数据。与传统业务数据不同，从宏观行业层面来看，工业大数据具有以下特征[1-3]。

① 多样性：包括多种类型的数据，例如传感器生成的时间序列数据、机器日志、运营指标，以及图像和视频等多媒体输入。

② 大规模与高速度：由大量互联设备和系统持续生成，形成高频率、高容量的数据流。

③ 复杂性：通常存在噪声、非结构化，并受到设备状态、环境因素和生产变化等动态变量的影响。

④ 丰富的上下文信息：工业是一个具有强机理特性和高知识密度的技术领域，许多监测数据仅是经过精心设计后对系统运行状态的部分反映。在工业领域中，通常积累了丰富的机理模型和专家经验，这为数据分析提供了具有高度参考价值的特征量以及参数搜索空间。在工业大数据分析中，大量行业知识通常以显性或隐性的方式贯穿整个流程（包括但不限于问题定义、数据处理、特征工程、模型选择等环节）。通过将机器学习算法与机理模型算法有机结合，可以进一步释放数据的潜力，创造更大的价值。

在宏观行业层面，工业领域的数据类型和数据量非常丰富。但对于微观的具体工业流程大数据应用和分析来说，有价值的数据往往十分稀缺，微观层面数据常有以下问题。

① 样本通常严重有偏：多数工业控制系统被设计为高可靠性且严格受控的系统，绝大多数时间都在稳定运行，异常工况相对稀缺（对于数据分析来说具有“高价值”），有标记的异常样本获取成本更高。还有一些工业场景要求捕获故障或异常瞬间的高频细微状况，才能还原和分析故障发生的原因，这对数据监控和后台数据存储提出了很高的要求。

② 维度不完整和序列间断：全时段采样的全维数据集的有效关联往往很难实现，在时间或空间序列上也常常存在数据缺失，导致当前获取的数据不能完整勾画真实的物理过程。因此，要谨慎考量物理信息系统（CPS）的应用范围。另外，上述问题也导致“数到用时方恨少”。相关研究显示，我国制造业企业的数据资产存量普遍不大，66%的企业数据存量都在 20TB 以下，还不到一个省级电信运营商日增数据的 1/10。

此外，现有人才体系无法有效融合，工业大数据挖掘的实现往往借助数据驱动模型或机理模型，而这两类模型属于不同技术门类，且企业通常以工程技术人员为主，这种技能的割裂严重制约了工业大数据生态的发展。

除了上述共性挑战外，单个企业在推进工业大数据发展时，还可能面临管理模式转型、人才不足以及短期成果与长期机制之间的矛盾等问题。这些挑战要求企业在大数据的规划和实施过程中，采用一种系统化且行之有效的方法论来加以指导和解决。例如，进行"量体裁衣"式建设，而不是被动响应，以及从业务的角度挖掘需求，从技术的角度思考如何获取更多数据资源（如新传感技术、软测量、内部信息整合、数据联盟等），从数据的角度思考如何利用新模式或新技术提高业务能力。

1.2.2 人工智能的关键要素

在大数据时代，人工智能为数据提供分析方式，搭建连接原始数据与可理解的知识的桥梁。机器学习是当下分析手段中最主流的数据分析方式，其聚焦如何建立数据驱动的预测模型，旨在利用数据来发现规律并解决实际问题。

机器学习问题的基本要素是数据、模型和优化算法。数据是机器学习方法进行学习的原料，它包含了输入变量（特征）和目标变量（标注）或者仅包含输入变量的描述信息。数据通常可以通过矩阵的形式表示，其中行表示样本，列表示特征。模型是从数据到知识转变过程的表示，它通过函数映射来表征输入数据与输出结果之间的关系。模型可以是简单的统计模型，用于表示特征之间简单的关系；也可以是复杂的非线性结构，如深度神经网络，用于表征高维度数据的复杂特征关系。优化算法用于训练模型，其目标是通过调整模型的参数使其在特定的目标函数（衡量模型表现的量化指标）上达到最优，从而提升模型的预测能力。

机器学习问题主要可以分为有监督学习和无监督学习两大类。

（1）有监督学习

有监督学习旨在利用已标注的数据训练模型，以实现对新数据的预测。在这种学习任务中，数据包含输入特征和标注，即每个样本都由特征与对应的标注组成。根据目标变量的类型，常见的有监督学习问题有回归和分类两种任务。

① 回归：回归任务的目标是预测连续的数值。例如，根据烧结过程的物料、风箱温度、传送带转速等过程变量预测烧结矿中氧化亚铁含量。模型输出的是一个连续值。

② 分类：分类任务的目标是将数据分配到离散的类别中。例如，故障诊断的一种方法就是通过过程变量来判断故障状态属于哪一种故障类型。模型输出的是一个类别标签或类别概率分布。

（2）无监督学习

无监督学习的目标是从未标注的数据中发现数据的内在结构或模式。在这种学习任务中，数据只有输入变量，没有目标变量。无监督学习的典型任务包括聚类和降维。

① 聚类：聚类任务试图将数据样本分组，使得同组样本之间的相似性尽可能高，不同组样本之间的相似性尽可能低。例如，工业过程运行工况的识别。

② 降维：降维任务的目标是通过压缩数据的维度来提取数据的主要信息，同时尽量保留原始数据中的重要结构和特征。例如，将高维图像数据投影到低维空间以便于分析或

加速计算。

机器学习的核心在于利用数据，通过构建模型和使用优化算法来实现对问题的有效解决。无论是有监督学习还是无监督学习，数据特性和任务目标决定了方法选择和模型设计。

1.2.3 工业应用中的核心人工智能技术

人工智能将原始工业数据转化为有价值的知识，成为智能制造的催化剂。工业过程中使用的核心人工智能技术列于表 1-2。

表 1-2 人工智能技术及其工业应用案例

技术名称	工业应用描述
多元统计分析	识别数据中的模式和关系，以实现预测性维护、故障检测和流程优化。例如，监督学习模型可以基于历史性能数据预测设备故障
深度学习	处理高维数据(如图像和视频)，用于识别缺陷、分类产品和监控设备性能
知识图谱	将复杂的工业知识结构化为互联节点，用于供应链管理和生产规划等领域的高级推理和问题解决
强化学习	通过训练 AI 系统适应变化的工业条件，实现动态决策，例如实时优化能源消耗
自然语言处理(NLP)	通过聊天机器人等工具促进人机交互，或通过分析维护日志提取可操作的知识

这些技术构成了工业人工智能的基础，使智能系统能够分析数据、实现自动化流程并驱动智能决策。

工业大数据与人工智能的协同作用代表了一种范式转变，数据不再是工业活动的副产品，而是一种推动创新和提升竞争力的重要资源。因此，大数据与人工智能的融合对希望在智能制造时代中脱颖而出的企业而言至关重要。

1.3 工业大数据赋能智能制造

工业大数据是推动制造业企业从传统制造向数字化、智能化转型的重要力量。它使企业能够分析大量实时和历史数据，从而实现从被动决策向主动决策的转变。通过优化生产流程、识别低效环节并解决瓶颈问题，数据智能推动了产品开发和服务交付的创新。这一整合将工厂转型为“智能工厂”，其中互联的系统和设备形成连续的反馈循环，确保效率和性能的持续改进。

在智能制造中，数据驱动的建模分析方法展现了多方面的关键应用和优势。例如，预测性维护利用传感器和机器日志数据预测设备故障，从而减少停机时间、延长设备使用寿命并降低维护成本。在质量保证方面，生产数据的实时分析可及时检测缺陷，提高产品一致性，同时减少材料浪费。能源优化通过识别能源消耗中的低效环节，促进可持续的生产实践并降低成本。数据驱动的生产调度和资源分配能够根据需求和资源的可用性进行实时调整，确保资源的最佳利用并减少闲置。此外，对客户偏好和行为的深入洞察使个性化和灵活制造成为可能，从而高效地实现大规模定制化生产。

通过工业大数据实现智能制造需要遵循一条结构化的路线图。

① 建立数据基础设施：首先，企业需要建立稳健的数据基础设施，以便从传感器、物联网设备和网络中收集准确的实时信息，并配备可扩展的存储和处理系统。

② 数据平台与分析工具的集成：部署能够整合不同来源数据的平台，实现全面的数据分析和可视化。引入人工智能和机器学习工具，从原始数据中提取可用的知识，支持业务决策。

③ 工程师的技能培训：对员工进行数据素养、分析工具及AI技术的培训，使其掌握数据驱动的技术应用。同时，在组织的各个层级中培养重视数据驱动决策的文化，使其成为企业运营的重要理念。

④ 试点实施与规模化推广：从小规模的试点项目入手，以展示数据驱动解决方案的实际价值。在验证成功后，将有效的举措逐步推广到多个生产线和工厂中，以实现全面覆盖。

⑤ 持续改进与创新：利用数据反馈循环，不断优化流程并适应变化的条件。探索新兴技术，如数字孪生和边缘计算，进一步增强工业系统的能力，为未来的发展提供动力。

这一技术路径旨在帮助企业实现可持续性和竞争力等更广泛的目标。它有助于推动能源效率提升、废弃物减少和循环经济实践的发展，使制造业发展与环境可持续性目标相一致。此外，它通过提升质量、速度和适应能力，帮助企业在全球竞争中占据优势。然而，这一技术路径仍然存在一些挑战，例如需要通过加密、访问控制和监测来确保数据安全与隐私，以防止网络威胁。将现代平台与传统系统的集成需要仔细规划和投入，而在多样化操作中扩展解决方案则要求技术具备适应性。

通过应对这些挑战，工业大数据不仅是一种技术工具，更是一个战略推动力，在数字化时代中推动企业可持续创新。

1.4 开启工业智能的新篇章

迈向工业智能的旅程标志着工业运营、创新和竞争方式的一次关键性转变。这一转变发生在日益互联和技术驱动的世界中，而其核心驱动力便是工业数据智能。工业数据智能将传统制造实践与数据驱动的智能决策连接起来，通过挖掘数据的巨大潜力，为工业提供了前所未有的优化、创新和可持续发展机会。它通过将原始数据转化为可用的知识来增强精准决策，通过预测分析实现主动运营，并推动流程创新，从而催生新的商业模式和市场机会。这些能力使工业数据智能成为一股变革力量，帮助工业重新定义价值链，并建立持久的竞争优势。

尽管工业数据智能驱动的智能制造充满潜力，但在复杂的工业系统中确保数据质量和建立准确的数据驱动模型仍是一个难题，同时将先进技术与现有基础设施对接往往需要大量的投资和专业知识。此外，在工业环境中保护数据隐私并确保人工智能的伦理使用对于企业与用户建立信任至关重要。克服这些障碍需要政府、工业界和学术界的共同努力。

政府要加大对技术、数据基础设施和技能开发的投资，工业界必须拥抱数据驱动的文化，将数据视为战略资产，并将工业数据建模、分析与认知决策嵌入到运营的每个层面。

学术界通过数据科学、机器学习、人工智能和工业工程等多个学科的交叉应用创新，为工业界提供新的思路和方法，推动智能制造和数字化转型的进程。

工业数据智能不仅是一种技术进步手段，更是一种重塑工业思维、运作和演化方式的范式转变。通过智能化的数据分析决策、持续的技术创新和可持续发展的理念，为下一代产业创造更高效、灵活和环保的工业体系，推动经济的高质量发展，为全球产业的未来贡献智慧和力量。

本书旨在对工业数据智能进行全面探讨，涵盖其理论基础、建模分析方法、实际应用和变革潜力。随着读者深入阅读后续章节，将发现工业数据智能的潜力和应用正在不断演变，为企业技术进步和应用模式创新提供了巨大的机遇。

1.5 本章小结

本章首先梳理了全球制造业转型的大背景下我国发展智能制造的迫切需求与战略目标。而后描述了工业制造活动产生数据的主要特点，简述了主要的数据分析和人工智能方法在工业生产环节中的典型应用场景。然后给出了通过工业大数据发展智能制造的可实施路线图，阐述了基础设施建设，数据采集、处理、分析、应用，以及技术人才培养的全链条建设对于发展智能制造的重要性。最后对智能制造的未来作出了展望，讨论了智能制造将带来的颠覆性变革。

参考文献

[1] 工业互联网产业联盟．工业大数据分析指南［M］. 北京：电子工业出版社，2019.

[2] 田春华．工业大数据分析实践［M］. 北京：电子工业出版社，2021.

[3] 中国电子技术标准化研究院．工业大数据白皮书（2019 版）［R］. 北京：中国电子技术标准化研究院，2019.

第2章 工业数据智能建模与分析流程

2.1 数据预处理

数据预处理是发现并纠正数据中可识别错误的一个步骤，其中包括缺失值处理、离群值处理、数据噪声处理和数据规范化等，数据预处理通常是拿到原始数据之后进行的第一步流程。

2.1.1 缺失值处理

缺失值是指粗糙数据中由于缺少信息而造成的损失或截断的数据。具体而言，是指现有数据集中某个或某些属性的值是不完全的。

（1）缺失值的模式

在工业数据建模分析过程中，将包含缺失值的数据记录整理为有序的模式是有益的。在问卷调查当中，一种典型分类方法将缺失数据模式分为两类：整体缺失和项目缺失。整体缺失是指整个数据收集过程失效，如被抽样对象拒绝参与；项目缺失是指部分数据记录可用，如被抽样对象未回答某些问题。在工业过程数据分析中，缺失值的产生原因与问卷调查数据有所不同，但其模式可能与问卷调查中发现的模式类似。图 2-1 中展示了工业过程数据中常见的不同缺失模式，其中 $\boldsymbol{Y}=(y_{ij})\in\mathbb{R}^{N\times d}$ 表示一个 $N\times d$ 的无缺失值数据集。第 i 行表示为 $\boldsymbol{y}_i=\{y_{i1},\cdots,y_{id}\}$，元素 y_{ij} 表示第 i 时刻样本点的第 j 个变量的值。

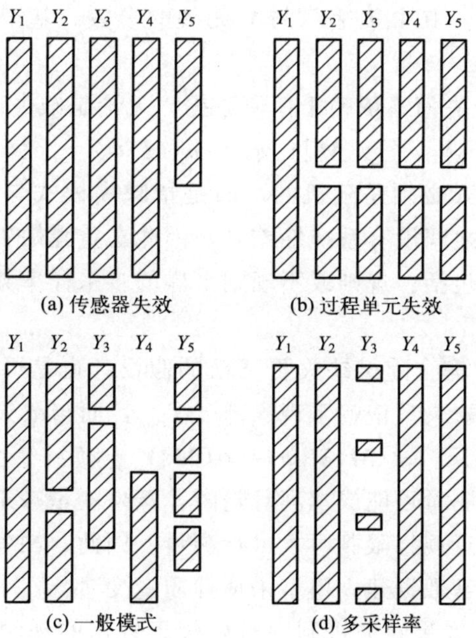

图 2-1 常见的工业过程数据缺失模式

图 2-1(a) 示例为所有缺失值属于同一个变量。这种情况在过程工业中通常是由于某个传感器长时间失效导致的。图 2-1(b) 示例为整体缺失。在过程工业中的类似情况是由

于故障条件（例如，纸浆和造纸厂中的纸张断裂）导致过程停机，此时唯一可用的信息是时间戳。这种情况会给动态过程建模带来问题。图 2-1(c) 示例为一般模式，其中短时缺失点可能是为了可靠分析而移除的异常值，而长时间的缺失可能是由于传感器停机造成的。图 2-1(d) 示例为缺失值的有序模式，这是多采样率数据的独特特征。带有缺失值的变量可能是质量变量，例如浓度，在工业过程中这些变量通常因实验室采样或在线气相色谱仪较慢的采样速率而被较少测量。

缺失值的产生通常是超出可控范围之外的干扰因素。在统计调查中，数据分析人员往往无法得知导致数据缺失的具体原因。然而，为了进行分析，通常会对缺失数据的原因做出假设。Rubin 提出了一个关于缺失机制的概率框架[1]，并得出了忽略缺失数据机制的合理条件，这是在最弱条件下成立的。在过程数据中导致缺失值的机制是有限的。因此，通常不需要进行额外的测试来确定缺失的机制。通过观察缺失数据的模式，通常可以追溯到导致缺失值的原因。进一步的信息可以从过程操作员的日志或控制回路的其他测量中找到。例如，控制回路的阀门位置可能表明是否发生了阀门饱和。

设 $\boldsymbol{Y}$ 表示一个 $N\times d$ 的矩形数据集，其中部分值缺失。缺失值用 $\boldsymbol{Y}_{\text{mis}}$ 表示，观测值用 $\boldsymbol{Y}_{\text{obs}}$ 表示。数据矩阵的简化形式可以表示为 $\boldsymbol{Y}=[\boldsymbol{Y}_{\text{obs}},\boldsymbol{Y}_{\text{mis}}]$。这种表示法是缺失数据文献中常用的通用符号，本节也采用此表示法。这并不意味着观测数据和缺失数据在矩阵中分为两个不同的块，而是缺失值分布在整个数据矩阵中。用矩阵 $\boldsymbol{M}=(m_{ij})\in\mathbb{R}^{N\times d}$ 表示缺失性矩阵，以标识哪些值是已知的，哪些是缺失的。$\boldsymbol{M}$ 的每个元素通常是一个二进制项，表示 $\boldsymbol{y}_{ij}$ 是否观测到：若 $m_{ij}=1$，则表示已观测到；若 $m_{ij}=0$，则表示缺失。在统计学文献中，缺失性被视为一种随机现象。$\boldsymbol{M}$ 的分布称为缺失机制，其特征由给定 $\boldsymbol{Y}$ 的条件分布 $p(\boldsymbol{M}|\boldsymbol{Y},\boldsymbol{\phi})$决定，其中 $\boldsymbol{\phi}$ 表示与 $\boldsymbol{Y}$ 无关的参数。基于不同的条件关系，缺失机制被划分为以下三类。

① 完全随机缺失：缺失值不依赖于任何数据，无论是缺失还是观测数据，表示为：

$$p(\boldsymbol{M}|\boldsymbol{Y},\boldsymbol{\phi})=p(\boldsymbol{M}|\boldsymbol{\phi}) \tag{2-1}$$

这并不意味着缺失模式必须是随机的，而是指缺失模式与数据值无关。在这种情况下，缺失数据与观测数据之间没有系统性差异，因此在重建缺失值时，不需要纳入缺失机制。一些过程数据的示例包括：规则或不规则采样的多采样率数据、因传感器故障导致的缺失数据等。

② 随机缺失：这是比完全随机缺失更宽松的假设，也是可以按全忽略缺失机制的最弱条件。在这种情况下，缺失只依赖于观测部分 $\boldsymbol{Y}_{\text{obs}}$，而与缺失部分 $\boldsymbol{Y}_{\text{mis}}$ 无关，表示为：

$$p(\boldsymbol{M}|\boldsymbol{Y},\boldsymbol{\phi})=p(\boldsymbol{M}|\boldsymbol{Y}_{\text{obs}},\boldsymbol{\phi}) \tag{2-2}$$

在某些情况下，质量测量可能成本高且耗时，条件变量被定期测量，而质量变量仅在这些条件变量表明过程接近规格限制时才进行测量。因此，缺失值与正常观测值之间没有系统性差异，可以基于正常数据建立模型来估计质量变量。

③ 不完全随机缺失：如果缺失机制同时依赖于数据的观测部分和缺失部分，则该机制是不可忽略的。这是最为严格的假设。在这种情况下，导致数据缺失的潜在原因会影响推断，因此必须在任何分析中加以考虑。

在某些情况下，过程数据未被记录是因为其值超出了传感器的测量范围。例如，大多数化工过程本质上是非线性的，而线性假设仅在狭窄范围内有效。因此，当超出传感器范围时，过程行为可能与正常行为有系统性差异，基于观测数据建立的模型在该区域内将无效。

（2）缺失值删除

直接删除是较为简单的一类缺失值处理方法，删除法按行或按列删除缺失值的样本并保留完整样本做进一步的建模与分析。这类方法局限性大，它以减少数据记录来换取信息的完备，这会丢弃大量隐藏在被删除元组中的信息。当缺失数据的比例比较大时，特别是缺失数据分布不符合随机分布时，直接删除可能会导致数据发生偏离，如原正态分布变成偏态分布。

（3）缺失值填补

缺失值填补通过补齐缺失元组，从而得到完备的数据表，数据填补通常需要基于缺失机制来设计填补方法。常用的填补方法有以下几种。

① 均值/众数填补法：均值/众数填补法将数值型缺失值替换为属性的均值或众数。该方法可以稍做修改，例如用样本中位数或四分位数替代均值或众数来填补缺失值。当缺失值发生的概率非常低时，均值/众数填补法是一种合理的处理方法。

② 聚类填补法：聚类填补法在填补缺失值之前尝试将相似的数据实例分组。分组完成后，为每个聚类计算均值或众数，并将其用于填补缺失值。

③ 回归填补法[2]：回归填补法尝试建立其他可测属性与缺失属性间关系来填补缺失值。例如，线性回归填补通过对数据的分析，推导出一个线性回归方程，基于两个相关值之间的关系估计缺失值，无论该变量是关键质量变量还是过程变量。

2.1.2 离群点处理

离群点是指那些统计意义上偏离正常采样轨迹的样本。根据 Kadlec 的提法，离群点根据偏离程度的不同又可以分为非显著离群点和显著离群点两种[3]。显著离群点一般指那些超出了变量的物理解释范围的采样点，而非显著离群点一般并未超出变量的解释范围，但又明显偏离正常轨迹。常用的离群点处理方法是通过检测方法将离群点找出并且剔除，常用的方法有以下几种。

① 3σ 方法：正态分布 99.7%的值会落在均值 μ 的 $\pm 3\sigma$ 范围内，其中 σ 是标准差。因此超出此范围的数据被认为是离群点。

② 半均值法：通过将排序的数据集划分为两部分子集，利用子集的均值和阈值范围来判定是否为离群点。

上述两种方法是检测单变量离群点的较为常用的方法，但不能简单推广到多变量离群点情况。

③ 小半容积法：通过寻找包含大多数样本的最小体积的多维椭球体，识别椭球外的样本作为离群点。

④ 椭圆多元裁剪法：基于统计裁剪的思想，通过修剪离群点对中心趋势的影响，逐步改进对数据分布的估计。

第三和第四种方法可以应用到多变量离群点的检测当中，Pearson 等对两种方法作了详细介绍[4]。

除了检测并剔除，还有一种处理的思路是容忍离群点的统计模型建模方法，旨在在模型参数估计中将可疑离群点的影响尽量降低，如鲁棒偏最小二乘法[5]、鲁棒主元回归[6] 等。

2.1.3 数据噪声处理

由于生产环境的不稳定波动、测量设备的误差以及数据传输和存储过程中的随机干扰等因素，大多数工业现场采集到的数据都不可避免存在着一定的噪声，可认为如下等式近似成立。

$$观测量(measurement)=真实数据(true\ data)+噪声(noise) \tag{2-3}$$

前文所述离群点属于观测量，其有可能是真实数据产生的，也有可能是噪声带来的。为了有效地表征含有噪声的数据，基于概率学习的模型无疑是理想的选择之一，因为此类模型在建模过程中将过程变量均视为随机变量，且都包含着对噪声的概率解释。还可以用平滑处理消除噪声，常用的平滑处理方法有中心移动平均、加权中心移动平均、指数移动平均等。

2.1.4 数据标准化

实践中，采集到的工业数据量纲不同，可能会出现部分维度的数值特别大，而另外部分维度的数值特别小的情况。例如，工业中测量风机入风口的单位是 kPa，测得的数值在 −20 到 0 之间，而测量风机入风口的单位是 Pa，测得的数值为 −2000 到 2000 之间，抛开单位，仅从数值上并不能反映真实大小，因此需要对数据进行标准化处理，消除量纲的影响，常见的数据标准化处理方式有如下几种。

① 最小-最大标准化

$$\hat{\boldsymbol{x}}_i=\frac{\boldsymbol{x}_i-\boldsymbol{x}_{\min}}{\boldsymbol{x}_{\max}-\boldsymbol{x}_{\min}} \tag{2-4}$$

式中，$\boldsymbol{x}_{\min}$、$\boldsymbol{x}_{\max}$ 分别为 $\boldsymbol{x}$ 的最小值、最大值。

② 均值标准化

$$\hat{\boldsymbol{x}}_i=\frac{\boldsymbol{x}_i-\overline{\boldsymbol{x}}}{\boldsymbol{s}} \tag{2-5}$$

式中，$\overline{\boldsymbol{x}}$、$\boldsymbol{s}$ 分别是 $\boldsymbol{x}$ 系列数据的均值、标准差值。

③ 归一标准化

$$\hat{x}_i=\frac{x_i}{\sum_{i=1}^{N}x_i} \tag{2-6}$$

2.2 特征工程

特征工程包括特征提取、特征选择两项工作。特征提取指的是手工或自动将原始变量转换为一组有业务/统计意义的特征变量；特征选择是从特征变量集合中挑选一组与分析问题相关的特征子集，达到降维的效果。

2.2.1 特征提取

在深度学习时代，天然具有层次结构的数据（如图像、文本、时间序列）的特征工程主要依靠深度神经网络自动进行，对于这些数据，其在性能上已经超越了依靠手工特征工程的建模。尽管如此，由于深度神经网络是黑盒模型，对于可解释性要求高的工业过程应用（为工程师提供故障报告、决策建议等）和一些层次结构不明显的数据对象，依靠应用和数据的知识而发展的手工特征工程仍然是重要手段。工业数据中常见数据的典型特征如下。

① 文本数据：词袋（BoW）及词频逆文档频（TD-IDF）、语法结构特征、隐性语法表征（LSA、pLSA）、显性语法表征、嵌入（Embedding）表征（单词矩阵因子分解、单词神经网络嵌入）、上下文内容表征（mLDA）。

② 图像数据：浅层特征（颜色特征、纹理特征、形状特征）、深层特征（深层网络语义特征）。

③ 时序数据：时域特征（基本统计量、线性相关性、平稳性、熵、趋势量、周期量、小波分解特征等）、频域特征（频谱、相位谱、功率谱密度、带宽、谱质心等）、子序列特征（区间特征、典型形状、模式词典）。

此外，变量层面上，工业数据常包含时间戳变量，时间戳属性包含年、月、日、小时、分钟、秒等信息，但是在很多的应用中，大量的信息是不需要的，仅需要保留小时、日、月等需要的颗粒度，这取决于应用领域知识，例如在城市车流量预测中，星期几、时间段是需要保留的典型周期性时间维度。

2.2.2 特征选择

特征选择的主要作用是增强对特征量和目标量关系的理解，降低模型学习的成本，主要手段是减少无关特征和冗余特征。特征选择不像主成分分析、奇异值分解等降维算法生成新组合特征，而是从原有特征中进行选择或排除，不涉及原有特征的变换。工业数据建模分析中常用的降维算法会在 3.2.1 节中详细介绍。

(1) 特征选择流程

如图 2-2 所示，特征选择包括四个环节。①子集生成：生成候选的特征子集；②子集评价：评价特征子集的好坏；③停止条件：决定什么时候该停止；④验证过程：特征子集是否有效。

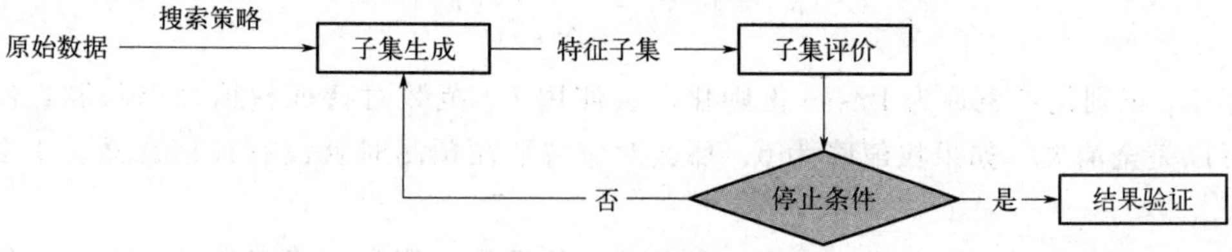

图 2-2　特征选择流程

由于停止条件、结果验证都与评价函数有关，注重度量方法，故特征选择中较为关键的步骤在于子集生成和子集评价两个环节。根据子集生成和评价的流程，特征选择可分为三类流程。

（2）过滤法

过滤法先进行特征选择，然后训练模型，特征选择的过程与模型训练无关。相当于先对特征进行过滤操作，然后用特征子集来训练模型。

单变量过滤法主要考虑如何去除数据中冗余的特征，常见的方法有：卡方检验、Pearson 相关系数、Fisher 得分、假设检验、互信息、最小冗余最大相关性、相关特征选择等。单变量过滤法仅考虑单个变量之间的相关性，会忽略变量间的组合效应。

对于分类问题，还可使用 ReliefF 算法[7] 进行过滤，该算法根据各个特征和类别的相关性赋予特征不同的权重，权重小于阈值的特征将被移除。

（3）绕封法

绕封法根据目标函数（通常是预测效果评分），每次选择若干个特征，或者排除若干个特征，如图 2-3 所示。它可以直接面向算法优化，不需要过多的评价准则，但是占用了庞大的搜索空间，并且需要定义合适的搜索策略，搜索策略有以下两种。

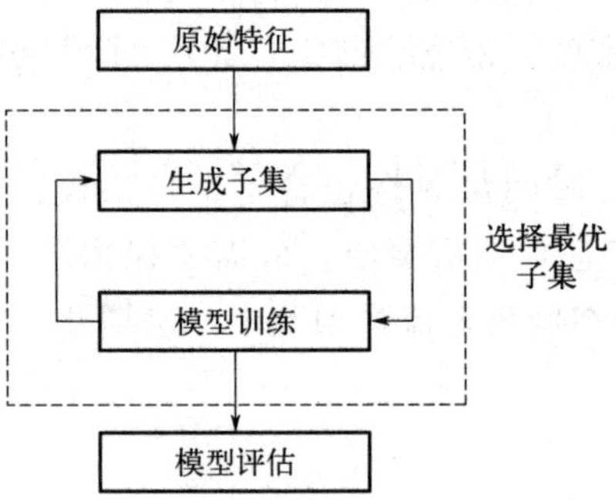

图 2-3　绕封法流程

① 完全搜索　完全搜索分为穷举搜索与非穷举搜索，穷举搜索枚举了所有的特征组合，时间复杂度过高，实用性不高。在穷举基础上加入限制分支的分支限界搜索是一种改进，此外还有集束搜索和最佳优先搜索等办法。

② 启发式搜索　当数据量庞大时，启发式搜索预先确定搜索起点和搜索路径，可以减少所需复杂度，常用的启发式搜索有模拟退火算法、遗传算法、蚁群算法等。

绕封法常用的评价方法为递归特征消除，即使用一个基模型来进行多轮训练，每轮训练后，移除若干权值系数的特征，再基于新的特征集进行下一轮训练。

（4）模型正则化

模型正则化是一种对模型施加额外约束的特征选择方法，目的是通过约束减少冗余特征影响，防止过拟合。正则化通过对需要优化的损失函数添加额外的条件来完成。有两种广泛使用的正则化方法：L_1 正则化和 L_2 正则化。定义 L^p 范数如下：

$$L^p(x)=\|x\|_p=\sqrt[1/p]{\sum_{k=1}^{d}|x_k|^p} \tag{2-7}$$

① L_1 正则化：也称为 Lasso 正则化，会使用 L_1 范数对特征权值加以限制，使特征权值可以完全消失。如果权值降为 0，那么对应特征在预测时就没有任何意义，不会被模型选择。

② L_2 正则化：也称为岭正则化，施加 L_2 范数作为限制，系数不会变成 0，但可以

达到接近 0 的小数值。

模型正则化将特征选择过程与模型训练过程融为一体，两者在同一个优化过程中完成，如图 2-4 所示，因此也可称为嵌入式特征选择方法。

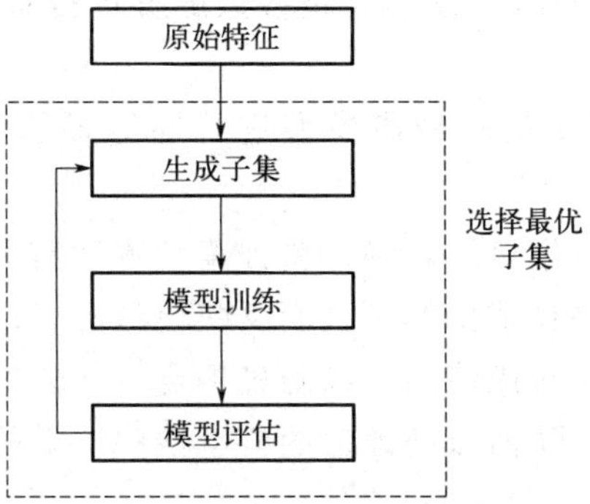

图 2-4　嵌入式特征选择流程

2.3　模型选择

这一步骤对最终的建模效果至关重要。由于模型是工业数据建模方法的核心，选择最优的模型类型对模型应用的性能至关重要。到目前为止，对于这一步骤还没有统一的理论方法，因此模型类型及其参数通常是针对每个工业过程以经验指导选择的。

通用的指导原则是根据工业过程当中的主要问题选择适用的算法，要抓住主要矛盾，不应该为了罕见的情况而过多增加模型复杂度。比如过程具有动态性且有较强的非线性，则应选择循环神经网络；若过程具有多个工况且工况之间表现出明显的工况差异性，则应选择集成模型或者即时学习算法；若过程数据分布具有明显的非高斯性，则应选择能建模非高斯分布的高斯混合模型甚至变分自编码器。

同时应该关心模型的可控性和可解释性，数据驱动模型是在一定前提假设下对物理世界的简化，有最佳使用场景和不适用场景，在建模时不仅要关心平均性能，还要关心最坏情形，最好能够给出模型的不适用场景及处理措施，并解释清楚模型性能增强的原因。

2.4　模型验证与评估

模型验证与评估的目的是衡量模型的泛化能力，确保其在未见过的数据上能够表现良好，同时通过对比不同模型和超参数配置选择最优方案，识别并避免过拟合或欠拟合现象，从而指导模型优化并提升实际应用的可靠性。验证的流程如下。

① 划分数据集：将数据集划分为训练集、验证集和测试集。训练集用于训练模型。验证集用于选择超参数和模型调优。测试集用于最终评估模型性能。

② 选择评估指标：根据任务需求（分类、回归等）确定合适的性能评估指标，如准

确率、精确率、召回率、均方误差等。

③ 执行交叉验证：通过 K 折交叉验证等技术更全面地评估模型性能，减少因单次划分导致的性能波动。

④ 对比多个模型：对多个模型或不同超参数配置进行验证，记录其在验证集上的表现，选择性能最佳者。

⑤ 测试集评估：使用测试集对最终模型进行性能评估，以衡量其在真实场景中的表现。

在评估中需要注意避免数据泄露，确保验证集和测试集未被训练使用；保证数据分布与真实场景一致，选择合适的评估指标来全面反映模型性能；多次运行以减小随机性对结果的影响；保留测试集至最终阶段使用，以防过拟合；并分析训练误差和验证误差的差异以平衡模型的复杂度和性能，从而保证评估的科学性和结果的可靠性。

2.5 模型部署

部署模型的目的是保证模型的结果可以持久、自动地服务于业务，因此部署前需要从业务的角度审视模型的业务可用性，特别要定义模型的不适用场景，并了解模型与业务流程的融合方式。企业生产、管理是以工艺流程或业务流程为驱动的活动，如果信息化带来的数据分析结果不能落实到企业流程中，分析模型就会游离在企业现有运作系统之外，很难实现价值落地。

除了大数据平台的计算性能，还应分析模型的全生命周期管理，因为在工业应用中，材料、工艺、装备、传感技术不断更新，在模型投入在线使用后，仍需要定期对模型进行校正，通过闭环反馈进行模型成熟度评估和状态管理（试用、正式应用、需更新、退役等），保证生产的可持续性和可靠性。

2.6 本章小结

面对来源多样、结构复杂的工业数据，为建立高效准确的模型，数据处理和特征工程是至关重要的前期准备工作。在数据处理阶段，可根据数据的具体特点，灵活地选择本章介绍的各个数据处理环节。当然，除了本章所述，针对不同类型的数据，可能还需要额外的处理手段，以确保数据包含有效信息。特征工程是将原始数据转化为模型可理解特征的过程。在特征提取阶段，我们需要根据数据的性质选择合适的提取方法。特征选择则是一个权衡的过程，既要考虑冗余特征的删除，又要避免因过度过滤而丢失关键信息。进行建模时，模型需要根据具体应用工业过程的特性选择合适模型。最后，模型构建完成后，模型的运维工作同样重要。我们需要对模型进行持续的监控和更新，以适应生产环境的变化，确保模型的可靠性和稳定性，从而实现生产过程的智能化和优化。

参考文献

[1] Rubin D B. Inference and Missing Data [J]. Biometrika，1976，63 (3)：581-592.

[2] Wayman J C. Multiple Imputation for Missing Data：What Is It and How Can I Use It [C]. Citeseer，2003：16.

[3] Kadlec P，Gabrys B，Strandt S. Data-Driven Soft Sensors in the Process Industry [J]. Computers & Chemical Engineering，2009，33 (4)：795-814.

[4] Pearson R K. Outliers in Process Modeling and Identification [J]. IEEE Transactions on Control Systems Technology，2002，10 (1)：55-63.

[5] Hubert M，Branden K V. Robust Methods for Partial Least Squares Regression [J]. Journal of Chemometrics，2003，17 (10)：537-549.

[6] Hubert M，Verboven S. A Robust PCR Method for High-Dimensional Regressors [J]. Journal of Chemometrics，2003，17 (8-9)：438-452.

[7] Kononenko I. Estimating Attributes：Analysis and Extensions of RELIEF [C]. Machine Learning：ECML-94，1994：171-182.

第3章

工业时序数据建模分析方法

3.1 工业时序数据概述

伴随着工业技术的发展，企业的生产加工设备、动力能源设备、运输交通设备、信息保障设备、运维管控设备上都加装了大量的传感器，如温度传感器、振动传感器、压力传感器、位移传感器、重量传感器等，这些传感器在不断产生海量的时序数据，提供了设备的温度、压力、位移、速度、湿度、光线、气体等信息。

产生的工业时序数据通常具有如下三个特征[1]。

① 数据附带时间戳：物联网设备按设定的周期或受外部事件触发，源源不断地产生数据，记录每个数据点是在哪个时间点产生的，以便对时序数据进行计算和分析。

② 数据是结构化的：物联网设备产生的数据往往是结构化的，而且是数值型的，比如压力传感器采集的气压、流量传感器采集的流量就可以用 4 字节的标准浮点数来表示。

③ 数据量大：工业边缘设备汇集的多种传感器、多种工艺，运行在多种工况下，单个点位以秒级甚至毫秒级的频率产生各类数据，数据量成倍增长，达到千万级以上。

基于获取的数据，根据业务目标的不同，工业数据分析可以分成四种类型。

① 描述型分析：描述型分析通常用来回答“发生了什么”、体现“是什么”类型的知识。工业企业中的周报、月报、商务智能分析等，就是典型的描述型分析。描述型分析一般通过计算数据的各种统计特征，把各种数据以便于人们理解的可视化方式表达出来。

② 诊断型分析：诊断型分析用来回答“为什么会发生这样的事情”。针对生产、销售、管理、设备运行等过程中出现的问题和异常，找出导致问题的根本原因。

③ 预测型分析：预测型分析用来回答“将要发生什么”。针对生产经营中各种问题，根据现在可见的因素，预测未来可能发生的结果。

④ 处方型（指导型）分析：处方型（指导型）分析用来回答“怎么办”的问题。针对已经和将要发生的问题，找出适当的行动方案，有效解决存在的问题或把工作做得更好。

在这四种基本需求之下，根据工业时序数据分析的典型场景，可以将具体应用归纳为两类[2]。

① 智能装备：通过对装备的分析，提高运维服务质量，优化运行效能，支撑产品运作链路等。典型的应用有设备故障检测与诊断、设备剩余寿命预测、设备健康管理、设备性能评估、设备控制优化、设备研发创新、设备定向营销等。

② 智慧工厂：打通不同生产单元与模块环节，结合不同时空尺度，从效率、质量和安全等角度，保证产品生产全过程可视、可溯、可决。典型的应用有生产需求预测、生产调度优化、工厂节能降耗、生产质量根因分析、生产质量检测、生产控制参数优化等。

3.2 工业时序数据建模方法

工业时序数据除了上述三个主要特征以外，大多数工业过程还具有多因素（多个影响因素)、互相关(多个变量间)、协同性(多个生产单元间)、跨尺度(时空颗粒度)、强机理等多个特征。针对这些特征,系列分析算法被提出以实现工业时序数据分析应用,这些算法主要分为机理驱动的算法(基于理论模型和工业系统知识构建数据分析模型的一类算法)和数据驱动的算法(从数据中寻找工业系统运行规律,最大化利用统计、机器学习等理论构建分析模型的一类算法)。本节主要介绍常用的数据驱动工业时序数据分析算法,旨在为工业数据分析从业者构建一套清晰的算法框架,因此会将重心放在算法适用与局限方面,略去详细的数学推导过程,以便读者根据特征选择合适的分析算法,最大程度获取工业过程的特征。

3.2.1 降维方法

(1)主成分分析

主成分分析(Principal Component Analysis,PCA)是由 Karl Pearson 于 1901 年首次提出的,这一方法最初用来分析数据中的相关性和变异性[3]。Harold Hotelling 在 1933 年将其推广并应用于多变量数据分析[4],进一步奠定了 PCA 在数据降维和特征提取中的地位。

PCA 的核心目标是将高维数据映射到低维子空间,并且尽量保持信息。为实现这一目标,PCA 实践中通过线性变换将高维数据投影到一个新的坐标系中,使得数据在新的坐标轴(即主成分)上的方差最大化。给定一个 $N\times d$ 的数据矩阵 $\boldsymbol{X}$,每行代表一个样本,每列代表一个变量。PCA 获取方差最大化的投影方向 $\boldsymbol{p}$,其对应子空间的表示为 $\boldsymbol{t}=\boldsymbol{Xp}$,通过优化如下的目标:

$$\underset{\mathbf{p}}{\operatorname{argmax}}\ \frac{1}{N}\boldsymbol{t}^{\mathrm{T}}\boldsymbol{t}=\underset{\boldsymbol{p}}{\operatorname{argmax}}\ \frac{1}{N}\boldsymbol{p}^{\mathrm{T}}\boldsymbol{X}^{\mathrm{T}}\boldsymbol{Xp}$$

$$\text{s. t. } \boldsymbol{p}_i\boldsymbol{p}_j=0$$

$$\text{s. t. } \|\boldsymbol{p}\|_2=1 \tag{3-1}$$

将协方差矩阵记为 $\boldsymbol{S}=\boldsymbol{X}^{\mathrm{T}}\boldsymbol{X}$,通过拉格朗日乘子法求解上面的优化目标,可得 $\boldsymbol{Sp}_i=\lambda_i\boldsymbol{p}_i$,其中 $\boldsymbol{p}_i$ 为特征向量,λ_i 为特征值,即投影方向等价于求解协方差矩阵的特征向量。将分解得到特征值按降序排列,即为 $\lambda_1,\lambda_2,\cdots,\lambda_d$,对应的特征向量为 $\boldsymbol{p}_1,\boldsymbol{p}_2,\cdots,\boldsymbol{p}_d$。PCA 把特征向量分为两个子集,分别为主成分子集和残差子集,主成分子集仅取前 $k(k<d)$ 个特征值对应特征向量,从而实现降维,其余特征向量则组成残差子集。同时,样本向特征向量张成子空间的投影表示为得分向量,记为 $\boldsymbol{t}_i=\boldsymbol{Xp}_i$,则样本的投影过程可表示为:

$$\boldsymbol{T}=[\boldsymbol{T}_p,\boldsymbol{T}_r]=\boldsymbol{X}[\boldsymbol{P}_p,\boldsymbol{P}_r] \tag{3-2}$$

式中,$\boldsymbol{P}_p$,$\boldsymbol{P}_r$ 分别代表主成分和残差子集中特征向量;$\boldsymbol{T}_p$,$\boldsymbol{T}_r$ 分别代表主成分和残差子集中得分向量。在 PCA 的视角下,样本可分解为:

$$\boldsymbol{X}=\boldsymbol{T}_p\boldsymbol{P}_p^{\mathrm{T}}+\boldsymbol{E} \tag{3-3}$$

式中,$\boldsymbol{E}$ 为残差项,通过选择主成分子集,最小化残差,从而实现信息的最大化保存。

PCA 通过线性变换的方式进行降维,然而现实工业过程中变量之间往往存在非线性关系，并且由于工业过程存在超前滞后环节，变量间也不能简单看作稳态关系。为提取非线性关系，在构建样本过程中融入核方法是一种主要思路，Schölkopf 等人首先提出了 kernel-PCA 方法[5]。为建模动态关系，Ku 等人加入历史时刻的变量构成增强矩阵进行分解[6]，而 Dong 等人引入对时间序列自回归量的主成分分解[7]。

（2）独立成分分析

独立成分分析（Independent Component Analysis，ICA）最早由 Jutten 和 Herault 以及 Comon 提出用于解决盲信号分离问题，用于将观测到的多维随机向量转化为彼此统计上尽可能独立的分量。为保证参数估计有解，ICA 的基本限制是独立成分必须是非高斯的。

ICA 是一种生成模型，它假设存在一个潜在过程生成了观测数据。给定一个包含 d 维特征和 N 个样本的原始数据集 $\boldsymbol{X}\in\mathbb{R}^{d\times N}$（注意，这里的数据表示与 PCA 中的转置相反），ICA 假设该数据集可以表示为多个独立源的线性组合，即：

$$\boldsymbol{X}=\boldsymbol{AS} \tag{3-4}$$

式中，$\boldsymbol{S}\in\mathbb{R}^{k\times N}$（$k\leqslant d$）是独立成分矩阵，而 $\boldsymbol{A}\in\mathbb{R}^{d\times k}$ 是混合矩阵。$\boldsymbol{S}$ 是 ICA 中的隐变量，它们被假定为驱动整个系统的变量，而 ICA 的目的是还原这些变量。

通过式(3-4) 我们可以看出，如果对其求逆并将其与原始数据集相乘，就能够恢复独立源。定义分离矩阵 $\boldsymbol{W}$，其中 $\boldsymbol{W}=\boldsymbol{A}^{\dagger}$ 表示伪逆矩阵，则隐变量的估计值可以通过以下方式计算：

$$\widehat{\boldsymbol{S}}=\boldsymbol{WX} \tag{3-5}$$

ICA 的目标是找到一个矩阵 $\boldsymbol{W}$，使得 $\widehat{\boldsymbol{S}}$ 中的各分量尽可能相互独立。

ICA 的预处理步骤不仅需要对数据进行归一化，更重要的一个过程是称为球化（sphering）或白化（whitening），其目的是实现原始数据的去相关。对于一个归一化矩阵 $\boldsymbol{X}$，其协方差矩阵为 $\boldsymbol{S}=E(\boldsymbol{XX}^{\mathrm{T}})$，其中 $E(\cdot)$ 表示期望值。协方差矩阵的特征值分解可以通过以下方式计算：

$$E(\boldsymbol{XX}^{\mathrm{T}})=\boldsymbol{P\Lambda P}^{\mathrm{T}} \tag{3-6}$$

定义 $\boldsymbol{V}=\boldsymbol{\Lambda}^{-\frac{1}{2}}\boldsymbol{P}^{\mathrm{T}}$，白化变换可以表示为：

$$\boldsymbol{Z}=\boldsymbol{VX} \tag{3-7}$$

很容易验证 $\boldsymbol{Z}$ 的协方差为单位矩阵。最著名的 ICA 算法是 FastICA[8]，它基于最大化变量的非高斯性。

（3）偏最小二乘回归

PCA 和 ICA 都是从一组变量中提取隐变量的模型，但有时我们需要建模多个变量组之间的关系。偏最小二乘（Partial Least Squared，PLS）方法由 Herman Wold 在 20 世纪 70 年代提出[9]，PLS 提供了一种构建输入变量和目标变量两变量组之间线性关系的手段，PLS 分别从两变量组获取隐变量同时构建两组隐变量间回归关系。

给定一个 $N\times d_i$ 的输入矩阵 $\boldsymbol{X}$ 和 $N\times d_o$ 的目标矩阵 $\boldsymbol{Y}$，PLS 需要同时最大化两个变量组的隐变量所属的子空间方差以及两组隐变量的相关系数，将两部分目标汇总可视作最大化两组隐变量之间的协方差，即为下式：

$$\boldsymbol{w}_1,\boldsymbol{v}_1=\underset{\boldsymbol{w}_1}{\operatorname{argmax}}\operatorname{Cov}(\boldsymbol{Xw}_1,\boldsymbol{Yv}_1)$$

$$\text{s.t.}\ \|\boldsymbol{w}_1\| = 1$$

$$\text{s.t.}\ \boldsymbol{w}_i \boldsymbol{w}_j = 0, \text{对于}\ i \neq j \tag{3-8}$$

式中，$\boldsymbol{w}_1$，$\boldsymbol{v}_1$ 分别表示输入变量和目标变量对应的权重向量。与 PCA 过程类似，PLS 可以采用拉格朗日乘子法求解上述优化目标，通过求解如下等式，可得到权重向量：

$$\boldsymbol{X}^{\mathrm{T}}\boldsymbol{Y}\boldsymbol{Y}^{\mathrm{T}}\boldsymbol{X}\boldsymbol{w}_1 = \lambda^2 \boldsymbol{w}_1$$

$$\boldsymbol{Y}^{\mathrm{T}}\boldsymbol{X}\boldsymbol{X}^{\mathrm{T}}\boldsymbol{Y}\boldsymbol{v}_1 = \lambda^2 \boldsymbol{v}_1 \tag{3-9}$$

通过上式可以看到，权重向量求解可转化为 $\boldsymbol{X}^{\mathrm{T}}\boldsymbol{Y}\boldsymbol{Y}^{\mathrm{T}}\boldsymbol{X}$ 特征值分解的左右特征向量，即对矩阵 $\boldsymbol{X}^{\mathrm{T}}\boldsymbol{Y}\boldsymbol{Y}^{\mathrm{T}}\boldsymbol{X}$ 进行奇异值分解，得到的左右特征向量即可作为权重向量的解。通过权重向量，可计算出得分向量 $\boldsymbol{t}_1 = \boldsymbol{X}\boldsymbol{w}_1$，$\boldsymbol{u}_1 = \boldsymbol{Y}\boldsymbol{v}_1$。

得到得分向量后，PLS 将输入变量和目标变量分成两个分解问题，描述如下：

$$\boldsymbol{X} = \boldsymbol{t}_1 \boldsymbol{p}_1 + \boldsymbol{E}_1$$

$$\boldsymbol{Y} = \boldsymbol{u}_1 \boldsymbol{q}_1 + \boldsymbol{F}_1 \tag{3-10}$$

式中，$\boldsymbol{p}_1, \boldsymbol{q}_1$ 分别表示输入变量和目标变量对应的负载向量，类似 PCA，负载向量通过最小化误差获得。到此完成一个轮次的分解，目前 PLS 算法求解都采用多轮次迭代的方法，在下一轮次，只需要按照相同的步骤分解输入向量和输出向量的残差矩阵 $\boldsymbol{E}_1, \boldsymbol{F}_1$。

与 PCA 类似，PLS 同样擅长于建模变量之间的线性关系，为建模实际工业过程当中变量间的非线性和动态性关系，也需要对 PLS 进行一些针对性改进[10,11]。

3.2.2 混合模型

在非高斯概率密度估计中，混合模型的适用范围比较广泛、建模能力比较突出。混合模型通过集成多个组分模型的方式，能够有效地表征过程特性中的非线性、非高斯性以及多工况特性。高斯混合模型（Gaussian Mixture Model，GMM）则是一类常用的混合模型[12]。

假定数据点 $\boldsymbol{x} \in \mathbb{R}^d$ 服从 K 个高斯混合分布，其概率密度函数有如下形式：

$$p(\boldsymbol{x}) = \sum_{k=1}^{K} \pi_k \mathbb{N}(\boldsymbol{x} \mid \mu_k, \Sigma_k) \tag{3-11}$$

式中，π_k，μ_k，Σ_k 分别表示第 k 个组分的混合系数、均值向量和协方差矩阵。$\mathbb{N}(\cdot)$ 表示高斯分布的概率密度函数。混合系数满足两个条件：$\pi_k > 0$，$\sum_{k=1}^{K} \pi_k = 1$。GMM 模型参数定义为 $\boldsymbol{\Theta} = \pi, \mu, \boldsymbol{\Sigma} = \{\pi_1, \mu_1, \boldsymbol{\Sigma}_1, \pi_2, \mu_2, \boldsymbol{\Sigma}_2, \cdots, \pi_K, \mu_K, \boldsymbol{\Sigma}_K\}$。

给定一组由 N 个独立同分布的样本构成的训练集，记为 $\boldsymbol{X} = \boldsymbol{x}_1, \boldsymbol{x}_2, \cdots, \boldsymbol{x}_N$，那么 $\boldsymbol{X}$ 的对数似然函数可写为：

$$\mathcal{L}(\boldsymbol{\Theta}) = \ln \prod_{n=1}^{N} p(\boldsymbol{x}_n) = \sum_{n=1}^{N} \ln p(\boldsymbol{x}_n) = \sum_{n=1}^{N} \ln \left\{ \sum_{k=1}^{K} \pi_k \mathbb{N}(\boldsymbol{x}_n \mid \mu_k, \boldsymbol{\Sigma}_k) \right\} \tag{3-12}$$

为了求解模型参数，通过最大似然估计对上式进行求解：

$$\boldsymbol{\Theta}^* = \underset{\boldsymbol{\Theta}}{\operatorname{argmax}} \mathcal{L}(\boldsymbol{\Theta}) \tag{3-13}$$

然而，执行最大似然估计会导致模型参数出现矩阵奇异或病态估计等问题，并且难以求解得到封闭解析解。实际上，期望最大化（EM）算法通过迭代学习的方式能够寻找到具有隐变量的概率模型的最大似然估计的解。EM 算法包括 E 步和 M 步，其中 E 步根据当前参数的值计算隐变量的后验概率，M 步根据后验概率重新估计并更新模型参数。EM 算法用于 GMM 的参数求解具体过程如下：

E 步：根据当前参数的值计算后验概率

$$R_{nk}^{t}=\frac{\pi_{k}^{t}\mathbb{N}(\boldsymbol{x}_{n}|\boldsymbol{\mu}_{k}^{t},\boldsymbol{\Sigma}_{k}^{t})}{\sum_{k=1}^{K}\pi_{k}^{t}\mathbb{N}(\boldsymbol{x}_{n}|\boldsymbol{\mu}_{k}^{t},\boldsymbol{\Sigma}_{k}^{t})} \tag{3-14}$$

式中，π_k^t、$\boldsymbol{\mu}_k^t$ 和$\boldsymbol{\Sigma}_k^t$ 表示第 t 次迭代学习得到第 k 个组分的模型参数。

M 步：根据后验概率重新估计和更新模型参数

$$\pi_{k}^{t+1}=\frac{\sum_{n=1}^{N}R_{nk}^{t}}{N}$$

$$\boldsymbol{\mu}_{k}^{t+1}=\frac{\sum_{n=1}^{N}R_{nk}^{t}\boldsymbol{x}_{n}}{\sum_{n=1}^{N}R_{nk}^{t}}$$

$$\boldsymbol{\Sigma}_{k}^{t+1}=\frac{\sum_{n=1}^{N}R_{nk}^{t}(\boldsymbol{x}_{n}-\boldsymbol{\mu}_{k}^{t})(\boldsymbol{x}_{n}-\boldsymbol{\mu}_{k}^{t})^{\mathrm{T}}}{\sum_{n=1}^{N}R_{nk}^{t}} \tag{3-15}$$

式中，π_k^{t+1}、$\boldsymbol{\mu}_k^{t+1}$ 和$\boldsymbol{\Sigma}_k^{t+1}$ 表示第 $t+1$ 次迭代学习得到第 k 个组分的模型参数。

最后，不断迭代 E 步和 M 步直至对数似然函数收敛。

针对工业数据中存在的离群点，研究学者提出了使用具有长尾特点的 Student's t 分布来替代 GMM 当中高斯分布，他们设计出 Student's t 混合回归模型（Student's t Mixture Regressor，SMR）[13]，以期让混合模型在离群点存在下仍能准确表示数据分布。在参数估计方面，Zhu 等将 GMM 拓展成具有完全贝叶斯结构的贝叶斯高斯混合模型(Bayesian GMM，BGMM)[14]。在 BGMM 中，所有的模型参数都被视为随机变量，并分配相应的共轭先验分布，如混合系数服从狄利克雷先验分布。模型训练时，变分推断技术被采纳用于学习模型参数的后验分布，并且在模型迭代训练过程中，能够自动学习到有效的组分个数，同时将冗余的混合组分的系数置为零。Shao 等提出了具有半监督结构的混合高斯模型[15]，旨在同时利用工业过程数据中稀少的有标签数据和大量的无标签数据学习到更加准确的模型参数，进而释放有监督模型的估计能力。

3.2.3 概率图模型

（1）贝叶斯网络

作为一种概率图模型，贝叶斯网络（Bayesian Network，BN）由一个有向无环图

（DAG）结构和一组关于节点变量的条件概率分布组成。DAG 定性地表达了变量间的条件依赖关系，变量的条件概率分布定量地描述了这种依赖关系[16]。在 DAG 结构中，每个节点表示一个变量，节点之间的有向边表示变量间的条件依赖关系，并从父节点指向子节点。BN 的网络结构可以表示为 $G=\langle V,A\rangle$，其中 G 为有向无环图，V 为变量节点集合，A 为有向边集合。以下给出它的一个经典例子：对于给定变量集 $X_1,X_2,\cdots,X_d$，其联合概率可以因式分解为：

$$P(\boldsymbol{X})=P(X_1,X_2,\cdots,X_d)=\prod_{i=1}^{d}P\Big(X_i\,|\,PA(X_i)\Big) \tag{3-16}$$

式中，$PA(X_i)$ 表示节点 X_i 的父节点集合，这种因式分解有助于简化大规模问题的计算。BN 的学习包含结构学习和参数学习两个部分。结构学习为每个节点找到其父节点，并从父节点往子节点连一条有向边。结构学习方法可以分为基于评分搜索的方法、基于约束的方法以及综合了这两种方法的混合学习方法。在基于评分搜索的结构学习方法中，需要为其设置评分函数，以评判当前结构与数据集的契合程度。通常我们希望在满足与数据集契合程度高的前提下，网络结构能拥有更低的复杂度，因此在设置评分函数时通常采用最小描述长度（MDL）评分：

$$MDL(G\,|\,D)=LL(G\,|\,D)-f(N)\,|G| \tag{3-17}$$

式中，G 为学习到的网络结构，D 为数据集，LL 表示描述结构与数据契合程度的似然函数，$f(N)$ 为与样本数量正相关的函数，$|G|$ 为网络结构复杂度。在 MDL 评分准则下，工业过程建模中用得最多的评分函数为贝叶斯信息准则（BIC）：

$$BIC(G\;|\;D)=\sum_{i=1}^{d}\left[\lg P(X_i\;|\;PA(X_i))-\frac{\lg N}{2}\,|\,\theta_{X_i}\,|\right] \tag{3-18}$$

其中 d 为变量个数，$|\theta_{x_i}|$ 为描述节点 X_i 的条件概率分布的参数个数。基于 BIC 评分，可以采用启发式搜索算法寻找最优网络结构，典型搜索算法有爬山法、K2 算法、进化计算等。

建立贝叶斯网络结构之后，需要确定各个节点的条件概率分布，即参数学习。在过程相对简单且对过程知识有足够了解的情况下，网络参数可以由专家进行估计。对于复杂工业过程则需要从数据中学习各个节点的概率分布。在数据没有缺失值的情况下，可以通过极大似然估计确定网络参数，其中对数似然函数可记为：

$$LL(\Theta)=\sum_{k=1}^{N}\lg P(\boldsymbol{X}_k\,|\,\Theta) \tag{3-19}$$

式中，N 为样本数量，$\boldsymbol{X}_k$ 为第 k 个样本，Θ 为网络参数。对于含有缺失值的数据，可以通过 EM 算法估计网络参数。

对于工业过程变量间动态关系，将 BN 模型进行动态扩展得到动态贝叶斯网络（DBN）。它旨在描述不同时刻内变量间的条件依赖关系，并且与 BN 一样，能够以较低的计算开销表达变量组的联合概率分布。假设需要考察 m 个时刻 $T=t,t-1,\cdots,t-m+1$ 内变量之间的关系，记为 $\boldsymbol{X}=\{X_1(t),\cdots,X_d(t),X_1(t-1),\cdots,X_d(t-1),\cdots,X_1(t-m+1),\cdots,X_d(t-m+1)\}$，则联合分布概率可分解为：

$$P(\boldsymbol{X})=\prod_{j=0}^{m-1}\prod_{i=1}^{d}P(X_i(t-j)\,|\,PA(X_i(t-j))) \tag{3-20}$$

以一个最简单的两时间片的DBN为例，它的结构如图3-1所示。它能够表示两个采样时刻内变量之间的关系。

3.2.4 决策树模型

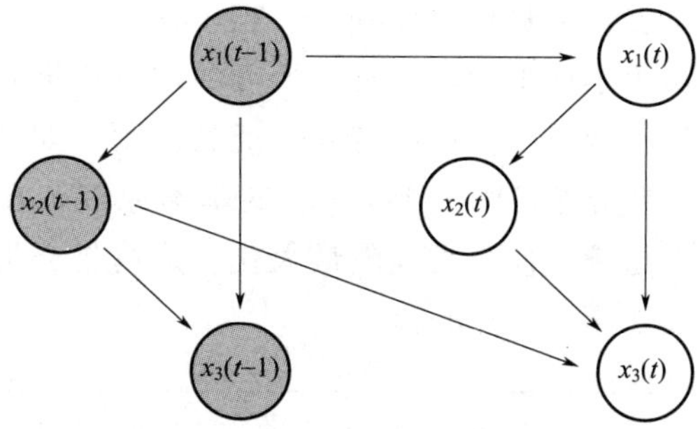

图3-1 包含两个时间片的DBN示意图

决策树是常见的分类学习方法，它来源于人们在面临决策问题时一种自然的思考过程。例如，判断苹果好不好，先看颜色，青的肯定不好；颜色红的再看看有没有虫眼，没有虫眼的就是好苹果。这个简单的决策过程就形成了树结构。

分类回归树（Classification and Regression Tree，CART）是一种简单、直观但功能强大的决策树算法，包含处理分类任务的分类树和处理回归任务的回归树。CART算法生成的是一个结构简洁的二叉树，包含一个根节点、若干矢量边、若干内部节点和若干叶节点。根节点中包含整个数据集，内部节点中的数据均是数据集的子集，这两类节点的数据均可沿着矢量边划分为具有同样分类标签的子集至子节点，而叶节点则不会继续划分。CART通过迭代划分特征从而将样本集分为尽可能同质的子集，需要使用信息增益（IG）的方法：

$$IG(D_1,D_2)=I(D)-\frac{n_1}{n}I(D_1)-\frac{n_2}{n}I(D_2) \tag{3-21}$$

式中，IG 取决于所选取的不纯度函数 $I(D)$，$I(D)$ 旨在度量数据集中类别的混乱度。$IG(D_1,D_2)$ 表示将数据集 D 划分为数据量分别为 n_1 和 n_2 的子集 D_1 和 D_2 后的分类正确度。我们需要通过寻找最佳特征及对应的划分值来最大化 $IG(D_1,D_2)$，从而将 D 尽可能正确地划分为与类别相关的同质子集和异构子集。

分类树预测离散型数据，通常使用基尼系数作为不纯度函数指标。节点 D 中基尼系数为：

$$I_g(D)=\sum P_k(1-P_k) \tag{3-22}$$

式中，P_k 表示 D 中的样本为第 k 个类别的概率。当在节点数据子集中所有样本为同一类时，则 P_k 为1，而基尼系数最小 $I_g(D)=0$；当所有样本均匀属于各个类别时，基尼系数最大 $I_g(D)=(k-1)/k$，此时节点数据子集混乱度也就最大。对于分类树，还可选择信息熵和错分率作为不纯度函数指标。

对于特定的特征集合 V 和特征值集合 Z，每一轮迭代，分类树遍历特征集合，选取使基尼系数最小的特征和对应的切分点，即为：

$$(\nu_j,z_j^*)=\min_{V,Z} I_g(D) \tag{3-23}$$

对于回归树，通常使用均方误差（MSE）作为不纯度函数指标，使得最小化MSE的子集平均值 $\overline{y}$ 作为该子集目标输出，对应的优化目标如下：

$$(\nu_j,z_j^*)=\min_{V,Z}\left[\min_{\overline{y}_1}\sum_{x_i\in R_1(\nu_j,z_j^*)}(\overline{y}_i-\overline{y}_1)^2+\min_{\overline{y}_2}\sum_{x_i\in R_2(\nu_j,z_j^*)}(\overline{y}_i-\overline{y}_2)^2\right] \tag{3-24}$$

3.2.5 支持向量机

支持向量机（Support Vector Machine，SVM）是由 Vapnik 提出的机器学习方法，适用于小样本学习，具有严谨的理论依据和数学基础，而后经过多年的发展，目前已在计算机领域多项任务中有着广泛的应用，如处理分类、回归及异常检测等任务。在本节中我们主要介绍 SVM 分类算法的基本原理，在解决分类问题当中，SVM 的学习策略是寻找分隔超频面使分类间隔最大化，最终将分类器的优化问题转化为求解一个凸二次规划的问题。如图 3-2 所示。

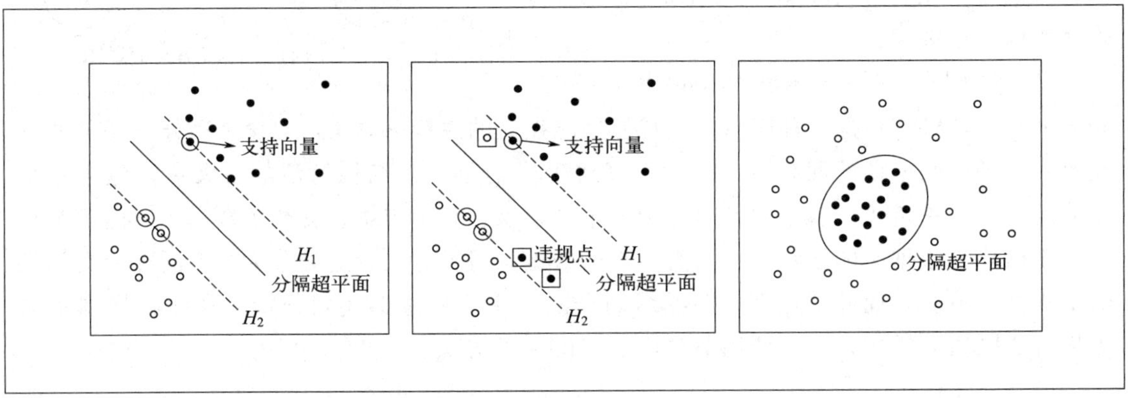

图 3-2　支持向量机示意图

在实际应用中，训练数据集分为 3 种：线性可分数据集、近似线性可分数据集和非线性可分数据集，所需的分隔超平面也不同，需用到不同类型的支持向量机。

（1）硬间隔支持向量机

线性可分的数据是较为简单的一类问题，以二分类故障诊断为例，记正常标签 $y=+1$，故障标签 $y=-1$。处理线性可分的数据需使用硬间隔支持向量机，它通过在特征空间中寻找一个分隔超平面，从而将样本按分类标签分到不同的类别。分隔超平面定义如下：

$$\boldsymbol{W}\boldsymbol{x}+\boldsymbol{b}=0 \tag{3-25}$$

式中，$\boldsymbol{W}$ 为分隔超平面的法向量，$\boldsymbol{b}$ 为分隔超平面截距。硬间隔支持向量机对应的分类决策函数为：

$$\hat{y}=\text{sign}(\boldsymbol{W}\boldsymbol{x}+\boldsymbol{b}=0) \tag{3-26}$$

如图 3-2 左图所示，对于线性可分数据，两个类别的支持向量间存在无数个超平面，但是 SVM 需要求解的是最佳的分隔超平面，也就是距离两个类别样本点的间隔最大的分隔超平面。对于任何样本对（$\boldsymbol{x}_i,\boldsymbol{y}_i$）$\in\boldsymbol{D}$，我们使用 $\boldsymbol{x}_i$ 与分隔超平面的距离来衡量分类预测的可靠程度：$\boldsymbol{x}_i$ 离分隔超平面越远，则它的分类确信度越高。$\boldsymbol{x}_i$ 与超平面（$\boldsymbol{W},\boldsymbol{b}$）的距离定义为：

$$s_i=\frac{|\boldsymbol{W}\boldsymbol{x}_i+\boldsymbol{b}|}{\|\boldsymbol{W}\|} \tag{3-27}$$

为同时考虑预测的准确性和确信度，定义样本到超平面的间隔如下：

$$\gamma_i=\frac{|\boldsymbol{W}\boldsymbol{x}_i+\boldsymbol{b}|y_i}{\|\boldsymbol{W}\|} \tag{3-28}$$

式中，γ_i 的符号表示分类的准确性：γ_i 符号为正，则分类正确；γ_i 符号为负，则分类错误。γ_i 的绝对值大小表示分类的确信度，其绝对值越大，表示（$\boldsymbol{x}_i, \boldsymbol{y}_i$）距离分隔超平面的距离越远，分类确信度也就越高。假设 SVM 通过最优分隔超平面可将训练集 $\boldsymbol{D}$ 正确划分为正常样本集 $\boldsymbol{D}_1$ 和故障样本集 $\boldsymbol{D}_2$，定义 $\boldsymbol{D}_1$ 中样本点到超平面间隔的最小值与 $\boldsymbol{D}_2$ 中样本点到超平面间隔的最小值之和为超平面关于 $\boldsymbol{D}$ 的总间隔：

$$\gamma = \min_{x_i \subseteq D_1} \gamma_i + \min_{x_j \subseteq D_2} \gamma_j \tag{3-29}$$

最优超平面到正常样本集和故障样本集的几何间隔是所有分隔超平面中最大的，这就是间隔最大化的思想。在数据集中样本均能被超平面正确分类的情况下，有 $|\boldsymbol{W}\boldsymbol{x}+\boldsymbol{b}|\geqslant \boldsymbol{1}$，根据式(3-27)，此时 $\boldsymbol{D}$ 中的所有样本点到超平面的距离 $s\geqslant\frac{1}{\|\boldsymbol{W}\|}$，则最优超平面的总距离为$\frac{2}{\|\boldsymbol{W}\|}$。因此，求解最优分隔超平面可以表示为如下的带约束最优化问题：

$$\begin{gathered}\max_{\boldsymbol{W}} \frac{2}{\|\boldsymbol{W}\|} \\ \text{s.t. } y_i(\boldsymbol{W}\boldsymbol{x}_i+\boldsymbol{b})\geqslant 1, \quad i=1,2,\cdots,N\end{gathered} \tag{3-30}$$

上式可以改写为：

$$\begin{gathered}\min_{\boldsymbol{W}} \frac{1}{2}\|\boldsymbol{W}\| \\ \text{s.t. } y_i(\boldsymbol{W}\boldsymbol{x}_i+\boldsymbol{b})\geqslant 1, \quad i=1,2,\cdots,N\end{gathered} \tag{3-31}$$

通过上述步骤，即可将求解间距最大化的超平面问题转化为一个凸二次规划问题。综上，硬间隔支持向量机建模步骤为：①输入线性可分训练数据集，构造并求解式(3-31)；②得到间距最大化的最优分隔超平面$\boldsymbol{W}^* \boldsymbol{x}+\boldsymbol{b}^*=0$，以及相应的分类决策函数；③通过最优分隔超平面和分类决策函数，对新查询实例 $\boldsymbol{x}_t$ 进行预测。

（2）软间隔支持向量机

如图 3-2 中间所示，数据集 $\boldsymbol{D}$ 是近似线性可分的，此时 $\boldsymbol{D}$ 中存在一些违规点，这些违规点不满足最小距离的条件，但除去违规点后的大部分样本点是线性可分的。这种情况下，我们前面所介绍的硬间隔支持向量机并不适用。为了使违规样本点不影响最优模型的构建，需采用软间隔。对分类正确的距离引入松弛变量 φ，变为：

$$|\boldsymbol{W}\boldsymbol{x}+\boldsymbol{b}|\geqslant 1-\varphi_i \tag{3-32}$$

此时，目标函数会相应地增加一个代价 φ_i。目标函数变为：

$$\begin{gathered}\min_{\boldsymbol{W}} \frac{1}{2}\|\boldsymbol{W}\| + C\sum_{i=1}^{N}\varphi_i \\ \text{s.t. } y_i(\boldsymbol{W}\boldsymbol{x}+\boldsymbol{b})\geqslant 1-\varphi_i \\ \varphi_i\geqslant 0, i=1,2,\cdots,N\end{gathered} \tag{3-33}$$

式中，$C>0$ 称作惩罚系数，它的意义类似于正则化参数，控制着模型的间隔和误分类点的重要程度。

（3）非线性支持向量机

进一步，考虑非线性可分的数据，如图 3-2 右图，需要用到特征空间 $\mathbb{R}^d$ 中的一个超曲面才能将正常样本和故障样本区分开。对于这种非线性可分的问题，需要构建非线性支持向量机，通常构建核函数将原始特征空间投影到一个线性可分的高维特征空间。通过核函数，试图将非线性可分问题转化为线性可分问题，再在高维特征空间中构建线性支持向量机。常用的核函数如表 3-1 所示。

表 3-1 常用的核函数

类型	数学表达式	相关参数
线性核函数	$k(\boldsymbol{x}_i,\boldsymbol{x}_j)=\boldsymbol{x}_i^{\mathrm{T}}\boldsymbol{x}_j$	—
多项式核函数	$k(\boldsymbol{x}_i,\boldsymbol{x}_j)=(\boldsymbol{x}_i^{\mathrm{T}}\boldsymbol{x}_j)^n$	n 为多项式次数
高斯核函数	$k(\boldsymbol{x}_i,\boldsymbol{x}_j)=\exp\left(-\frac{\Vert \boldsymbol{x}_i-\boldsymbol{x}_j \Vert^2}{2h^2}\right)$	h 为高斯核函数的带宽
神经网络核函数	$k(\boldsymbol{x}_i,\boldsymbol{x}_j)=\tanh(\beta\boldsymbol{x}_i^{\mathrm{T}}\boldsymbol{x}_j+\theta)$	tanh 为双曲正切函数，其中 $\beta>0,\theta<0$

3.2.6 神经网络模型

（1）多层感知机

多层感知机（Multi-Layer Perceptron，MLP）[17] 是一种前馈神经网络，是深度学习模型族最基础且重要的模型之一。多层感知机由多层神经元组成，每一层与它的上一层相连，从中接收输入；同时每一层也与它的下一层相连，影响当前层的神经元。每一层都输出到下一层，直到生成最后的输出。我们可以把前 $L-1$ 层看作表示，把最后一层看作线性预测器。

给定矩阵 $\boldsymbol{x}\in\mathbb{R}^{n\times d}$ 来表示 n 个样本的小批量（minibatch），对于具有 h 个隐藏单元的单隐藏层 MLP，用 $\boldsymbol{h}\in\mathbb{R}^{n\times h}$ 表示隐藏层的输出，称为隐层表示或隐变量，$\boldsymbol{o}\in\mathbb{R}^{n\times q}$ 表示 MLP 的输出。则单隐藏层 MLP 的输出可由下式计算：

$$\boldsymbol{h}=\phi(\boldsymbol{x}\boldsymbol{W}^{(1)}+\boldsymbol{b}^{(1)}),$$
$$\boldsymbol{o}=\boldsymbol{h}\boldsymbol{W}^{(2)}+\boldsymbol{b}^{(2)} \tag{3-34}$$

式中，$\boldsymbol{W}^{(1)}$，$\boldsymbol{W}^{(2)}$ 分别表示隐藏层和输出层的权重，$\boldsymbol{b}^{(1)}$，$\boldsymbol{b}^{(2)}$ 分别表示两层的偏置；$\phi(\cdot)$ 是激活函数。激活函数通过计算加权和、加上偏置来确定神经元是否应该被激活，它们将输入信号转换为输出的可微运算。大多数激活函数都是非线性的，并且是对每个隐层单元逐元素进行计算，表 3-2 列出了常用的激活函数。

表 3-2 常用激活函数

名称	数学表达
修正线性函数(ReLU)	$\mathrm{ReLU}(x)=\max(x,0)$
sigmoid 函数	$\sigma(x)=\frac{1}{1+\exp(-x)}$
tanh 函数	$\tanh(x)=\frac{1-\exp(-2x)}{1+\exp(-2x)}$

① MLP 的参数估计　为了构建更通用的多层感知机，我们可以继续堆叠这样的隐藏层，例如$\boldsymbol{h}^{(1)}=\sigma_1(\boldsymbol{x}\boldsymbol{W}^{(1)}+\boldsymbol{b}^{(1)})$和$\boldsymbol{h}^{(2)}=\sigma_2(\boldsymbol{h}^{(1)}\boldsymbol{W}^{(2)}+\boldsymbol{b}^{(2)})$，一层叠一层，从而产生更有表达能力的模型。对于多隐层的 MLP 模型，由于模型表示的输入变量与输出变量间关

系太过复杂，多数时候无法采用解析解方式估计网络中的权重与偏置项。在无法得到解析解的情况下，仍然可以用梯度下降的方法有效训练模型。它通过不断地在损失函数递减的方向上更新参数来降低误差。

梯度下降最简单的用法是计算损失函数（数据集中所有样本的损失均值）关于模型参数的导数（在这里也可以称为梯度）。但实际中的执行可能会非常慢：因为在每一次更新参数之前，我们必须遍历整个数据集。因此，我们通常会在每次需要计算更新的时候随机抽取一小批样本，这种变体叫做小批量随机梯度下降。

在每次迭代中，我们首先随机抽样一个小批量 $\mathcal{B}$，它是由固定数量的训练样本组成的。然后，我们计算小批量的平均损失关于模型参数的梯度。最后，我们将梯度乘以一个预先确定的正数 η，并从当前参数的值中减掉，对于多隐层 MLP 的参数集 $\{\boldsymbol{W},\boldsymbol{b}\}$，表示为：

$$(\boldsymbol{W}^{\mathrm{new}},\boldsymbol{b}^{\mathrm{new}}) \leftarrow (\boldsymbol{W},\boldsymbol{b}) - \frac{\eta}{|\mathcal{B}|}\sum_{i\in\mathcal{B}}\partial_{(\boldsymbol{W},\boldsymbol{b})}L(\boldsymbol{W},\boldsymbol{b}) \tag{3-35}$$

式中，$\partial_{(\boldsymbol{W},\boldsymbol{b})}(\cdot)$表示针对（$\boldsymbol{W},\boldsymbol{b}$）的偏导数，$L(\cdot)$ 为损失函数，$|\mathcal{B}|$表示每个小批量中的样本数，这也称为批量大小，η 表示学习率。批量大小和学习率的值通常是手动预先指定，而不是通过模型训练得到的。这些可以调整但不在训练过程中更新的参数称为超参数。超参数通常是我们根据训练迭代结果来调整的，而训练迭代结果是在独立的验证数据集（validation dataset）上评估得到的。

② MLP 的反向传播　对于多隐层 MLP，层与层之间的导数可以通过反向传播方式进行计算，前面介绍的是单隐层神经网络如何从输入变量获取输出变量，此为前向传播过程，反向传播则顾名思义，是利用输出值计算梯度的算法。通过反向传播，层与层之间梯度得以自动计算。下面以上面提到的单隐层简单 MLP 为例，为简化，假设只有权重、无偏置项，根据式(3-34)，可直接得到损失项：

$$L=l(\boldsymbol{o},y) \tag{3-36}$$

模型训练时，采用 L_2 正则化项作为约束，有：

$$s=\frac{\lambda}{2}(\|\boldsymbol{W}^{(1)}\|_F^2+\|\boldsymbol{W}^{(2)}\|_F^2) \tag{3-37}$$

综合上面两项，则目标函数为：

$$J=L+s \tag{3-38}$$

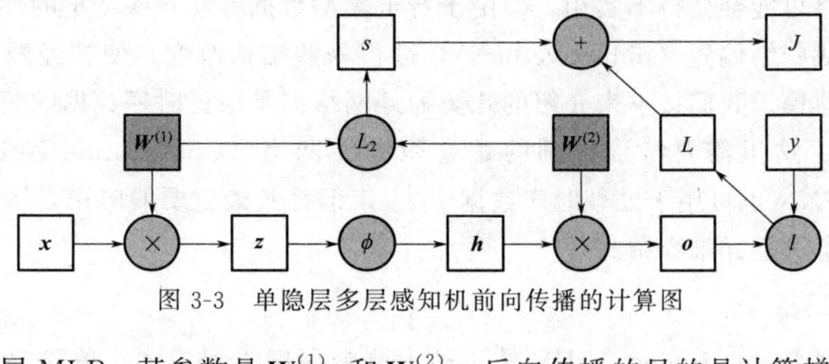

图 3-3　单隐层多层感知机前向传播的计算图

对于单隐层 MLP，其参数是 $\boldsymbol{W}^{(1)}$ 和 $\boldsymbol{W}^{(2)}$，反向传播的目的是计算梯度$\partial J/\partial\boldsymbol{W}^{(1)}$和$\partial J/\partial\boldsymbol{W}^{(2)}$。应用链式法则，需要依次计算每个中间变量和参数的梯度。计算的顺序与前向传播中执行的顺序相反，这需要从计算图的结果开始，并朝着参数的方向努力。第一步是计算目标函数相对于损失项和正则项的梯度$\frac{\partial J}{\partial L}=1$，$\frac{\partial J}{\partial s}=1$。

接下来，我们根据链式法则计算目标函数关于输出层变量 $\boldsymbol{o}$ 的梯度：

$$\frac{\partial J}{\partial \boldsymbol{o}}=\text{prod}\left(\frac{\partial J}{\partial L},\frac{\partial L}{\partial \boldsymbol{o}}\right)=\frac{\partial L}{\partial \boldsymbol{o}}\in\mathbb{R}^{q} \tag{3-39}$$

式中，prod(·，·)是指在执行必要的操作（如换位和交换输入位置）后将其参数相乘的运算符。接下来，我们计算正则化项相对于两个参数的梯度：

$$\frac{\partial s}{\partial \boldsymbol{W}^{(1)}}=\lambda\boldsymbol{W}^{(1)}$$

$$\frac{\partial s}{\partial \boldsymbol{W}^{(2)}}=\lambda\boldsymbol{W}^{(2)} \tag{3-40}$$

现在我们可以计算最接近输出层的模型参数的梯度$\partial J/\partial \boldsymbol{W}^{(2)}\in\mathbb{R}^{q\times h}$。使用链式法则得出：

$$\frac{\partial J}{\partial \boldsymbol{W}^{(2)}}=\text{prod}\left(\frac{\partial J}{\partial \boldsymbol{o}},\frac{\partial \boldsymbol{o}}{\partial \boldsymbol{W}^{(2)}}\right)+\text{prod}\left(\frac{\partial J}{\partial s},\frac{\partial s}{\partial \boldsymbol{W}^{(2)}}\right)=\frac{\partial J}{\partial \boldsymbol{o}}\boldsymbol{h}^{\mathrm{T}}+\lambda\boldsymbol{W}^{(2)} \tag{3-41}$$

为了获得关于 $\boldsymbol{W}^{(1)}$ 的梯度，需要继续沿着输出层到隐藏层反向传播。关于隐藏层输出的梯度$\partial J/\partial \boldsymbol{h}\in\mathbb{R}^{h}$ 由下式给出：

$$\frac{\partial J}{\partial \boldsymbol{h}}=\text{prod}\left(\frac{\partial J}{\partial \boldsymbol{o}},\frac{\partial \boldsymbol{o}}{\partial \boldsymbol{h}}\right)=\boldsymbol{W}^{(2)\mathrm{T}}\frac{\partial J}{\partial \boldsymbol{o}} \tag{3-42}$$

由于激活函数 $\phi(\cdot)$ 是按元素计算的，计算中间变量 $\boldsymbol{z}$ 的梯度$\partial J/\partial \boldsymbol{z}\in\mathbb{R}^{h}$ 需要使用按元素乘法运算符，为：

$$\frac{\partial J}{\partial \boldsymbol{z}}=\text{prod}\left(\frac{\partial J}{\partial \boldsymbol{h}},\frac{\partial \boldsymbol{h}}{\partial \boldsymbol{z}}\right)=\frac{\partial J}{\partial \boldsymbol{h}}\odot\phi'(\boldsymbol{z}) \tag{3-43}$$

最后，我们可以得到最接近输入层的模型参数的梯度$\partial J/\partial \boldsymbol{W}^{(1)}\in\mathbb{R}^{h\times d}$，为：

$$\frac{\partial J}{\partial \boldsymbol{W}^{(1)}}=\text{prod}\left(\frac{\partial J}{\partial \boldsymbol{z}},\frac{\partial \boldsymbol{z}}{\partial \boldsymbol{W}^{(1)}}\right)+\text{prod}\left(\frac{\partial J}{\partial s},\frac{\partial s}{\partial \boldsymbol{W}^{(1)}}\right)=\frac{\partial J}{\partial \boldsymbol{z}}\boldsymbol{x}^{\mathrm{T}}+\lambda\boldsymbol{W}^{(1)} \tag{3-44}$$

以上就是单隐层简单 MLP 的反向传播计算过程，对于多个隐层堆叠的深度网络，可以根据计算图逐层回溯计算得到各个参数的梯度。

多层感知机所采用的全连接网络是最简单的神经网络，对于一些高维数据，这种缺少结构设计的网络可能会变得不实用，但由于特定类型数据存在一些特定的性质，可以根据特定的性质形成归纳偏置（inductive bias），进行一些结构改变，使神经网络更高效地对特定数据进行建模。我们接下来介绍的几类神经网络都是根据时序数据的归纳偏置进行结构设计的网络。这里需要特别提到的是卷积神经网络（Convolution Neural Network，CNN），虽然 CNN 也可用于处理时序数据[18,19]，但是其最主要的应用是图像数据，因此我们将在下一章进行详细介绍。

（2）自编码器

自编码器（Auto-encoder，AE）是一种无监督深度学习模型，单隐层的自编码器结构如图 3-4 所示。

AE 的结构包括两部分：编码器和解码器。编码器用于将原始数据映射到特征空间，

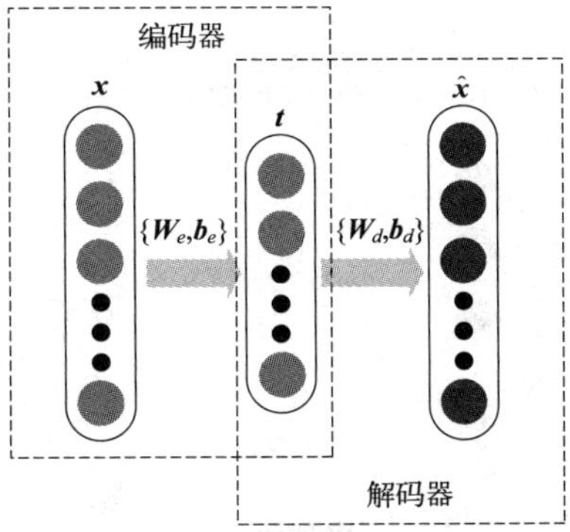

图 3-4　单隐层自编码器结构图

而解码器则根据特征表示对输入进行重构。假设输入样本表示为 $\boldsymbol{x} \in R^d$，表示映射的特征 $\boldsymbol{t} \in R^h$，其中 d 和 h 分别是输入和特征的维度。编码器和解码器的函数表示如下列各式所示：

$$\begin{aligned} \boldsymbol{t} &= \sigma(\boldsymbol{W}_e^{\mathrm{T}} \boldsymbol{x} + \boldsymbol{b}_e) \\ \hat{\boldsymbol{x}} &= \boldsymbol{W}_d^{\mathrm{T}} \boldsymbol{t} + \boldsymbol{b}_d \end{aligned} \tag{3-45}$$

式中，$\boldsymbol{W}_e, \boldsymbol{W}_d, \boldsymbol{b}_e, \boldsymbol{b}_d$ 代表 AE 的模型参数，模型的损失函数通常使用重构误差，表示为：

$$L = \frac{1}{N} \sum_{i=1}^{N} \| \boldsymbol{x}_i - \hat{\boldsymbol{x}}_i \|^2 \tag{3-46}$$

通过最小化损失函数，并进行反向传播，可得到 AE 参数的估计。类似地，通过堆叠单隐层自编码器，可以获得深层神经网络模型。图 3-5 展示了一个包含两个隐层的堆叠自编码器（SAE）。SAE 的参数通常使用逐层训练的方式估计得到，以两层的 SAE 为例，即使用原始数据训练第一个 AE，然后使用第一个 AE 特征输出，即第一个 AE 隐藏层的输出，来训练第二个 AE，以此类推，第 i 个 AE 可以用同样的方式进行训练，并将训练好的第 i 个 AE 根据隐层位置依次进行堆叠。

以此类推，给出第 k 层编码器解码器公式为：

$$\begin{aligned} \boldsymbol{t}^k &= \sigma(\boldsymbol{W}_{ke}^{\mathrm{T}} \boldsymbol{t}^{k-1} + \boldsymbol{b}_{ke}) \\ \hat{\boldsymbol{t}}^{k-1} &= \boldsymbol{W}_{kd}^{\mathrm{T}} \boldsymbol{t}^k + \boldsymbol{b}_{kd} \end{aligned} \tag{3-47}$$

式中，$\boldsymbol{t}^k$ 表示第 k 层隐变量。如果仅将 SAE 用于无监督学习，则只需逐层进行重构误差的优化即可得到估计的参数。若要将 SAE 用作特征提取，提取的隐向量再用到下游任务当中，一个高效的方法是通过引入无监督预训练和有监督微调，把训练分为两个阶段。预训练阶段，模型重构输入的自变量，通过优化损失函数，获得参数的初步估计；在微调阶段，SAE 参数以预训练时估计的参数作为初始参数并且 SAE 的参数可以选择冻结，通常在 SAE 顶部再堆叠一层输出层实现，采用式(3-36) 方式获取有监督的损失函数进行参数的更新。

SAE 由于其简单的结构，被广泛用于工业过程的多个应用当中[22]。

（3）循环神经网络

循环神经网络（Recurrent Neural Network，RNN）因能够表征变量时间上的相关性，擅长于处理序列数据。RNN 通过引入状态变量存储过去的信息和当前的输入，从而

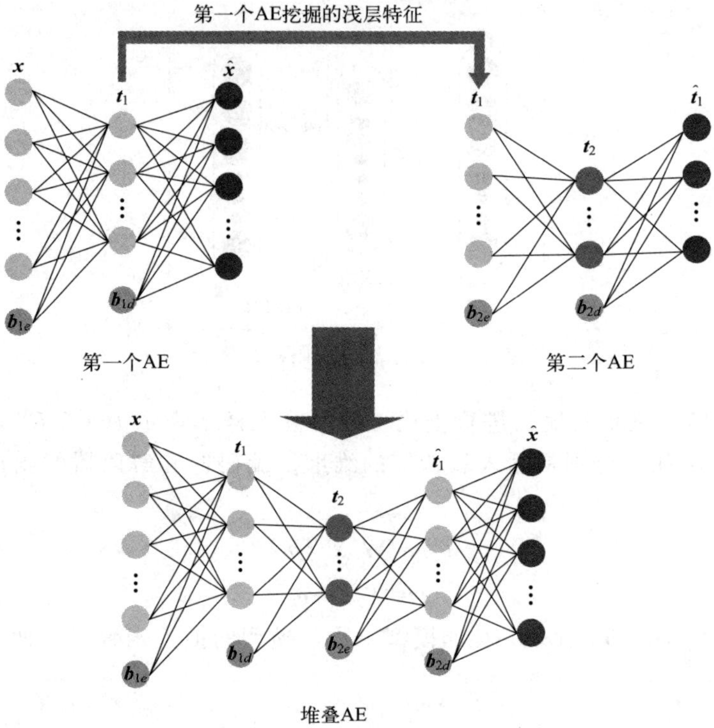

图 3-5　堆叠自编码器结构

确定当前的输出。工业过程的生产工艺往往由一系列的物理化学反应构成，生产的系统采用如下递推的状态方程进行描述：

$$\begin{aligned} \boldsymbol{x}_t &= A_t \boldsymbol{x}_{t-1} + B_t \boldsymbol{u}_{t-1} \\ y_t &= C_t \boldsymbol{x}_{t-1} + D_t \boldsymbol{u}_{t-1} \end{aligned} \tag{3-48}$$

由式(3-48)可知，t 时刻的状态变量 $\boldsymbol{x}_t$ 的值取决于前 $t-1$ 时刻的状态变量，其条件概率可表示为 $P(\boldsymbol{x}_t|\boldsymbol{x}_{t-1},\cdots,\boldsymbol{x}_1)$，对于这一条件概率，可用递推式构建模型：

$$P(\boldsymbol{x}_t|\boldsymbol{x}_{t-1},\cdots,\boldsymbol{x}_1) \approx P(\boldsymbol{x}_t|\boldsymbol{h}_{t-1}) \tag{3-49}$$

式中，$\boldsymbol{h}_{t-1}$ 是隐状态，理想状态下，它保留了到时间步 $t-1$ 的序列信息。

对于 RNN，假设在序列的时间步 t 的小批量输入样本 $\boldsymbol{x}_t \in \mathbb{R}^{n\times d}$。这里是对有 n 个序列样本的小批量，$\boldsymbol{x}_t$ 的每一行对应于来自该序列时间步 t 处的采样样本。接下来，用 $\boldsymbol{h}_t \in \mathbb{R}^{n\times h}$ 表示时间步 t 的隐状态。与 MLP 不同的是，RNN 到这里保存了前一个时间步的隐状态 $\boldsymbol{h}_{t-1}$，并引入一个新的权重参数 $\boldsymbol{W}_{hh} \in \mathbb{R}^{h\times h}$，来描述如何在当前时间步中使用前一个时间步的隐状态，如下：

$$\boldsymbol{h}_t = \phi(\boldsymbol{x}_t \boldsymbol{W}_{xh} + \boldsymbol{h}_{t-1}\boldsymbol{W}_{hh} + \boldsymbol{b}_h) \tag{3-50}$$

从相邻时间步的隐状态 $\boldsymbol{h}_t$ 和 $\boldsymbol{h}_{t-1}$ 之间的关系可知，这些变量捕获并保留了序列直到其当前时间步的历史信息，就如当前时间步下神经网络的状态或记忆，因此这样的隐变量被称为隐状态。对于时间步 t，输出层的输出类似于 MLP，计算方式为：

$$\boldsymbol{o}_t = \boldsymbol{h}_t \boldsymbol{W}_{hq} + \boldsymbol{b}_q \tag{3-51}$$

如图 3-6 所示，RNN 的输出方式由具体任务决定，可以是多对多型（如图 3-6 中左图)，也可以是多对单型（如图 3-6 中右图)。

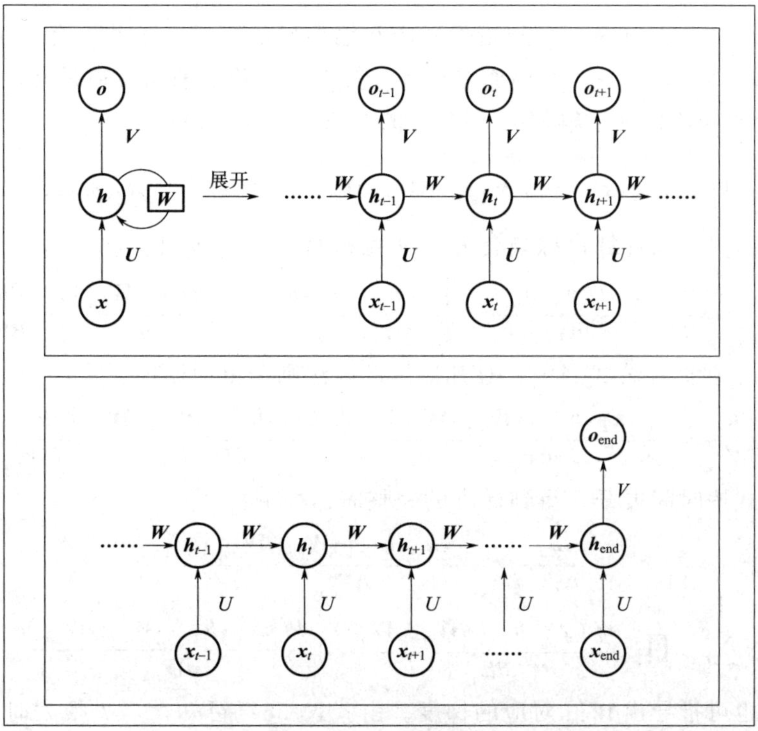

图 3-6　不同输出结构的循环神经网络

① 深度循环神经网络　为建模更复杂的非线性关系，类似于多层感知机，可以将单隐层 RNN 堆叠起来形成深度 RNN。

图 3-7 描述了一个具有 2 个隐藏层的深度循环神经网络，每个隐状态都连续地传递到当前层的下一个时间步和下一层的当前时间步。

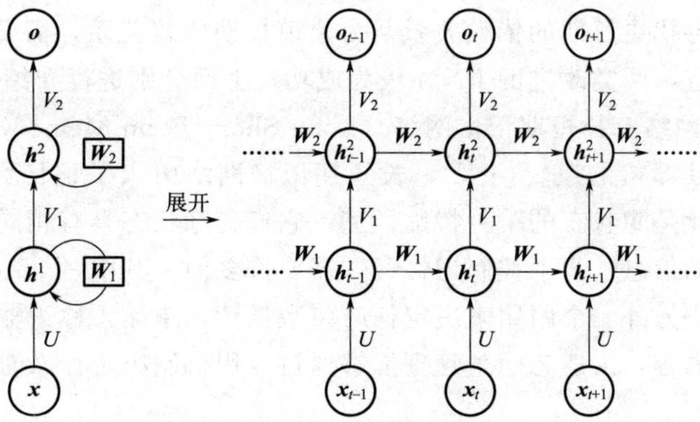

图 3-7　两个隐层的深度循环神经网络

循环神经网络权值可通过随时间反向传播（BPTT）算法进行估计，它要求我们将循环神经网络的计算图一次展开一个时间步，以获得模型变量和参数之间的依赖关系。然后，基于链式法则，应用反向传播来计算和存储梯度。由于序列可能相当长，因此依赖关系也可能相当长。以一个单隐层 RNN 为例，其每个时间步隐状态和输出表示为：

$$\boldsymbol{h}_t = f(\boldsymbol{x}_t, \boldsymbol{h}_{t-1}, \boldsymbol{W}_{xh}, \boldsymbol{W}_{hh})$$
$$\boldsymbol{o}_t = g(\boldsymbol{h}_t, \boldsymbol{W}_{hq}) \tag{3-52}$$

式中，以 $f(\cdot)$、$g(\cdot)$ 分别指代隐层和输出层的变换。因此，有一个链…，$(\boldsymbol{x}_{t-1}, \boldsymbol{h}_{t-1}, \boldsymbol{o}_{t-1})$，$(\boldsymbol{x}_t, \boldsymbol{h}_t, \boldsymbol{o}_t)$，…，它们通过循环计算彼此依赖。前向传播最终通过一个目标函数在所有 T 个时间步内评估输出 $\boldsymbol{o}_t$ 和对应的标签 $\boldsymbol{y}_t$ 之间的差异：

$$L(\boldsymbol{x}_1, \cdots, \boldsymbol{x}_T, \boldsymbol{y}_1, \cdots, \boldsymbol{y}_T, \boldsymbol{W}_{xh}, \boldsymbol{W}_{hh}, \boldsymbol{W}_{hq}) = \frac{1}{T}\sum_{t=1}^{T} l(\boldsymbol{y}_t, \boldsymbol{o}_t) \tag{3-53}$$

对于反向传播，当计算目标函数 L 关于参数 $\boldsymbol{W}_{hh}$ 的梯度时，有：

$$\frac{\partial L}{\partial \boldsymbol{W}_{hh}} = \frac{1}{T}\sum_{t=1}^{T} \frac{\partial l(\boldsymbol{y}_t, \boldsymbol{o}_t)}{\partial \boldsymbol{W}_{hh}} = \frac{1}{T}\sum_{t=1}^{T} \frac{\partial l(\boldsymbol{y}_t, \boldsymbol{o}_t)}{\partial \boldsymbol{o}_t} \times \frac{\partial g(\boldsymbol{h}_t, \boldsymbol{W}_{hq})}{\partial \boldsymbol{h}_t} \times \frac{\partial \boldsymbol{h}_t}{\partial \boldsymbol{W}_{hh}} \tag{3-54}$$

由于 $\boldsymbol{W}_{hh}$ 是在循环公式当中，对其使用链式法则仍得到循环公式：

$$\frac{\partial \boldsymbol{h}_t}{\partial \boldsymbol{W}_{hh}} = \frac{\partial f(\boldsymbol{x}_t, \boldsymbol{h}_{t-1}, \boldsymbol{W}_{xh}, \boldsymbol{W}_{hh})}{\partial \boldsymbol{W}_{hh}} + \frac{\partial f(\boldsymbol{x}_t, \boldsymbol{h}_{t-1}, \boldsymbol{W}_{xh}, \boldsymbol{W}_{hh})}{\partial \boldsymbol{h}_{t-1}} \frac{\partial \boldsymbol{h}_{t-1}}{\partial \boldsymbol{W}_{hh}} \tag{3-55}$$

将循环公式按时间展开，得到梯度的完整表达如下：

$$\frac{\partial \boldsymbol{h}_t}{\partial \boldsymbol{W}_{hh}} = \frac{\partial f(\boldsymbol{x}_t, \boldsymbol{h}_{t-1}, \boldsymbol{W}_{xh}, \boldsymbol{W}_{hh})}{\partial \boldsymbol{W}_{hh}} +$$
$$\sum_{i=1}^{t-1}\left(\prod_{j=i+1}^{t} \frac{\partial f(\boldsymbol{x}_j, \boldsymbol{h}_{j-1}, \boldsymbol{W}_{xh}, \boldsymbol{W}_{hh})}{\partial \boldsymbol{h}_{j-1}}\right) \frac{\partial f(\boldsymbol{x}_i, \boldsymbol{h}_{i-1}, \boldsymbol{W}_{xh}, \boldsymbol{W}_{hh})}{\partial \boldsymbol{W}_{hh}} \tag{3-56}$$

类似地，也可推导出 $\boldsymbol{W}_{xh}$ 对应的梯度。由式(3-56)可知，当 t 很大时梯度涉及的链很长，导致计算耗时长，并且估计结果非常不稳定（连乘指数传播），因此，在实践中，RNN 进行反向传播时，通常不会考虑全部计算。两种思路常被使用，第一种是在回溯 τ 步之后终止反向传播，将求和终止为 $\partial \boldsymbol{h}_{T-\tau}/\partial \boldsymbol{W}_{hh}$，得到一个近似梯度[21]；第二种采用随机截断思路[22]。

采用截断时间步后，由于不能长距离进行梯度传递，模型主要侧重短期影响，忽视了长期依赖关系，但模型估计值偏向更简单和更稳定的形态。但实际应用中，有很多任务需要跳过某些时间段寻找更长期的依赖关系。为建模长期依赖关系，需要对 RNN 中信息循环传播方式进行改进，两类改进的 RNN 较为成功，下面分别进行介绍。

② 长短期记忆网络　长短期记忆网络（Long Short-Term Memory network，LSTM）的设计灵感来自于计算机的逻辑门[23]。长短期记忆网络引入了记忆元，或简称为单元。有些文献认为记忆元是隐状态的一种特殊类型，它们与隐状态具有相同的形状，其设计目的是用于记录附加的信息。为了控制记忆元，需要许多门。其中一个门用来从单元中输出条目，称为输出门。另外一个门用来决定何时将数据读入单元，称为输入门。还需要一种机制来重置单元的内容，由遗忘门来管理能够通过专用机制决定什么时候记忆或忽略隐状态中的输入。

如图 3-8 所示，当前时间步的输入和前一个时间步的隐状态作为数据送入 LSTM 的门中，它们由三个具有 sigmoid 激活函数的全连接层处理，以计算输入门、遗忘门和输出门的值。因此，这三个门的值都在（0,1）的范围内。

假设有 h 个隐藏单元，批量大小为 n，输入数为 d。因此，输入为 $\boldsymbol{x}_t \in \mathbb{R}^{n \times d}$，前一时间步的隐状态为 $\boldsymbol{h}_{t-1} \in \mathbb{R}^{n \times h}$。相应地，时间步 t 的门被定义如下：输入门是 $\boldsymbol{i}_t \in$

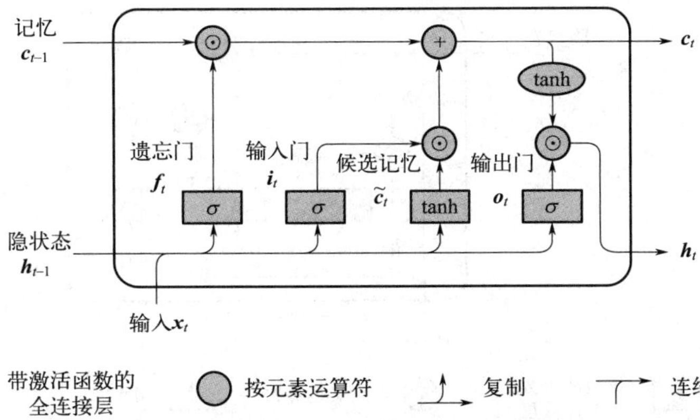

图 3-8　长短期记忆网络单元结构

$\mathbb{R}^{n\times h}$，遗忘门是 $f_t\in\mathbb{R}^{n\times h}$，输出门是$o_t\in\mathbb{R}^{n\times h}$。它们的计算方法如下：

$$\begin{aligned}i_t&=\sigma(x_tW_{xi}+h_{t-1}W_{hi}+b_i)\\f_t&=\sigma(x_tW_{xf}+h_{t-1}W_{hf}+b_f)\\o_t&=\sigma(x_tW_{xo}+h_{t-1}W_{ho}+b_o)\end{aligned}\tag{3-57}$$

式中，W_{xi}，W_{xf}，$W_{xo}\in\mathbb{R}^{d\times h}$ 和W_{hi}，W_{hf}，$W_{ho}\in\mathbb{R}^{h\times h}$ 是权重参数，b_i，b_f，$b_o\in\mathbb{R}^{1\times h}$ 是偏置参数。网络中还有候选记忆元$\tilde{c}_t\in\mathbb{R}^{n\times h}$。它的计算与前面描述的三个门的计算类似，但是使用 tanh 函数作为激活函数，函数的值范围为（−1,1）。$\tilde{c}_t$ 的计算方式为：

$$\tilde{c}_t=\tanh(x_tW_{xc}+h_{t-1}W_{hc}+b_c)\tag{3-58}$$

式中，$W_{xc}\in\mathbb{R}^{d\times h}$ 和$W_{hc}\in\mathbb{R}^{h\times h}$ 是权重参数，$b_c\in\mathbb{R}^{1\times h}$ 是偏置参数。

在长短期记忆网络中，有一种机制来控制输入和遗忘（或跳过）：输入门 i_t 控制采用多少来自$\tilde{c}_t$ 的新数据，而遗忘门 f_t 控制保留多少过去的记忆元$c_{t-1}\in\mathbb{R}^{n\times h}$ 的内容。使用按元素乘法，得出：

$$c_t=f_t\odot c_{t-1}+i_t\odot\tilde{c}_t\tag{3-59}$$

如果遗忘门始终为 1 且输入门始终为 0，则过去的记忆元c_{t-1} 将随时间被保存并传递到当前时间步。引入这种设计是为了缓解梯度消失问题，并更好地捕获序列中的长距离依赖关系。由输出门控制记忆元输出内容，则隐状态可按如下方式进行计算：

$$h_t=o_t\odot\tanh(c_t)\tag{3-60}$$

只要输出门接近 1，我们就能够有效地将所有记忆信息传递给预测部分，而对于输出门接近 0，我们只保留记忆元内的所有信息，而不需要更新隐状态。

③ 门控循环单元　如图 3-9 所示，与长短期记忆网络类似，在门控循环单元（Gated Recurrent Unit，GRU）中，有一种机制来控制输入和遗忘（或跳过）。GRU 采用重置门和更新门来控制信息流，重置门控制“可能还想记住”的过去状态的数量；更新门将控制新状态中有多少个是旧状态的副本。对于给定的时间步 t，假设输入是一个小批量 $x_t\in\mathbb{R}^{n\times d}$，上一个时间步的隐状态是 $h_{t-1}\in\mathbb{R}^{n\times h}$。重置门 $r_t\in\mathbb{R}^{n\times h}$ 和更新门$z_t\in\mathbb{R}^{n\times h}$ 的计算如下所示：

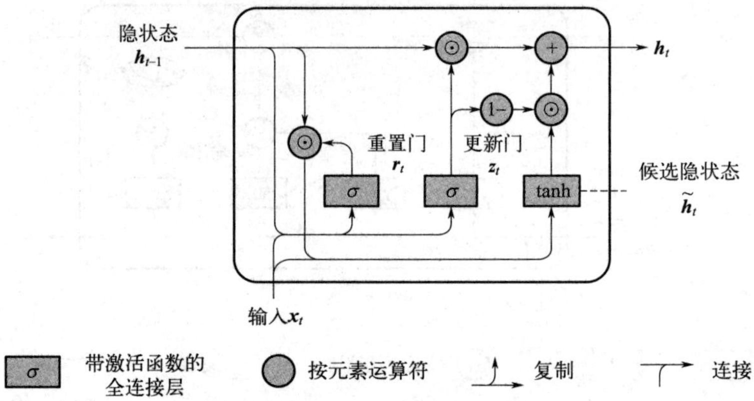

图 3-9　门控循环网络单元结构

$$
\begin{aligned}
\boldsymbol{r}_t &= \sigma(\boldsymbol{x}_t \boldsymbol{W}_{xr} + \boldsymbol{h}_{t-1} \boldsymbol{W}_{hr} + \boldsymbol{b}_r), \\
\boldsymbol{z}_t &= \sigma(\boldsymbol{x}_t \boldsymbol{W}_{xz} + \boldsymbol{h}_{t-1} \boldsymbol{W}_{hz} + \boldsymbol{b}_z),
\end{aligned} \tag{3-61}
$$

式中，$\boldsymbol{W}_{xr}, \boldsymbol{W}_{xz} \in \mathbb{R}^{d \times h}$ 和 $\boldsymbol{W}_{hr}$，$\boldsymbol{W}_{hz} \in \mathbb{R}^{h \times h}$ 是权重参数，$\boldsymbol{b}_r$，$\boldsymbol{b}_z \in \mathbb{R}^{1 \times h}$ 是偏置参数。使用 sigmoid 函数，这两个门的值都在（0,1）的范围内。时间步 t 的候选隐状态 $\tilde{\boldsymbol{h}}_t \in R^{n \times h}$ 为：

$$
\tilde{\boldsymbol{h}}_t = \tanh(\boldsymbol{x}_t \boldsymbol{W}_{xh} + (\boldsymbol{r}_t \odot \boldsymbol{h}_{t-1}) \boldsymbol{W}_{hh} + \boldsymbol{b}_h) \tag{3-62}
$$

式中，$\boldsymbol{W}_{xh} \in \mathbb{R}^{d \times h}$ 和 $\boldsymbol{W}_{hh} \in \mathbb{R}^{h \times h}$ 是权重参数，$\boldsymbol{b}_h \in \mathbb{R}^{1 \times h}$ 是偏置项，符号 $\odot$ 是 Hadamard 积（按元素乘积）运算符。使用 tanh 非线性激活函数来确保候选隐状态中的值保持在区间（−1,1）中。式(3-62）中 $\boldsymbol{r}_t$ 和 $\boldsymbol{h}_{t-1}$ 的元素相乘可以减少以往状态的影响。每当 $\boldsymbol{r}_t$ 中的项接近 1 时，则 GRU 退化成一个普通的 RNN，$\boldsymbol{r}_t$ 中的项接近 0 时，候选隐状态是以 $\boldsymbol{x}_t$ 作为输入的多层感知机的结果。因此，任何预先存在的隐状态都会被重置为默认值。

结合更新门 $\boldsymbol{z}_t$ 的效果，时间步 t 的隐状态 $\boldsymbol{h}_t \in \mathbb{R}^{n \times h}$ 可计算为：

$$
\boldsymbol{h}_t = \boldsymbol{z}_t \odot \boldsymbol{h}_{t-1} + (1 - \boldsymbol{z}_t) \odot \tilde{\boldsymbol{h}}_t \tag{3-63}
$$

每当更新门接近 1 时，模型就倾向只保留旧状态。此时，来自 $\boldsymbol{x}_t$ 的信息基本上被忽略，从而有效地跳过了依赖链条中的时间步 t。相反，当更新门接近 0 时，新的隐状态 $\boldsymbol{h}_t$ 就会接近候选隐状态 $\tilde{\boldsymbol{h}}_t$。

（4）注意力机制

在使用循环网络进行文本序列生成的任务中，采用基于两个循环神经网络的编码器-解码器架构。由于只能产生固定形状的上下文变量，这个模型不能很好地生成长序列文本。受人类注意力机制的启发，Bahdanau 等人提出了一个没有严格单向对齐限制的可微注意力模型[24]，如图 3-10 所示。在预测词元时，如果不是所有输入词元都相关，模型将仅对齐（或参与）输入序列中与当前预测相关的部分。这是通过将上下文变量视为注意力集中的输出来实现的。Bahdanau 注意力模型中，解码器应用的上下文向量生成方式为：

$$
\boldsymbol{c}_{t'} = \sum_{t=1}^{T} \alpha(\boldsymbol{s}_{t'-1}, \boldsymbol{h}_t) \boldsymbol{h}_t \tag{3-64}
$$

式中，$\boldsymbol{s}_{t'-1}$ 是解码器 $t'-1$ 时间步的隐状态，$\alpha(\cdot,\cdot)$ 表示注意力计算公式，T 为输入序列长度。

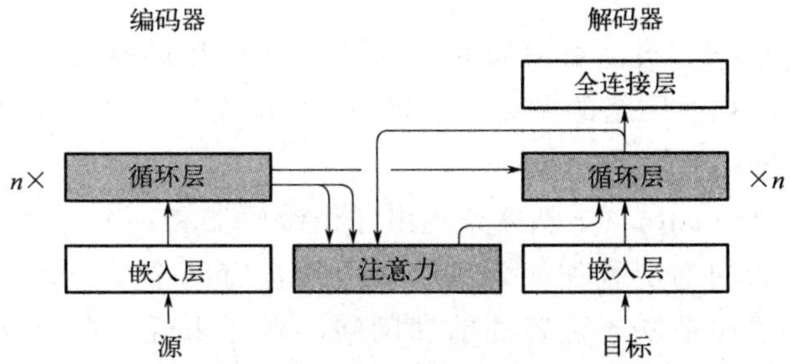

图 3-10　带有 Bahdanau 注意力的循环神经网络编码器-解码器模型

注意力计算简言之是给定一个问询量，与键进行软性配对（意味着匹配值可以不限于 0 和 1），最后导出最匹配的键相对应的值。给定问询量 $\boldsymbol{q}\in\mathbb{R}^q$ 和 m 个"键值对"$(\boldsymbol{k}_1,\boldsymbol{v}_1),\cdots,(\boldsymbol{k}_m,\boldsymbol{v}_m)$，其中 $\boldsymbol{k}_i\in\mathbb{R}^k$，$\boldsymbol{v}_i\in\mathbb{R}^v$，通用公式表示为：

$$f\Big(\boldsymbol{q},(\boldsymbol{k}_1,\boldsymbol{v}_1),\cdots,(\boldsymbol{k}_m,\boldsymbol{v}_m)\Big)=\sum_{i=1}^{m}\alpha(\boldsymbol{q},\boldsymbol{k}_i)\boldsymbol{v}_i \tag{3-65}$$

式中，$\alpha(\cdot,\cdot)$ 表示注意力值，注意力值表示着问询量与键的匹配程度，是通过注意力评分函数 a 将两个向量映射成标量，计算如下：

$$\alpha(\boldsymbol{q},\boldsymbol{k}_i)=\mathrm{softmax}(a(\boldsymbol{q},\boldsymbol{k}_i))=\frac{\exp(a(\boldsymbol{q},\boldsymbol{k}_i))}{\sum_{j=1}^{m}\exp(a(\boldsymbol{q},\boldsymbol{k}_j))} \tag{3-66}$$

常用的注意力评分函数为加性注意力，其将查询和键连结起来后输入到一个 MLP 中，感知机包含一个隐藏层，其计算公式为：

$$a(\boldsymbol{q},\boldsymbol{k})=\boldsymbol{w}_v^{\mathrm{T}}\tanh(\boldsymbol{W}_q\boldsymbol{q}+\boldsymbol{W}_k\boldsymbol{k}) \tag{3-67}$$

式中，$\{\boldsymbol{W}_q,\boldsymbol{W}_k,\boldsymbol{w}_v\}$是加性注意力层的参数。还有一种评分机制是点积注意力，其计算公式为：

$$a(\boldsymbol{q},\boldsymbol{k})=\boldsymbol{q}^{\mathrm{T}}\boldsymbol{k}/\sqrt{d} \tag{3-68}$$

由于需要点积运算，故点积注意力要求问询量和键具有相同的长度 d。

在实践中，当给定相同的查询、键和值的集合时，希望模型可以基于相同的注意力机制学习到不同的行为，然后将不同的行为作为知识组合起来，捕获序列内各种范围的依赖关系（例如，短距离依赖和长距离依赖关系）。多头注意力其中一个注意力头 $\boldsymbol{h}_i\in\mathbb{R}^{p_v}$ 的计算公式为：

$$\boldsymbol{h}_i=f(\boldsymbol{W}_i^{(q)}\boldsymbol{q},\boldsymbol{W}_i^{(k)}\boldsymbol{k},\boldsymbol{W}_i^{(v)}\boldsymbol{v}) \tag{3-69}$$

式中，权重参数为$\{\boldsymbol{W}_i^{(q)},\boldsymbol{W}_i^{(k)},\boldsymbol{W}_i^{(v)}\}$。多头注意力的输出需要经过另一个线性转换，它对应着 h 个头连结后的结果：

$$\boldsymbol{W}_o[\boldsymbol{h}_1^{\mathrm{T}}\cdots\boldsymbol{h}_h^{\mathrm{T}}]^{\mathrm{T}} \tag{3-70}$$

式中，$\boldsymbol{W}_o\in\mathbb{R}^{p_o\times hp_v}$ 为输出权重。基于这种设计，每个头都可能会关注输入的不同部分，可以表示比简单加权平均值更复杂的函数。自注意力是一类特殊的注意力机制，对输入的序列，问询量、键和值来自同一组输入：

$$\boldsymbol{y}_i=f(\boldsymbol{x}_i,(\boldsymbol{x}_1,\boldsymbol{x}_1),\cdots,(\boldsymbol{x}_l,\boldsymbol{x}_l))\tag{3-71}$$

式中，$\boldsymbol{x}_1,\cdots,\boldsymbol{x}_l$ 代表输入序列，该序列的自注意力输出为一个长度相同的序列 $\boldsymbol{y}_1,\cdots,\boldsymbol{y}_l$。

相比于 CNN 和 RNN，自注意力同时具有并行计算和最短的最大路径长度这两个优势，因此具有构建深度神经网络的潜力。Transformer 模型完全基于注意力机制，没有任何卷积层或循环神经网络层。

如图 3-11 所示，Transformer 整体架构由一个编码器和一个解码器构成。Transformer 的编码器是由多个相同的层叠加而成的，每个层都有两个子层，第一个子层是多头自注意力汇聚，第二个子层是基于位置的前馈网络。具体来说，在计算编码器的自注意力时，问询量、键和值都来自前一个编码器层的输出，每个子层都采用了残差连接。在残差连接的加法计算之后，紧接着应用层规范化。

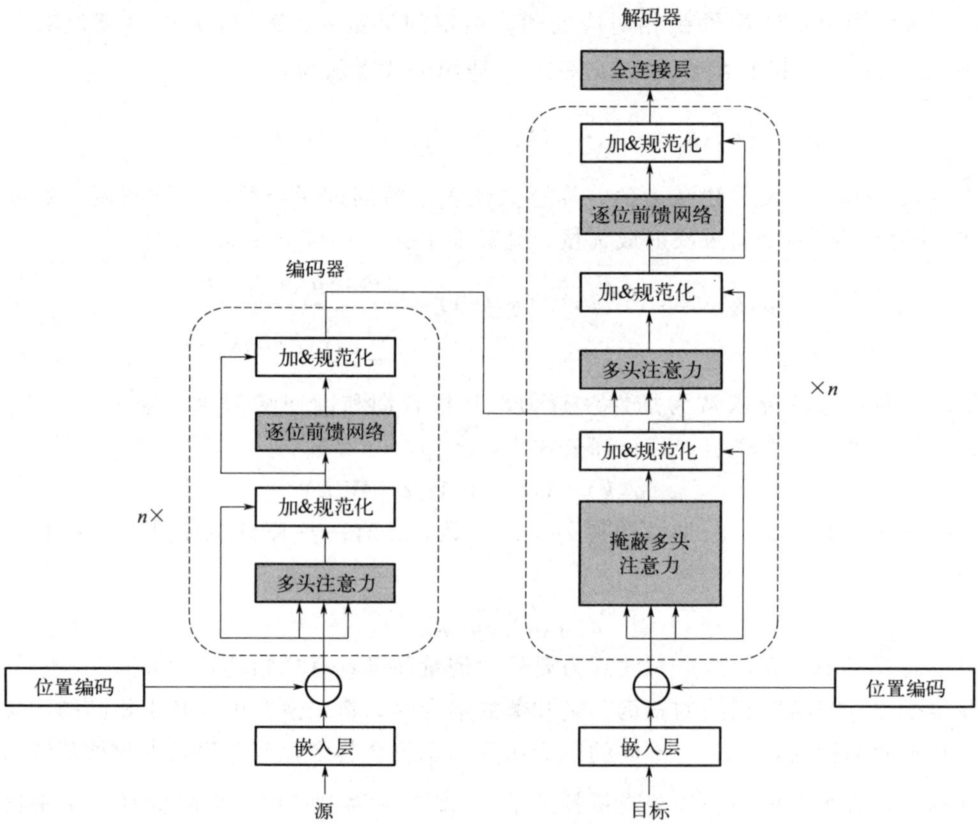

图 3-11　Transformer 网络结构

Transformer 解码器也是由多个相同的层叠加而成的，并且层中使用了残差连接和层规范化。除了编码器中描述的两个子层之外，解码器还在这两个子层之间插入了第三个子层，称为编码器-解码器注意力层，在这一子层中，问询量来自解码器的输出，键值对则来自编码器输出。在自注意力子层中，考虑序列变量的因果关系，计算自注意力时，将每一个问询量对应时刻后的键值对使用掩码进行屏蔽处理。

上述子层中尚未介绍到的是前馈网络（FFN），通常采用的结构是单隐层的 MLP，序列中每个位置的样本共享一套 FFN 参数，FFN 接收单个时刻的样本输出非线性变换后隐变量，计算方式如下：

$$FFN(\boldsymbol{x})=\max(0,\boldsymbol{x}\boldsymbol{W}_1^{(FFN)}+\boldsymbol{b}_1^{(FFN)})\boldsymbol{W}_2^{(FFN)}+\boldsymbol{b}_2^{(FFN)} \tag{3-72}$$

式中，$\boldsymbol{W}_1^{(FFN)}\in\mathbb{R}^{p_0\times h}$，$\boldsymbol{W}_2^{(FFN)}\in\mathbb{R}^{h\times p_0}$ 为 FFN 的权重，$\boldsymbol{b}_1^{(FFN)}\in\mathbb{R}^{1\times h}$，$\boldsymbol{b}_2^{(FFN)}\in\mathbb{R}^{1\times p_0}$ 为 FFN 的偏置项。

值得注意的是，自注意力在处理序列数据时是并行处理方式，序列中各个时刻的样本统一进行处理，并未反映序列顺序。为体现序列的顺序信息，Transformer 在输入序列基础上额外加入位置编码，来注入绝对的或相对的位置信息。位置编码可以通过学习得到也可以直接固定得到。下面介绍一种常用的固定位置编码：正余弦位置编码。正余弦位置编码矩阵为 $\boldsymbol{P}\in\mathbb{R}^{n\times d}$，该矩阵第 i 行、第 $2j$ 列和 $2j+1$ 列上的元素为：

$$p_{i,2j}=\sin\left(\frac{i}{10000^{\frac{2j}{d}}}\right),$$

$$p_{i,2j+1}=\cos\left(\frac{i}{10000^{\frac{2j}{d}}}\right) \tag{3-73}$$

通过将位置编码矩阵数值进行可视化，可以看到这种编码方式确实将不同行（采样时刻）的样本区分开了，达到了编码顺序信息的效果。

（5）图神经网络

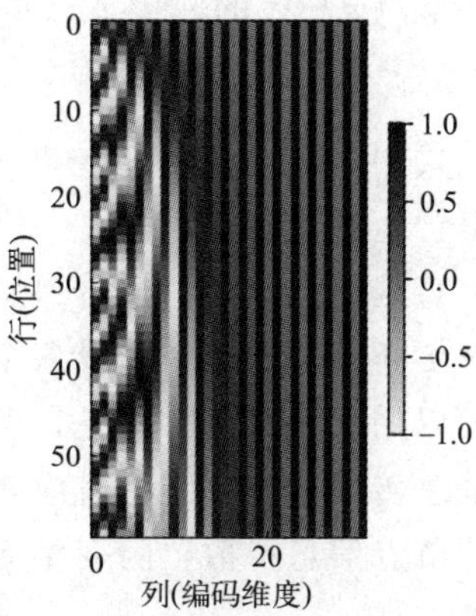

图 3-12　正余弦位置编码热图

前面已经介绍了将序列数据直接按时间展开进行建模（RNN）以及将序列按照展开成二维网格形式进行建模（CNN），然而上面两种方式要么只考虑变量间时间关系，要么考虑空间关系太过片面与实际状况不符。如图 3-13 所示，一个航空发动机中测点由于各部位实际有空间上的关系，变量间的关系有疏有近，收集到的时间序列数据不能简单地用二维网格方式进行展开，更合理的表示方法应该是图结构。如图 3-13 所示，相较上面两种展开方式，图结构能更灵活地建模变量间的关系，能够兼顾所测变量的实际空间关系以及时间顺序。而图神经网络（Graph Neural Network，GNN）作为能够高效处理图结构数据的神经网络，也可用于工业时序数据建模。

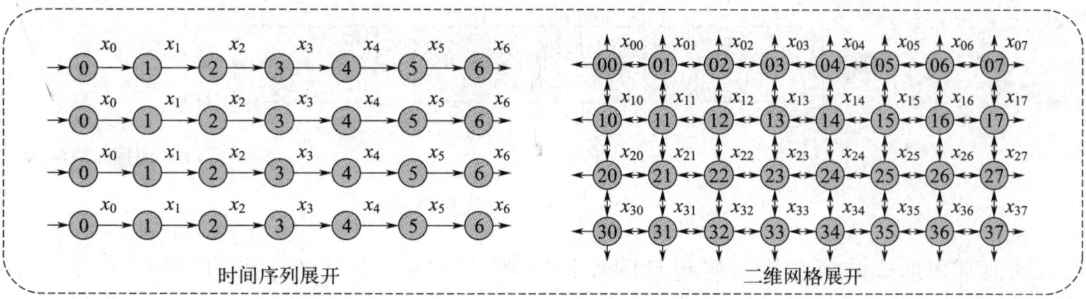

图 3-13

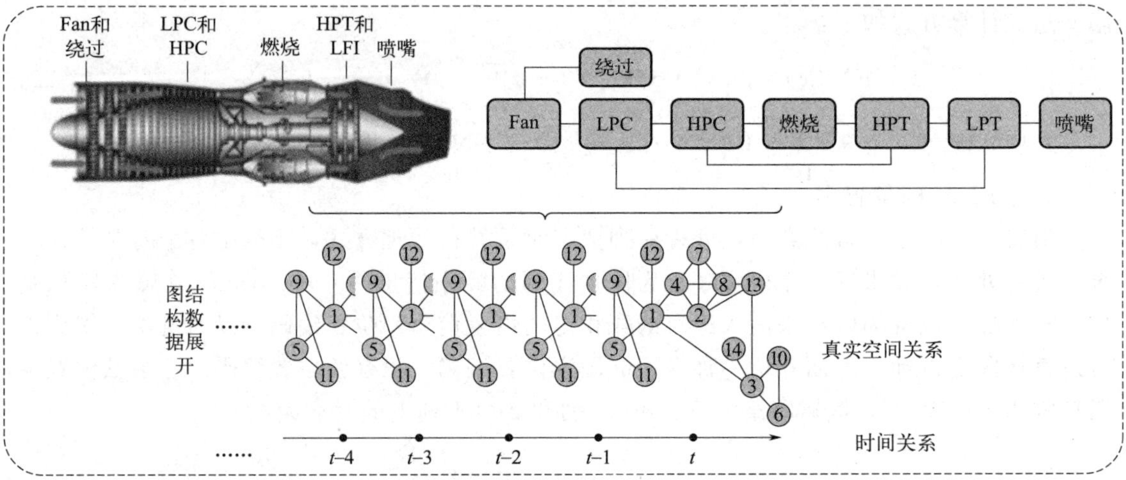

图 3-13 工业时序数据表示方式，以航空发动机序列为例

图结构数据的基础在本节中不做展开，基本概念可参考文献［25］。通用 GNN 的架构通常包含以下基本层。

① 置换等变层 置换等变层将图的表示映射为同一图的更新表示，置换等变层通过图节点之间的成对消息传递来实现。假设图为 $G=(V,E)$，V 为节点集，E 为边集，N_u 为某节点 $u\in V$ 的邻接节点集，则针对节点 u，通用的消息传递可表示为：

$$\boldsymbol{h}_u=\phi\left(\boldsymbol{x}_u,\bigoplus_{v\in N_u}\psi(\boldsymbol{x}_u,\boldsymbol{x}_v,\boldsymbol{e}_{uv})\right) \tag{3-74}$$

式中，$\phi(\cdot)$ 和 $\psi(\cdot)$ 分别表示更新函数和消息函数，为可微函数，$\oplus$表示置换不变聚合运算符。

直观地说，在消息传递层的计算模块中，图中的节点通过聚合从邻居节点接收到的消息来更新其表示。一个或多个消息传递层的输出是每个节点 u 的节点隐变量 $\boldsymbol{h}_u$。节点表示可以用于各种下游任务，例如节点/图的分类或边的预测。在图神经网络中，每经过一层消息传递层，则图中对应有“一跳”的邻接节点信息得以传播，通过堆叠消息传递层可以让节点信息扩散，隐变量接收到的信息增多，扩散的示意如图 3-14 所示。

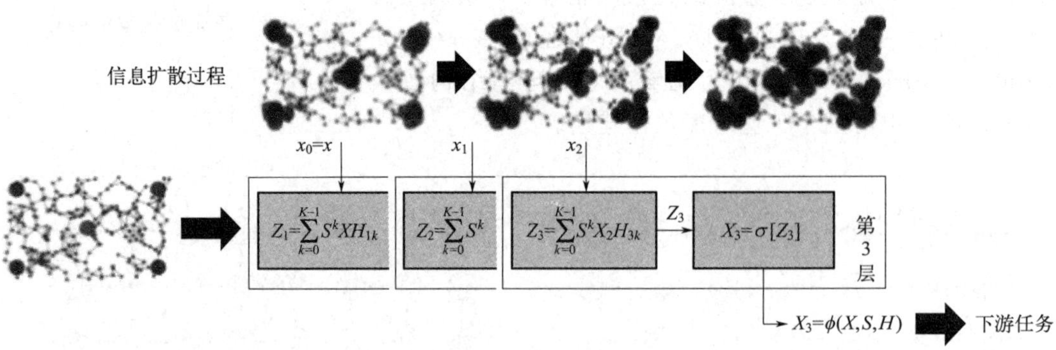

图 3-14 图结构数据信息扩散过程

其他常用形式的消息传递层包括图卷积网络（GCN）以及图注意力网络（GAT）的消息传递层。在堆叠后的 GCN 中，第 0 层为节点特征 $\boldsymbol{x}_v$，第 k 层使用第 $k-1$ 层节点隐变量作为输入，其消息传递过程可表示为：

$$\boldsymbol{h}_v^k=\sigma\left(\boldsymbol{W}_k\sum_{u\in N(v)}\frac{\boldsymbol{h}_u^{k-1}}{|N(v)|}+\boldsymbol{B}_k\boldsymbol{h}_v^{k-1}\right) \tag{3-75}$$

式中，$\boldsymbol{W}_k$ 和$\boldsymbol{B}_k$ 为第 k 层的权重。意味着 GCN 的消息传递是由卷积核将某节点的邻接点聚合得到隐变量，将其矢量化表达，可表示为：

$$\boldsymbol{h}^{l+1}=\sigma(\boldsymbol{h}^l\boldsymbol{W}_0^l+\widetilde{\boldsymbol{A}}\boldsymbol{h}^l\boldsymbol{W}_1^l) \tag{3-76}$$

式中，$\widetilde{\boldsymbol{A}}=\boldsymbol{D}^{-\frac{1}{2}}\boldsymbol{A}\boldsymbol{D}^{-\frac{1}{2}}$表示归一化的邻接矩阵。GAT 则通过多头注意力机制实现消息传递，实现过程为：

$$\boldsymbol{h}_u=\|_{k=1}^K\sigma\left(\sum_{v\in N_u}\alpha_{uv}\boldsymbol{W}^k\boldsymbol{x}_v\right) \tag{3-77}$$

式中，K 为注意力头数量，$\|$ 表示向量拼接运算符，α_{ij} 是注意力系数，$\boldsymbol{W}^k$ 是第 k 层的权重。注意力计算方式为：

$$\begin{gathered}e_{vu}=\text{Attention}(\boldsymbol{W}_k\boldsymbol{h}_u^{k-1},\boldsymbol{W}_k\boldsymbol{h}_v^{k-1})\\ \alpha_{vu}=\frac{\exp(e_{vu})}{\sum_{k\in N(v)}\exp(e_{vk})}\end{gathered} \tag{3-78}$$

② 局部池化层　局部池化层通过下采样来粗化图结构。局部池化用于增加 GNN 的感受野，类似于卷积神经网络中的池化层。常用的池化层为 top-k 池化层，该池化层首先将隐变量向某一方向进行投影：

$$\boldsymbol{y}=\frac{\boldsymbol{X}\boldsymbol{p}}{\|\boldsymbol{p}\|} \tag{3-79}$$

式中，$\boldsymbol{p}$ 为可学习的投影向量。根据投影后得分，top-k 池化层过程表示为：

$$\begin{gathered}\boldsymbol{X}'=(\boldsymbol{X}\odot\text{sigmoid}(\boldsymbol{y}))_{\boldsymbol{i}}\\ \boldsymbol{A}'=\boldsymbol{A}_{i,i}\end{gathered} \tag{3-80}$$

式中，$i=\text{top}_k(\boldsymbol{y})$ 是具有最高投影分数的前 k 个节点的子集。

③ 全局池化层　全局池化层提供图整体的固定大小表示。全局池化层必须具有置换不变性，以确保图节点和边的排列顺序的改变不会影响最终输出。常见示例包括逐元素求和、求均值或取最大值。

3.3 应用案例：工业过程智能监测

3.3.1 田纳西-伊斯曼化工过程异常检测与溯源

(1) 业务背景

田纳西-伊斯曼过程（Tennessee Eastman Process，TE 过程）是由田纳西-伊斯曼公司开发的一种经典的工业化学工艺模型。它被广泛用于过程控制和故障诊断研究领域。TE 过程模拟了一个复杂的化学反应系统，涉及多个反应器、分离器和循环单元，其特点是非线性动态行为、高维输入输出变量和多种潜在故障模式。TE 过程示意图如图 3-15 所示。

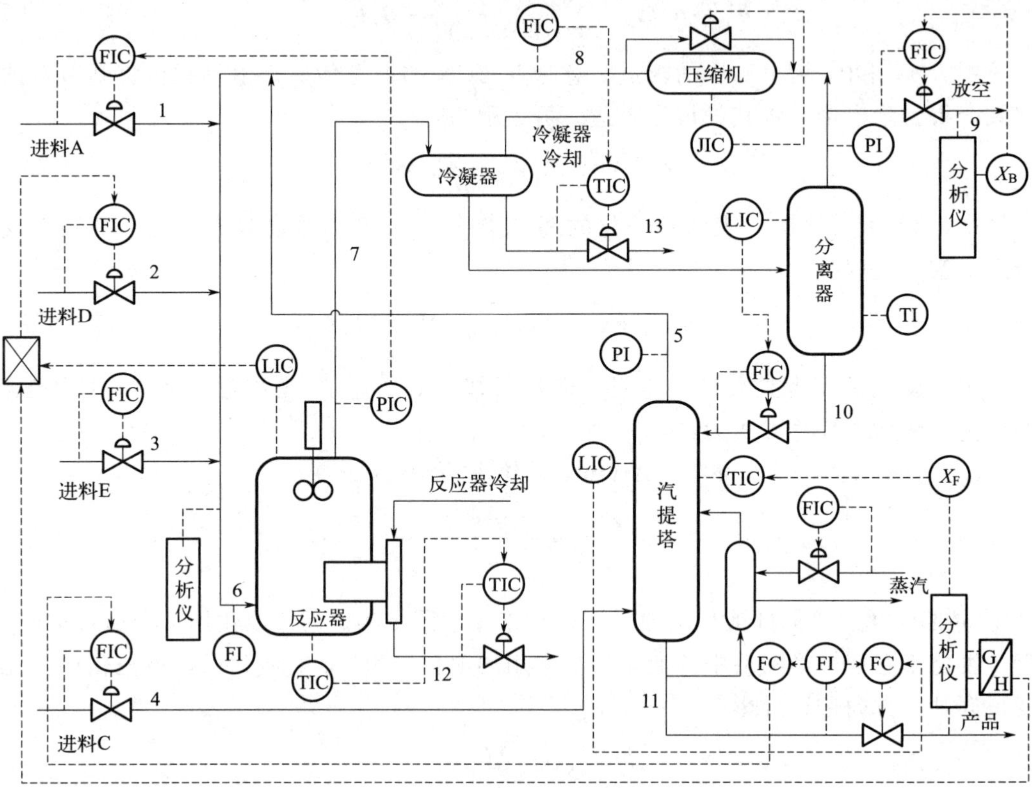

图 3-15 TE 过程示意图

（2）案例介绍

TE 过程包含 52 个过程变量，包含 41 个过程测量变量和 11 个控制变量，过程测量变量涉及流量、压力、温度、成分等。该故障诊断模型从 52 个变量中选用 33 个变量，包括 22 个过程测量变量和 11 个控制变量，选用的变量如表 3-3 所示。

表 3-3 所选 TE 过程测量变量描述

编号	变量描述	编号	变量描述	编号	变量描述
1	物料 A 流量	12	分离器液位	23	D 进料量
2	物料 D 流量	13	分离器压力	24	E 进料量
3	物料 E 流量	14	分离器塔底流量	25	A 进料量
4	总进料流量	15	汽提塔等级	26	总进料量
5	循环流量	16	汽提塔压力	27	压缩机再循环阀
6	反应器进料流量	17	汽提塔底部流量	28	排放阀
7	反应器压力	18	汽提塔温度	29	分离器罐液流量
8	反应器等级	19	汽提塔上部蒸汽流量	30	汽提器液体流量
9	反应器温度	20	压缩机功率	31	汽提器水流阀
10	排空速率	21	反应器冷却水出口温度	32	反应器冷却水流量
11	分离器温度	22	分离器冷却水出口温度	33	冷凝器冷却水流量

该验证过程从 TE 过程中选出 4 种故障类型，具体的故障描述如表 3-4 所示。训练集数据包括从正常运行状态采集的 500 个样本以及每类故障选出的 100 个样本。

表 3-4 所选 TE 过程故障描述

故障编号	故障描述	类型
1	A/C 进料流量比值变化，B 含量不变（流 4）	阶跃
5	冷凝器冷却水入口温度（流 2）	阶跃
10	C 进料温度（流 4）	随机变量
14	反应器冷却水阀	黏滞

（3）基于自编器的故障诊断

反向传播贡献度（BBC）是一种基于 AE 的故障诊断方法[26]。BBC 可利用 AE 模型提取的非线性特征来提升其故障诊断的性能。BBC 的基本过程中包含了故障重构的步骤，故障重构可通俗地理解为调整输入变化使得相应的故障指标最小，这与神经网络的训练过程类似，即调整模型权重使得相应的损失函数最小，反向传播算法在其中起到关键作用。

BBC 贡献度指标中存在非线性部分，此部分代表了神经网络的映射函数，形式较为复杂并且难以解释，这使得 BBC 的贡献度指标很难从理论上进行分析和优化。非线性映射包含了模型提取的非线性特征，在这种情况下，为了能合理利用 AE 提取的过程特征，同时使得贡献度指标的设计更加合理，如图 3-16 所示，局部线性化 BBC（LLBBC）通过建立局部线性模型来近似代替整个 AE 的非线性映射，并在建立好的线性模型中进行贡献度指标的计算。

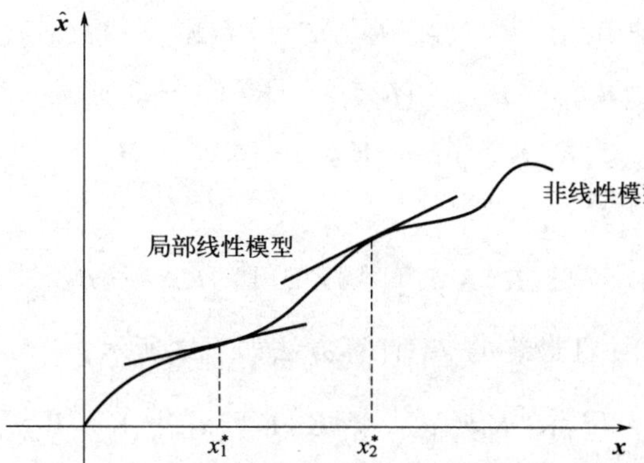

图 3-16 局部线性模型描述

LLBBC 的基本步骤与 BBC 相同，但改变了贡献度的计算方法。首先，使用降噪训练策略，由数据集从正常工作状态离线训练去噪自编码器。当需要进行故障诊断时，模型在待诊断样本 $\boldsymbol{x}^*$ 处线性化。由于使用了线性解码器，原始映射函数的非线性部分只存在于编码器函数中，因此只需要对编码器函数进行线性化处理，该过程可由下式表示：

$$\begin{aligned}\boldsymbol{t}(\boldsymbol{x})&=\left(\frac{\partial \boldsymbol{t}(\boldsymbol{x})}{\partial \boldsymbol{x}}\bigg|_{\boldsymbol{x}^*}\right)^{\mathrm{T}}(\boldsymbol{x}-\boldsymbol{x}^*)+\sigma(\boldsymbol{W}_e^{\mathrm{T}}\boldsymbol{x}^*+\boldsymbol{b}_e)\\&=(\boldsymbol{W}_e\boldsymbol{K}_e)^{\mathrm{T}}(\boldsymbol{x}-\boldsymbol{x}^*)+\sigma(\boldsymbol{W}_e^{\mathrm{T}}\boldsymbol{x}^*+\boldsymbol{b}_e)\end{aligned}\tag{3-81}$$

则所构建的局部线性模型的完整映射函数如下式所示：

$$\begin{aligned}\hat{\boldsymbol{x}}(\boldsymbol{x})&=\boldsymbol{W}_d^{\mathrm{T}}\boldsymbol{K}_e\boldsymbol{W}_e^{\mathrm{T}}\boldsymbol{x}-\boldsymbol{W}_d^{\mathrm{T}}\boldsymbol{K}_e\boldsymbol{W}_e^{\mathrm{T}}\boldsymbol{x}^*+\boldsymbol{W}_d^{\mathrm{T}}\sigma(\boldsymbol{W}_e^{\mathrm{T}}\boldsymbol{x}^*+\boldsymbol{b}_e)+\boldsymbol{b}_d\\&=\boldsymbol{K}_{de}\boldsymbol{x}+\boldsymbol{B}_{de}\end{aligned}\tag{3-82}$$

式中，$\boldsymbol{K}_{de}$ 与$\boldsymbol{B}_{de}$ 可通过下面两式计算得到：

$$\boldsymbol{K}_e=\begin{pmatrix}t^1(\boldsymbol{x}^*)(1-t^1(\boldsymbol{x}^*)) & \cdots & \boldsymbol{0}\\ \vdots & \ddots & \vdots\\ \boldsymbol{0} & \cdots & t^d(\boldsymbol{x}^*)(1-t^d(\boldsymbol{x}^*))\end{pmatrix}\in\mathbb{R}^{d\times d}$$

$$\boldsymbol{K}_{de}=\boldsymbol{W}_d^{\mathrm{T}}\boldsymbol{K}_e\boldsymbol{W}_e^{\mathrm{T}}$$

$$\boldsymbol{B}_{de}=-\boldsymbol{W}_d^{\mathrm{T}}\boldsymbol{K}_e\boldsymbol{W}_e^{\mathrm{T}}\boldsymbol{x}^*+\boldsymbol{W}_d^{\mathrm{T}}\sigma(\boldsymbol{W}_e^{\mathrm{T}}\boldsymbol{x}^*+\boldsymbol{b}_e)+\boldsymbol{b}_d\tag{3-83}$$

式中，$t^i(\boldsymbol{x}^*)$ 为第 i 个隐层节点的输出。式(3-83) 所示 $\boldsymbol{K}_e$ 的计算方法是基于 sigmoid 函数，若要使用其他激活函数，只需将其对角元素的计算方法改成对应的导数值即可。

随后故障幅值 f_i 的值可通过最小化对应的残差空间故障诊断贡献度指标得到，如下式所示：

$$f_i=\underset{f_i}{\operatorname{argmin}}\|\boldsymbol{K}_{de}(\boldsymbol{x}-\xi_i f_i)+\boldsymbol{B}_{de}-(\boldsymbol{x}-\xi_i f_i)\|^2\tag{3-84}$$

假设 $\boldsymbol{J}=\|\boldsymbol{K}_{de}(\boldsymbol{x}-\xi_i f_i)+\boldsymbol{B}_{de}-(\boldsymbol{x}-\xi_i f_i)\|^2$，则上式可通过将一阶导数为 0 求得最小值，求解过程如下列各式所示：

$$\frac{\partial J}{\partial f_i}=-[(\boldsymbol{K}_{de}-\boldsymbol{I})\boldsymbol{\xi}_i]^{\mathrm{T}}[\boldsymbol{K}_{de}(\boldsymbol{x}-\boldsymbol{\xi}_i f_i)+\boldsymbol{B}_{de}-(\boldsymbol{x}-\boldsymbol{\xi}_i f_i)]=0\tag{3-85}$$

$$\begin{aligned}[(\boldsymbol{I}-\boldsymbol{K}_{de})\boldsymbol{\xi}_i]^{\mathrm{T}}\boldsymbol{B}_{de}&=[(\boldsymbol{I}-\boldsymbol{K}_{de})\boldsymbol{\xi}_i]^{\mathrm{T}}[(\boldsymbol{K}_{de}-\boldsymbol{I})(\boldsymbol{x}^*-\boldsymbol{\xi}_i f_i)]\\ [\boldsymbol{K}\boldsymbol{\xi}_i]^{\mathrm{T}}\boldsymbol{B}_{de}&=[\boldsymbol{K}\boldsymbol{\xi}_i]^{\mathrm{T}}[\boldsymbol{K}(\boldsymbol{x}^*-\boldsymbol{\xi}_i f_i)]\\ \boldsymbol{\xi}_i^{\mathrm{T}}\boldsymbol{K}^{\mathrm{T}}\boldsymbol{K}\boldsymbol{\xi}_i f_i&=[\boldsymbol{K}\boldsymbol{\xi}_i]^{\mathrm{T}}[\boldsymbol{K}\boldsymbol{x}^*-\boldsymbol{B}_{de}]\end{aligned}\tag{3-86}$$

则 f_i 的计算方法如下：

$$f_i=[\boldsymbol{\xi}_i^{\mathrm{T}}\boldsymbol{K}^{\mathrm{T}}\boldsymbol{K}\boldsymbol{\xi}_i]^{-1}[\boldsymbol{K}\boldsymbol{\xi}_i]^{\mathrm{T}}[\boldsymbol{K}\boldsymbol{x}^*-\boldsymbol{B}_{de}]\tag{3-87}$$

式中，$\boldsymbol{K}=\boldsymbol{I}-\boldsymbol{K}_{de}$，并且最终的 f_i 计算方法如下式所示：

$$f_i=[\boldsymbol{\xi}_i^{\mathrm{T}}\boldsymbol{K}^{\mathrm{T}}\boldsymbol{K}\boldsymbol{\xi}_i]^{-1}[\boldsymbol{\xi}_i^{\mathrm{T}}\boldsymbol{K}^{\mathrm{T}}\boldsymbol{K}][\boldsymbol{x}^*-\boldsymbol{K}^{-1}\boldsymbol{B}_{de}]\tag{3-88}$$

在重构贡献度（RBC）的贡献度指标中，半正定矩阵 $\boldsymbol{M}$ 扮演着重要的角色，并且是抑制故障污染效应的关键。从式(3-88) 可以看出 $\boldsymbol{M}$ 可通过 $\boldsymbol{M}=\boldsymbol{K}^{\mathrm{T}}\boldsymbol{K}$ 计算得到，因为从形式上可见，矩阵 $\boldsymbol{K}$ 可用来计算局部线性模型下的重构误差，这与 PCA 模型中的载矩阵类似。然而，与 RBC 不同的是，LLBBC 中的半正定矩阵 $\boldsymbol{M}$ 随样本而变化，可用于描述非线性过程中的故障信息。最终，变量 x_i 的 LLBBC 的贡献度指标计算公式如下：

$$\begin{aligned}LLBBC_i&=(\boldsymbol{x}^*)^{\mathrm{T}}[\boldsymbol{K}^{\mathrm{T}}\boldsymbol{K}\boldsymbol{\xi}_i][\boldsymbol{\xi}_i^{\mathrm{T}}\boldsymbol{K}^{\mathrm{T}}\boldsymbol{K}\boldsymbol{\xi}_i]^{-1}[\boldsymbol{\xi}_i^{\mathrm{T}}\boldsymbol{K}^{\mathrm{T}}\boldsymbol{K}](\boldsymbol{x}^*)\\&=(\boldsymbol{x}^*)^{\mathrm{T}}[\boldsymbol{M}\boldsymbol{\xi}_i][\boldsymbol{\xi}_i^{\mathrm{T}}\boldsymbol{M}\boldsymbol{\xi}_i]^{-1}[\boldsymbol{\xi}_i^{\mathrm{T}}\boldsymbol{M}](\boldsymbol{x}^*)\\&=\frac{[(\boldsymbol{\xi}_i^{\mathrm{T}}\boldsymbol{M})\ \boldsymbol{x}^*]^2}{m_{ii}}\end{aligned}\tag{3-89}$$

式中，$\boldsymbol{M}$ 是一个对称半正定矩阵。从式(3-89) 中可以看出，LLBBC 是通过沿单个变量进行故障重构来计算的，然而，与 RBC 一样，LLBBC 可以处理的诊断问题不限于单变量故障。在非线性特征的帮助下，LLBBC 使得故障变量的贡献度幅值显著大于无关变量的贡献度。

LLBBC 的实现步骤如图 3-17 所示，可将其简单总结成以下步骤。

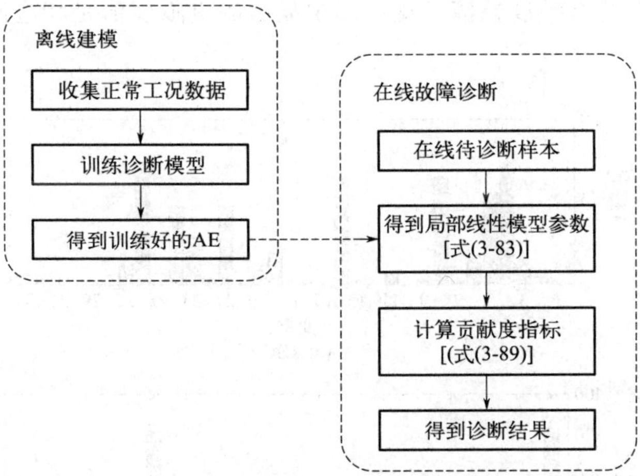

图 3-17　基于 LLBBC 的故障诊断流程图

① 收集正常状态数据，采用降噪训练策略离线训练 AE。

② 获得待诊断样本 $\boldsymbol{x}^*$ 后，通过式(3-83) 计算局部线性模型的参数。

③ 通过式(3-89) 计算变量 x_i 的贡献指数。

④ 通过根据各个变量的贡献度幅值来确定诊断结果。

堆叠自编码器的贡献度计算　为了提取更深层次的特征，SAE 可以替代 AE 进行过程特征的挖掘。由于两种模型结构上的相似性，LLBBC 可以很容易地在 SAE 中进行计算，只需在计算参数时进行小幅拓展。由于 SAE 包含了多个编码器和解码器，在每个 AE 都被训练完成后，参数 $\boldsymbol{K}_{de}$ 可通过下式计算得到：

$$\boldsymbol{K}_{e_i}^i=\begin{pmatrix} \boldsymbol{t}_1^i(\boldsymbol{x})(1-\boldsymbol{t}_1^i(\boldsymbol{x})) & \cdots & \boldsymbol{0} \\ \vdots & \ddots & \vdots \\ \boldsymbol{0} & \cdots & \boldsymbol{t}_{d_i}^i(\boldsymbol{x})(1-\boldsymbol{t}_{d_i}^i(\boldsymbol{x})) \end{pmatrix} \in \mathbb{R}^{d_i \times d_i}$$

$$\boldsymbol{K}_e=\prod_{i=1}^{n_l}\boldsymbol{K}_{e_i}^i\boldsymbol{W}_{e_i}^{\mathrm{T}}$$

$$\boldsymbol{K}_d=\prod_{i=1}^{n_l}\boldsymbol{W}_{d_i}^{\mathrm{T}}$$

$$\boldsymbol{K}_{de}=\boldsymbol{K}_d\boldsymbol{K}_e \tag{3-90}$$

其中，d_i 表示第 i 个 AE 的隐层节点数；$\boldsymbol{t}_j^i(\boldsymbol{x})$ 代表第 i 个 AE 中第 j 个隐层节点输出；n_l 代表 SAE 中包含的 AE 的数目；$\boldsymbol{W}_{e_i}$ 和 $\boldsymbol{W}_{d_i}$ 代表第 i 个 AE 的权重。

在 $\boldsymbol{K}_{de}$ 计算完成之后，半正定矩阵 $\boldsymbol{M}$ 则可通过下式计算得到：

$$\boldsymbol{M}=(\boldsymbol{I}-\boldsymbol{K}_{de})^{\mathrm{T}}(\boldsymbol{I}-\boldsymbol{K}_{de}) \tag{3-91}$$

SAE 中的 LLBBC 的贡献度计算方法与 AE 中的一致。

（4）结果分析

通过对比提出的 LLBBC 与常规 RBC 方法[27] 在 TE 过程的故障诊断结果，来验证 LLBBC 的故障诊断性能。

图 3-18～图 3-21 给出了 4 种故障的详细故障诊断结果，每个长方形条的长度表示每个变量在不同方法中的贡献度幅值。这些图中显示的贡献度值是相应测试数据集中所有测试数据的平均结果。

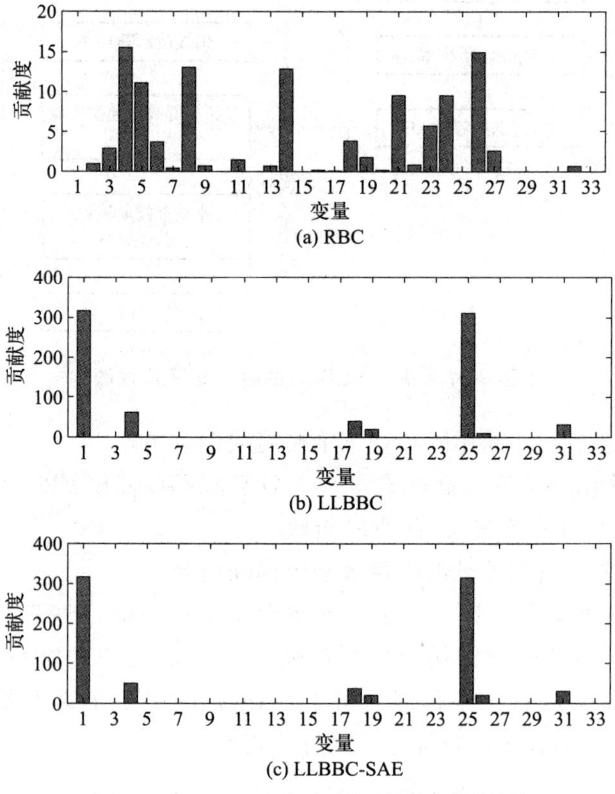

图 3-18　TE 过程故障 1 的故障诊断结果

图 3-18 展示了故障 1 的诊断结果。LLBBC 给出的诊断结果中变量 1 和变量 26 有最高的贡献度，这两个变量测量的是物料 A 的流量，可以反映出故障信息。此外，虽然故障发生在流 4 中，但由于控制器的存在，变量 1 和变量 25 会根据流 4 中的故障发生变化，配合变量 4 和变量 26 将系统调整至一个新的稳态，且调整幅度较大。因此，变量 1、变量 25 和变量 4、变量 26 都可以认为是故障相关变量，但是 RBC 的诊断结果中引入了较多的无关变量，诊断结果不够准确。

图 3-19 展示了故障 5 的诊断结果，根据故障描述，与故障 5 最相关的变量是变量 33。根据图 3-19 中的诊断结果可以发现，RBC 对变量 17 的贡献很大，但此变量测量的是汽提塔底部流量，与故障 5 无关。

至于 C 进料温度故障（故障 10），最相关的变量是变量 18，因为物料 C 直接发送到汽提塔，物料 C 的温度可以反映在汽提塔的温度中，如图 3-20 所示，该故障故障信息较

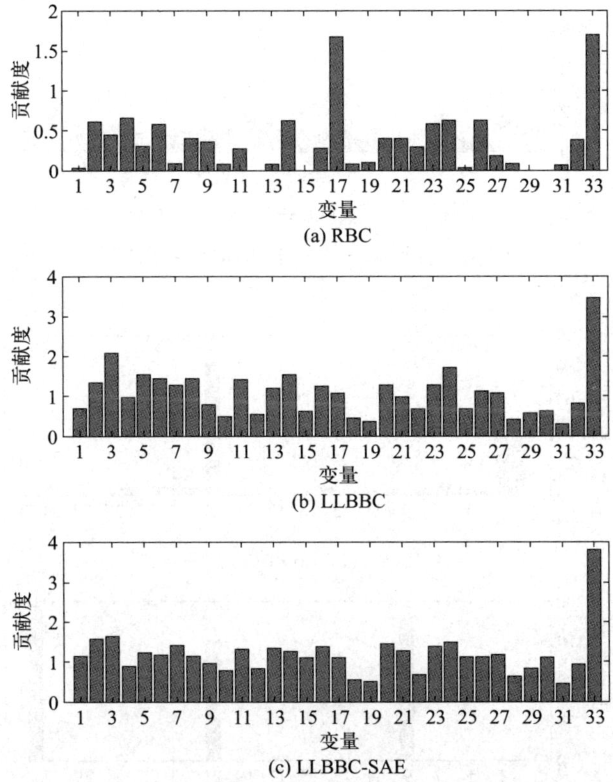

图 3-19　TE 过程故障 5 的故障诊断结果

为明确，所有 6 种方法都给出了正确的诊断结果。图 3-21 展示了故障 14 的诊断结果，故障 14 的关键变量为变量 9、变量 21 和变量 32，这三个变量都能反映反应器冷却水阀变化后，过程中的故障信息和故障位置。从图 3-21 所示的结果可以看到 RBC 只能识别变量 21，并且变量 2、变量 3 这些无关变量也有较大的贡献度。而 LLBBC 能给出正确的诊断。

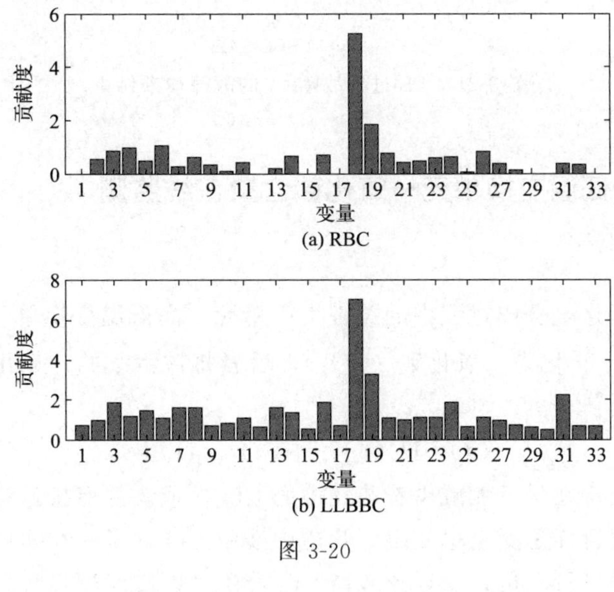

图 3-20

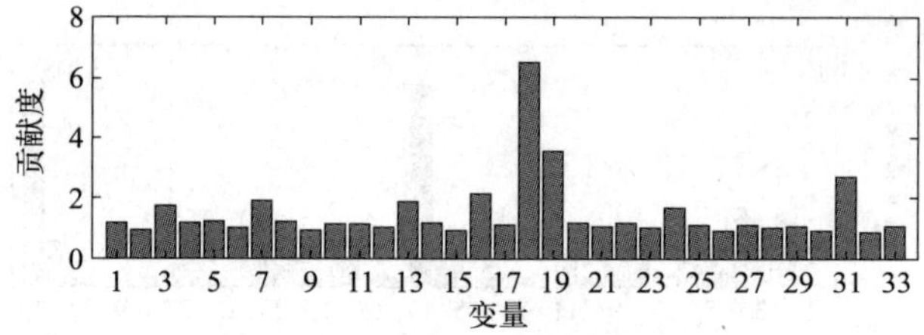

(c) LLBBC-SAE

图 3-20　TE 过程故障 10 的故障诊断结果

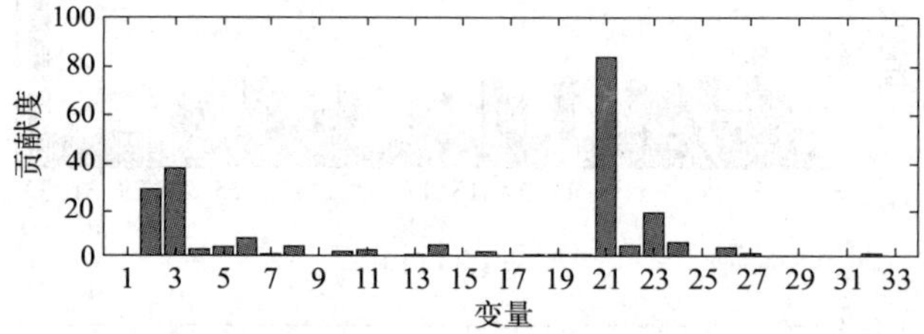

(a) RBC

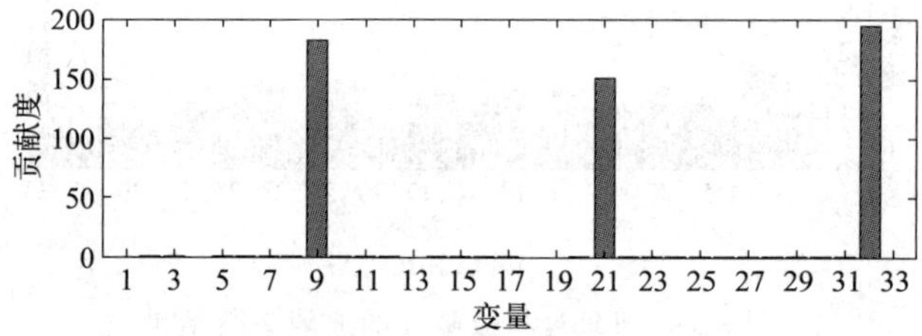

(b) LLBBC

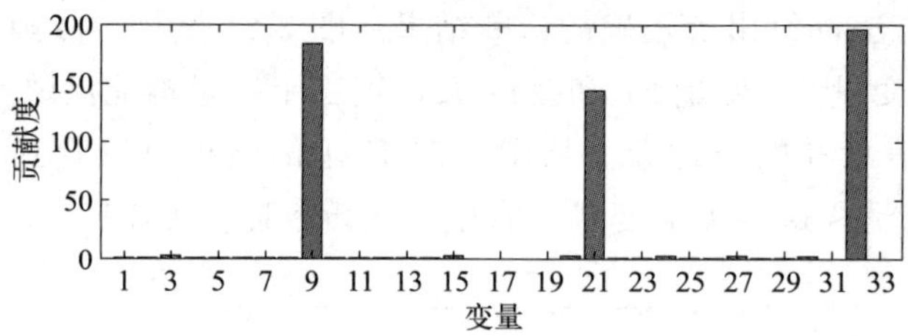

(c) LLBBC-SAE

图 3-21　TE 过程故障 14 的故障诊断结果

3.3.2　合成氨高低温变换单元一氧化碳含量在线监测

（1）业务背景

高低温变换单元是氨合成过程中的关键生产单元。高低温变换单元的作用是将难以处理的一氧化碳（CO）转化为二氧化碳（CO_2），后者将被后续的二氧化碳吸收柱吸收。主要发生的化学反应是：

$$CO+H_2O \longleftrightarrow CO_2+H_2\uparrow$$

高低温变换单元旨在尽可能减少工艺气中的 CO 含量，并保持过程始终运行在低能耗的状态。因此，首要目标是测量单元出口管道中残留 CO 含量。在实践中，残留 CO 含量通过离线实验室分析进行测量，这导致残留 CO 含量难以实时测量。因此，构建一个能实时预测残留 CO 含量的软测量模型非常重要。

（2）案例介绍

为了构建软测量模型，收集了 26 个可使用传感器实时测量的过程变量用于软测量模型建模。高低温变换单元的流程图如图 3-22 所示，26 个过程变量的描述如表 3-5 所示。

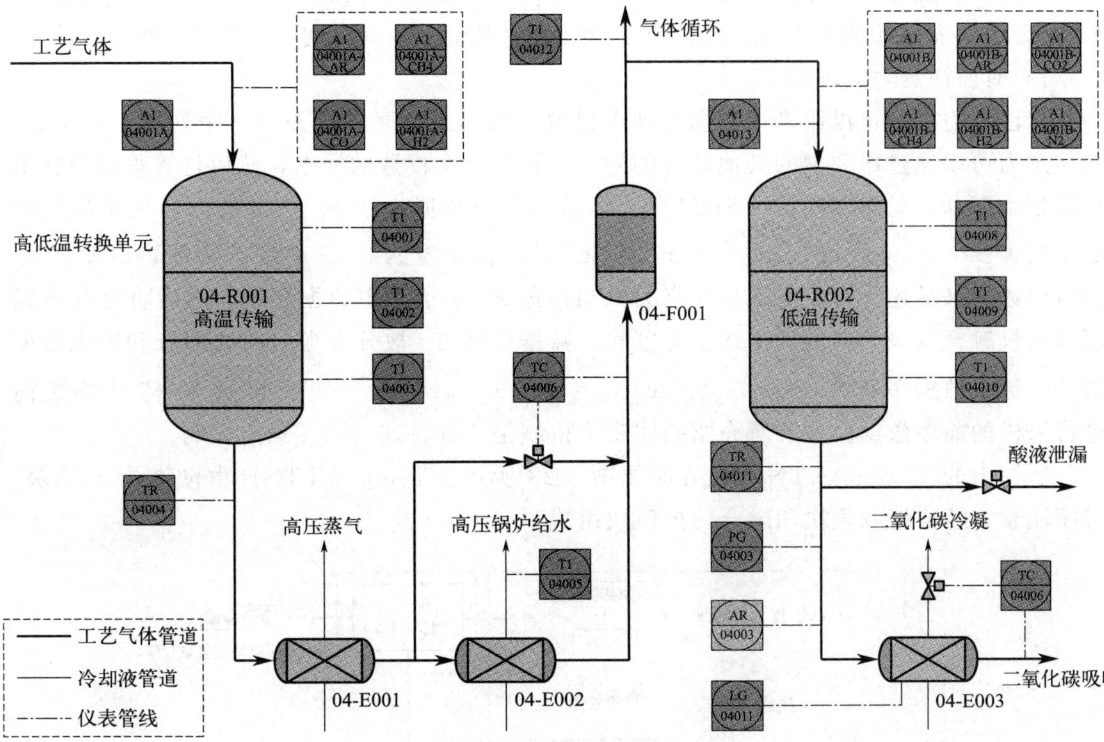

图 3-22 高低变单元工艺流程图

表 3-5 高低变单元中 26 个工艺变量的描述

位号	描述	位号	描述
AI04001A	到 04R001 的工艺气流量	PC04003	04R002 出口压力
AI04001A-Ar	到 04R001 的工艺气 Ar 含量	TI04003	04R001 下层温度
AI04001A-CO	到 04R001 的工艺气 CO 含量	TR04004	04R001 出口温度
AI04001A-CH_4	到 04R001 的工艺气 CH_4 含量	TI04005	04E002 中 BFW 温度
AI04001A-H_2	到 04R001 的工艺气 H_2 含量	TC04006	04E002 出口温度
AI04001B	到 04R002 的工艺气流量	TI04008	04R002 上层温度
AI04001B-Ar	到 04R002 的工艺气 Ar 含量	TI04009	04R002 中层温度
AI04001B-CO_2	到 04R002 的工艺气 CO_2 含量	TI04010	04R002 下层温度
AI04001B-CH_4	到 04R002 的工艺气 CH_4 含量	LC04011	04E003 液位
AI04001B-H_2	到 04R002 的工艺气 H_2 含量	PC04011	通往 05 单元工艺气压力
AI04001B-N_2	到 04R002 的工艺气 N_2 含量	TR04011	04R002 出口温度
TI04001	04R001 上层温度	TI04012	04K101 循环 N_2 温度
TI04002	04R001 中层温度	TI04013	04R002 入口温度

共收集了来自某企业高低变单元的 7000 个样本。为了建立软测量模型，数据集被划分为训练集（整个数据集的前 60%）、校验集（整个数据集的接下来 20%）和测试集（剩余的 20%）。

（3）基于自注意力编码的动态特征提取器的预测方法

下面，首先介绍时序注意力编码器（TempoATTNE）。然后，引入基于 TempoATTNE 的动态特征提取器（TempoATTNE-DFE）来从输入数据序列中提取动态特征。

1）时序注意力编码器

自注意力机制可以用来从数据序列中提取动态模式。通过对齐单个序列的不同位置，自注意力可以通过序列中的其他位置的样本来描述某个位置的样本，然后计算得到该样本相对整个序列全局角度的特征表示[28,29]。给定当前数据 $\boldsymbol{x}_n \in \mathbb{R}^{1\times d}$ 的前面时刻采集的数据序列 $\boldsymbol{X}_n = \{\boldsymbol{x}_{n-N+1}, \boldsymbol{x}_{n-N+2}, \cdots, \boldsymbol{x}_n\} \in \mathbb{R}^{N\times d}$，长度为 N，$\boldsymbol{x}_n$ 的动态特征可以使用 $\boldsymbol{x}_n$ 的历史数据来描述。可以引入自注意力机制根据 $\boldsymbol{x}_n$ 来给历史数据加权，然后将这些数据用以加权融合成一个向量来描述动态模式。数据序列 $\boldsymbol{X}_n$ 被分为当前数据部分和历史数据部分。历史数据序列 $\overline{\boldsymbol{X}}_n = \{\boldsymbol{x}_{n-N+1}, \boldsymbol{x}_{n-N+2}, \cdots, \boldsymbol{x}_{n-1}\} \in \mathbb{R}^{(N-1)\times d}$ 包括 $N-1$ 个在之前进行采样的前序数据。本节所介绍的注意力机制是一种特殊的自注意力机制。

所提出的 TempoATTNE 的结构如图 3-23 所示。TempoATTNE 由动态嵌入模块、时序注意力特征提取模块和融合门控模块组成。

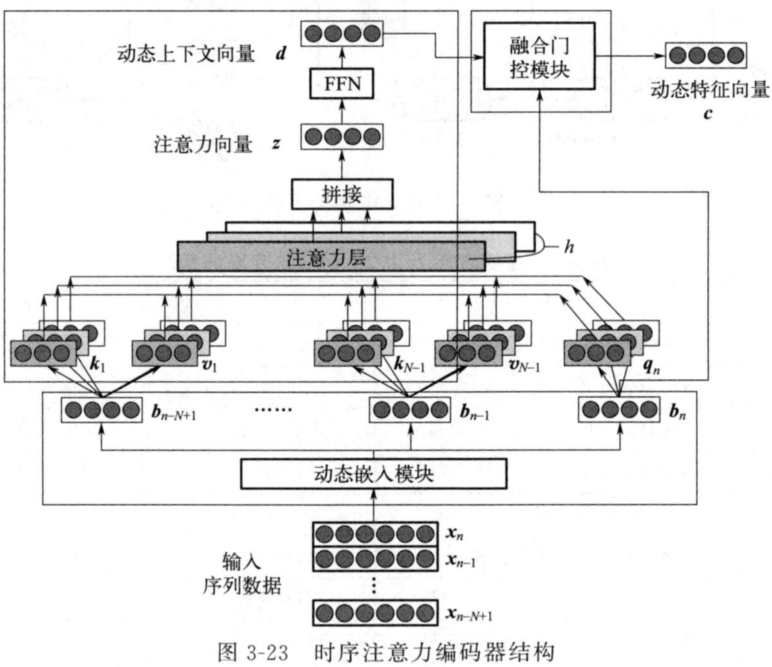

图 3-23　时序注意力编码器结构

① 动态嵌入模块　动态嵌入模块旨在从输入数据中获取与动态相关的特征。这是通过将输入数据以权重矩阵映射嵌入到一个低维空间中来实现的，公式如下：

$$\boldsymbol{b}_i = \boldsymbol{W}_{\text{embed}} \boldsymbol{x}_i^{\mathrm{T}} \tag{3-92}$$

式中，$\boldsymbol{W}_{\text{embed}} \in \mathbb{R}^{d_m \times d}$ 是动态嵌入模块的嵌入权重，$\boldsymbol{x}_i \in \mathbb{R}^{1\times d}$ 是输入序列中的第 i

个样本，$\boldsymbol{b}_i \in \mathbb{R}^{d_m}$ 是输入样本映射到低维空间之后对应的嵌入向量。

② 时序注意力特征提取模块　所提出的编码器中的时序注意力特征提取模块利用注意力机制从历史数据序列的动态嵌入表示$\overline{\boldsymbol{B}}_n=\{\boldsymbol{b}_{n-N+1},\boldsymbol{b}_{n-N+2},\cdots,\boldsymbol{b}_{n-1}\}\in\mathbb{R}^{d_m\times(N-1)}$中提取能够描述序列的动态特征的特征向量。

首先，当前时刻样本通过动态嵌入模块生成的嵌入向量 $\boldsymbol{b}_n$ 并进行投影后得到查询向量：

$$\boldsymbol{q}_n=\boldsymbol{W}_Q\boldsymbol{b}_n \tag{3-93}$$

式中，$\boldsymbol{W}_Q\in\mathbb{R}^{d_k\times d_m}$ 是将查询样本投影到查询向量空间的投影权重，$\boldsymbol{q}_n\in\mathbb{R}^{d_k}$ 是查询向量。类似地，用另外两个投影权值，将历史数据序列的动态嵌入表示$\overline{\boldsymbol{B}}_n$ 投影到相应的键值空间生成键向量和值向量，计算过程如下：

$$\begin{aligned}\boldsymbol{K}&=\boldsymbol{W}_K\overline{\boldsymbol{B}}_n\\ \boldsymbol{V}&=\boldsymbol{W}_V\overline{\boldsymbol{B}}_n\end{aligned} \tag{3-94}$$

式中，$\boldsymbol{W}_K\in\mathbb{R}^{d_k\times d_m}$ 和 $\boldsymbol{W}_V\in\mathbb{R}^{d_k\times d_m}$ 是将样本分别投影到键空间和值空间的投影权重。所有从历史序列数据中生成的键向量和值向量组成键矩阵 $\boldsymbol{K}\in\mathbb{R}^{d_k\times(N-1)}$ 和值矩阵 $\boldsymbol{V}\in\mathbb{R}^{d_k\times(N-1)}$。

随后，自注意力机制被用于总结历史序列数据，计算过程如下：

$$\boldsymbol{z}=\text{MultiHead}(\boldsymbol{q}_n,\boldsymbol{K},\boldsymbol{V})=\text{Concat}(\boldsymbol{head}_1,\boldsymbol{head}_2,\cdots,\boldsymbol{head}_h)\boldsymbol{W}_o \tag{3-95}$$

式中，

$$\begin{aligned}\boldsymbol{head}_i&=\text{Attention}(\boldsymbol{W}_i^Q\boldsymbol{q}_n,\boldsymbol{W}_i^K\boldsymbol{K},\boldsymbol{W}_i^V\boldsymbol{V})\\&=\sum_{j=1}^{N-1}\text{Similarity}(\boldsymbol{W}_i^Q\boldsymbol{q}_n,\boldsymbol{W}_i^K\boldsymbol{k}_j)\boldsymbol{v}_j^{\mathrm{T}}\boldsymbol{W}_i^V\end{aligned} \tag{3-96}$$

式中，$\boldsymbol{W}_i^Q\in\mathbb{R}^{d_h\times d_k}$，$\boldsymbol{W}_i^K\in\mathbb{R}^{d_h\times d_k}$，$\boldsymbol{W}_i^V\in\mathbb{R}^{d_k\times d_h}$ 和 $\boldsymbol{W}_o\in\mathbb{R}^{d_k\times d_m}$（$d_h=d_k/h$）分别是多头注意力机制中第 i 个注意力头用于给问询向量、键值向量投影的投影权重以及最后拼合所有注意力头的内容而后输出的权重。MultiHead（・）是多头注意力操作，Concat（・）是拼接所有输入向量的操作，Attention（・）是注意力操作，Similarity（・）是用于键向量与问询向量间相似度测量的函数。最常用的相似度测量是点积函数，定义如下：

$$\text{Similarity}(\boldsymbol{q},\boldsymbol{k}_j)=\frac{\mathrm{e}^{<\boldsymbol{q},\boldsymbol{k}_j>}}{\sum_{l=1}^{N-1}\mathrm{e}^{<\boldsymbol{q},\boldsymbol{k}_l>}} \tag{3-97}$$

注意力向量 $\boldsymbol{z}\in\mathbb{R}^{1\times d_m}$ 通过前馈层后，然后得到动态上下文向量 $\boldsymbol{d}\in\mathbb{R}^{d_m}$：

$$\boldsymbol{d}=FFN(\boldsymbol{z}^{\mathrm{T}})=\boldsymbol{W}_2^{FFN}\text{Relu}(\boldsymbol{W}_1^{FFN}\boldsymbol{z}^{\mathrm{T}}+\boldsymbol{b}_1^{FFN})+\boldsymbol{b}_2^{FFN} \tag{3-98}$$

式中，FFN 是逐位置前馈层，$\boldsymbol{W}_1^{FFN}\in\mathbb{R}^{d_f\times d_m}$，$\boldsymbol{W}_2^{FFN}\in\mathbb{R}^{d_m\times d_f}$ 是 FFN 的权重，$\boldsymbol{b}_1^{FFN}\in\mathbb{R}^{d_f}$，$\boldsymbol{b}_2^{FFN}\in\mathbb{R}^{d_m}$ 是 FFN 的偏置。

③ 融合门控模块　在所提出的编码器中，融合门控模块用于调节历史信息 $\boldsymbol{d}$ 和当前信息 $\boldsymbol{b}_n$ 的贡献。融合门为输入向量分配一个权重λ，λ 的计算公式为：

$$\lambda=\sigma(\boldsymbol{W}_b^{\mathrm{T}}\boldsymbol{b}_n+\boldsymbol{W}_d^{\mathrm{T}}\boldsymbol{d}) \tag{3-99}$$

式中，$\sigma(\cdot)$ 表示 sigmoid 激活函数。而后，动态特征向量可通过将两个向量加权而获得，如下：

$$\boldsymbol{c}=\lambda \boldsymbol{W}_b \boldsymbol{b}_n+(1-\lambda) \boldsymbol{W}_b \boldsymbol{d} \tag{3-100}$$

式中，$\boldsymbol{W}_b \in \mathbb{R}^{d_m}$ 和 $\boldsymbol{W}_d \in \mathbb{R}^{d_m}$ 是门控融合模块中的权重向量，$\boldsymbol{c} \in \mathbb{R}^{d_m}$ 是当前样本 $\boldsymbol{x}_n$ 对应的动态特征向量。

2）基于时序注意力编码器的动态特征提取器

这里，基于 TempoATTNE，一种新的 TempoATTNE-DFE 被开发出来。TempoATTNE-DFE 由 TempoATTNE 和循环解码网络组成。TempoATTNE 用于从输入数据序列中提取动态特征，而循环解码网络用于重构输入数据序列。重构损失迫使解码网络根据动态向量恢复输入序列，这使模型能够学习到序列的表征。所提出的 TempoATTNE-DFE 框架示意图如图 3-24 所示。

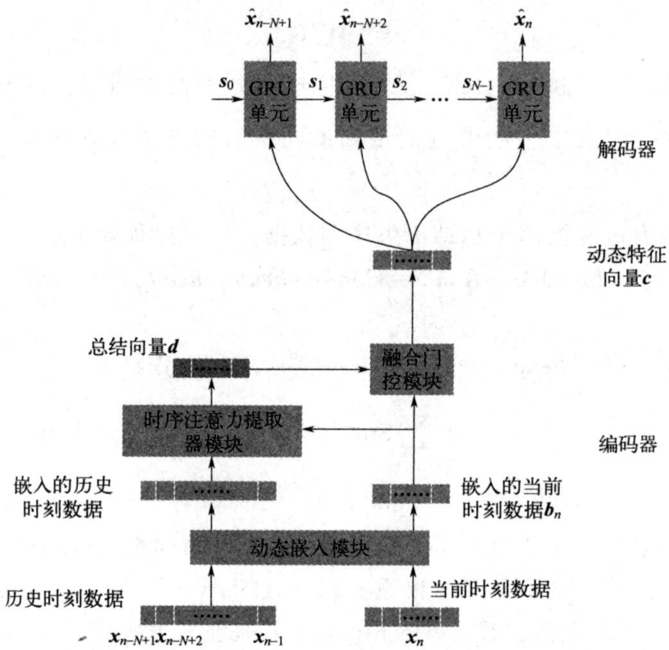

图 3-24　TempoATTNE-DFE 的模型结构

在训练阶段，首先序列化数据，然后使用序列重构损失来训练 TempoATTNE 和解码网络。在解码网络中，将动态向量 $\boldsymbol{c}$ 的 N 份副本输入到 GRU 中。然后，完整的输入序列可按如下方式构建：

$$\begin{aligned} \boldsymbol{u}_t &= \sigma(\boldsymbol{U}_i^u \boldsymbol{c}+\boldsymbol{U}_s^u \boldsymbol{s}_{t-1}) \\ \boldsymbol{r}_t &= \sigma(\boldsymbol{U}_i^r \boldsymbol{c}+\boldsymbol{U}_s^r \boldsymbol{s}_{t-1}) \\ \tilde{\boldsymbol{s}}_t &= \tanh(\boldsymbol{U}_i \boldsymbol{c}+\boldsymbol{r}_t \odot \boldsymbol{U}_o \boldsymbol{s}_{t-1}) \end{aligned} \tag{3-101}$$

$$\boldsymbol{s}_t=\boldsymbol{u}_t \odot \boldsymbol{s}_{t-1}+(\mathbf{1}-\boldsymbol{u}_t) \odot \tilde{\boldsymbol{s}}_t \tag{3-102}$$

$$\boldsymbol{s}_t=\widehat{\boldsymbol{x}}_t^{\mathrm{T}} \tag{3-103}$$

式中，$\boldsymbol{s}_t \in \mathbb{R}^d$ 是第 t 个 GRU 单元的隐层向量，$\tilde{\boldsymbol{s}}_t \in \mathbb{R}^d$ 是第 t 个 GRU 单元的中间隐层向量，$\boldsymbol{u}_t \in \mathbb{R}^d$ 是第 t 个 GRU 单元的更新比率，$\boldsymbol{r}_t \in \mathbb{R}^d$ 是第 t 个 GRU 单元的重置比

率，$\boldsymbol{U}_i^u \in \mathbb{R}^{d \times d_m}$ 和$\boldsymbol{U}_s^u \in \mathbb{R}^{d \times d}$ 是解码器的更新权重，$\boldsymbol{U}_i^r \in \mathbb{R}^{d \times d_m}$ 和$\boldsymbol{U}_s^r \in \mathbb{R}^{d \times d}$ 是解码器的重置权重，$\boldsymbol{U}_i \in \mathbb{R}^{d \times d_m}$ 是解码器的输入权重，$\boldsymbol{U}_o \in \mathbb{R}^{d \times d}$ 是解码器的输出权重。输入和输出序列之间的重构误差被用作动态特征提取器训练的损失函数，计算方法如下：

$$L = \sum_{i=1}^{N_S} \sum_{j=1}^{T} (\| \boldsymbol{x}_j^i - \hat{\boldsymbol{x}}_j^i \|_2)^2 \tag{3-104}$$

在获得动态向量后，我们可以通过拼接操作将当前时刻样本与动态向量合并，从而获得增强的动态特征向量，具体方法如下：

$$\tilde{\boldsymbol{x}}_n = \mathrm{Concat}(\boldsymbol{x}_n, \boldsymbol{c}) \tag{3-105}$$

最后，将增强的动态特征向量送入到预测模型（DTM）当中进行预测，使用回归任务常用的目标函数“真值与预测值的均方误差（MSE）”作为损失函数对模型参数进行优化，有：

$$\hat{y}_i = \mathrm{DTM}(\tilde{x}_i) \tag{3-106}$$

$$L_{\mathrm{reg}} = \sum_{i=1}^{N_S} (\| y_i - \hat{y}_i \|_2)^2 \tag{3-107}$$

3）基于 TempoATTNE-DFE 的软测量建模

在这里，提出了 TempoATTNE-DFE 用于从历史过程数据中提取动态特征，并将这些动态特征与当前过程样本组合起来形成动态增强的特征向量，并将特征向量用于软测量模型建模以实现质量变量实时预测。基于提出的 TempoATTNE-DFE 开发的软测量算法的完整程序可以分为两个阶段：离线训练和在线推理。离线训练过程如前所述，在线推理的详细程序在表 3-6 中描述。

表 3-6　基于 TempoATTNE-DFE 的软测量模型在线预测步骤

输入	训练集样本$(\boldsymbol{x}_i, y_i) i=1,\cdots,n$；在线收集的样本 $\boldsymbol{x}^t$； $\boldsymbol{x}^t$ 对应的历史数据 $\boldsymbol{x}_{-i}^t, i=1,\cdots,N$；超参数 N,η,λ； DFE 动态特征提取器；DTM 下游任务软测量模型
输出	$\boldsymbol{x}^t$ 的质量变量预测值 $\hat{y}_t \in \mathbb{R}$；
步骤	①将数据序列化，得到 $\mathbf{xseq}_i \leftarrow \mathrm{serialize}(\boldsymbol{x}_{i-N+1},\cdots,\boldsymbol{x}_i,N), i=N,\cdots,n, \mathbf{xseq}_i \in \mathbb{R}^{N\times 1\times d}$； ②按照式(3-104)所述利用过程数据直接训练 DFE； ③按照式(3-92)到式(3-103)的流程，使用 DFE 提取动态特征 $\boldsymbol{c}$； 按照式(3-105)所述，$\tilde{\boldsymbol{x}}_i \leftarrow \mathrm{concat}(\boldsymbol{x}_i, \boldsymbol{c}_i), i=N,\cdots,n, \tilde{\boldsymbol{x}}_i \in \mathbb{R}^{d+d_m}$； ④利用动态增强的特征向量$\tilde{\boldsymbol{x}}_i$ 训练 DTM 模型； ⑤基于 DFE 和 DTM 进行在线预测； $\mathbf{xseq}^t \leftarrow \mathrm{serialize}(\boldsymbol{x}_{-N}^t,\cdots,\boldsymbol{x}_{-1}^t,\boldsymbol{x}^t,N), \mathbf{xseq}^t \in \mathbb{R}^{N\times 1\times d}$； $\boldsymbol{c}^t \leftarrow \mathrm{TempoATTNE}(\mathbf{xseq}^t), \boldsymbol{c} \in \mathbb{R}^{d_m}$；$\tilde{\boldsymbol{x}}^t \leftarrow \mathrm{concat}(\boldsymbol{x}^t, \boldsymbol{c}^t)$； $\hat{y}^t \leftarrow \mathrm{DTM}(\tilde{\boldsymbol{x}}^t)$

（4）结果分析

预测结果显示在图 3-25 和图 3-26 中，其定量结果显示在表 3-7 中，采用均方误差（RMSE）和绝对值误差（MAE）作为评价指标。RMSE 以及 MAE 标准的计算方式为：

$$RMSE = \sqrt{\sum_{i=1}^{N_{\mathrm{test}}} (y_i - \hat{y}_i)^2 / N_{\mathrm{test}}}$$

$$MAE=\sum_{i=1}^{N_{\text{test}}}|y_i-\widehat{y}_i|/N_{\text{test}} \tag{3-108}$$

式中，y_i、$\widehat{y}_i$ 分别是真实值和预测值；N_{test} 是测试集中的样本数量。

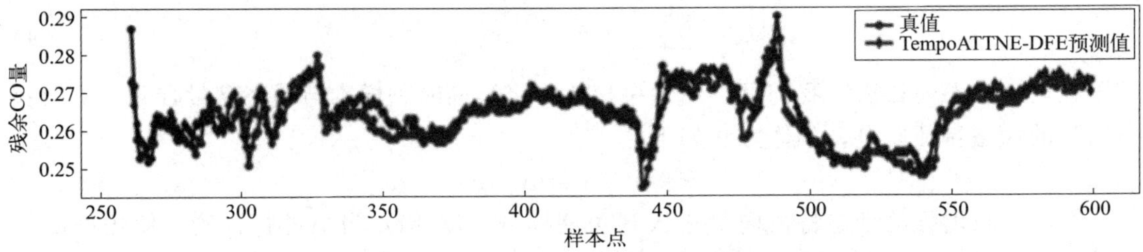

图 3-25 模型对于 CO 含量的跟踪结果

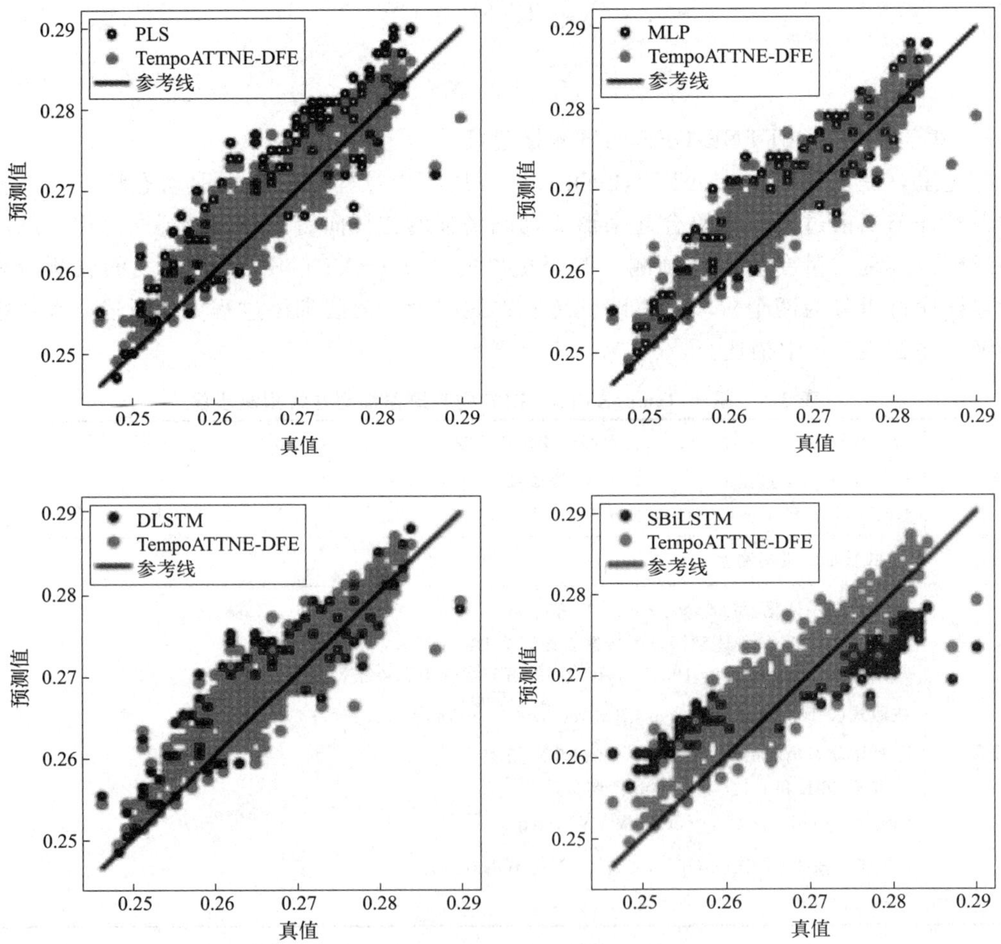

图 3-26 模型在高低变单元预测结果

从图 3-25 中可以看出，TempoATTNE-DFE 能够跟踪 CO 含量变化的趋势并且对于尖峰都能较好地保持跟踪的精度；图 3-26 展示了模型的预测值与真实值的关系，TempoATTNE-DFE 的预测值相比循环神经网络 DLSTM、SBiLSTM 及不使用动态建模的 PLS、MLP 模型更接近真实值，具有更高的预测精度。从定量结果来看，TempoATT-

NE-DFE 在测试集上相比其他模型有着更低的 RMSE 和 MAE，也能说明 TempoATT-NE-DFE 具有更高的预测精度。

表 3-7 各种方法在高低变单元对残留 CO 含量的预测结果

方法	测试集 RMSE	测试集 MAE
PLS	0.00413	0.00361
MLP	0.00384	0.00302
SBiLSTM	0.00516	0.00412
DLSTM	0.00381	0.00311
TempoATTNE-DFE	0.00359	0.00273

3.4 本章小结

本章面向工业过程中收集的时序型数据，深入讨论了适用于这类数据的建模分析方法，将方法归纳为降维方法、混合模型、概率图模型、树模型、支持向量机以及神经网络模型几大类，并对每类方法的基本原理、适用场景进行了详细阐述，读者可根据具体工业过程的特性、数据量大小以及所关注的任务，从这些方法中选择最合适的建模分析工具。为了更好地理解这些方法在实际工业场景中的应用，本章以两个典型的工业过程为例进行了深入分析。首先，我们以一个复杂的化工过程为例，介绍了如何利用数据建模方法实现对过程异常的溯源，从而保障生产安全。其次，我们以合成氨工业过程为案例，介绍了如何利用数据建模方法对关键质量指标进行准确预测，为生产过程的优化提供决策支持。

参 考 文 献

[1] 祝守宇. 数据治理：工业企业数字化转型之道 [M]. 北京：电子工业出版社，2020.

[2] 田春华，李闯，刘家扬，等. 工业大数据分析实践 [M]. 北京：电子工业出版社，2021.

[3] Karl P. LIII. On lines and planes of closest fit to systems of points in space [J]. The London，Edinburgh，and Dublin Philosophical Magazine and Journal of Science，1901，2 (11)：559-572.

[4] Hotelling H. Analysis of a complex of statistical variables into principal components [J]. Journal of Educational Psychology，1933，24 (6)：417-441.

[5] Schölkopf B，Smola A，Müller K R. Nonlinear component analysis as a kernel eigenvalue problem [J]. Neural Computation，1998，10 (5)：1299-1319.

[6] Ku W F，Storer R H，Georgakis C. Disturbance detection and isolation by dynamic principal component analysis [J]. Chemometrics and Intelligent Laboratory Systems，1995，30 (1)：179-196.

[7] Dong Y N，Qin S J. A novel dynamic PCA algorithm for dynamic data modeling and process monitoring [J]. Journal of Process Control，2018，67：1-11.

[8] Hyvärinen A，Oja E. Independent component analysis：Algorithms and applications [J]. Neural Networks，2000，13 (4/5)：411-430.

[9] Wold H. Estimation of Principal Components and Related Models by Iterative Least Squares [J]. Multivariate Analysis，1966.

[10] Zhang Y W，Ma C. Fault diagnosis of nonlinear processes using multiscale KPCA and multiscale KPLS [J]. Chemical Engineering Science，2011，66 (1)：64-72.

[11] Dong Y N, Qin S J. Dynamic-inner partial least squares for dynamic data modeling [J]. IFAC-PapersOnLine, 2015, 48 (8): 117-122.
[12] 王静波．基于贝叶斯混合模型的鲁棒软测量建模及应用 [D]. 杭州：浙江大学，2022.
[13] Wang J B, Shao W M, Song Z H. Robust inferential sensor development based on variational Bayesian Student'st mixture regression [J]. Neurocomputing, 2019, 369: 11-28.
[14] Zhu J L, Ge Z Q, Song Z H. Variational Bayesian Gaussian mixture regression for soft sensing key variables in non-Gaussian industrial processes [J]. IEEE Transactions on Control Systems Technology, 2017, 25 (3): 1092-1099.
[15] Shao W M, Ge Z Q, Song Z H. Soft-sensor development for processes with multiple operating modes based on semisupervised Gaussian mixture regression [J]. IEEE Transactions on Control Systems Technology, 2019, 27 (5): 2169-2181.
[16] Pearl J. Probabilistic Reasoning in Intelligent Systems - Networks of Plausible Inference [M]. Morgan Kaufmann, 1989.
[17] Zhang A, Lipton Z C, Li M, 等．动手学深度学习（PyTorch 版）[M]. 何孝霆，瑞潮儿・胡，译．北京：人民邮电出版社，2023.
[18] Bai S, Kolter J Z, Koltun V. An Empirical Evaluation of Generic Convolutional and Recurrent Networks for Sequence Modeling [J]. ArXiv, 2018.
[19] Jiang X Y, Ge Z Q. Augmented multidimensional convolutional neural network for industrial soft sensing [J]. IEEE Transactions on Instrumentation and Measurement, 2021, 70: 2508410.
[20] Qian J C, Song Z H, Yao Y, et al. A review on autoencoder based representation learning for fault detection and diagnosis in industrial processes [J]. Chemometrics and Intelligent Laboratory Systems, 2022, 231: 104711.
[21] Jaeger H. Tutorial on Training Recurrent Neural Networks, Covering BPPT, RTRL, EKF and the Echo State Network Approach [J]. GMD-Forschungszentrum Informationstechnik, 2002.
[22] Tallec C, Ollivier Y. Unbiasing Truncated Backpropagation Through Time [J]. ArXiv, 2017.
[23] Hochreiter S, Schmidhuber J. Long short-term memory [J]. Neural Computation, 1997, 9 (8): 1735-1780.
[24] Bahdanau D, Cho K, Bengio Y. Neural machine translation by jointly learning to align and translate [J]. ArXiv, 2014.
[25] Introduction and Graph Structure [EB/OL] ([no date]) [2024-12-06]. https://snap-stanford.github.io/cs224w-notes/preliminaries/introduction-graph-structure.
[26] 蒋立．基于自编码器模型的非线性过程监测 [D]. 杭州：浙江大学，2018.
[27] Alcala C F, Qin S J. Reconstruction-based contribution for process monitoring [J]. Automatica, 2009, 45 (7): 1593-1600.
[28] Cheng J P, Dong L, Lapata M. Long short-term memory-networks for machine reading [C] //Proceedings of the 2016 Conference on Empirical Methods in NaturalLanguage Processing. Austin, Texas. Stroudsburg, PA, USA: ACL, 2016: 551-561.
[29] Parikh A, Täckström O, Das D, et al. A decomposable attention model for natural language inference [C] //Proceedings of the 2016 Conference on Empirical Methods in NaturalLanguage Processing. Austin, Texas. Stroudsburg, PA, USA: ACL, 2016: 2249-2255.

第4章

工业图像数据建模分析方法

4.1 工业图像数据概述

机器视觉是工业过程智能化系统的一个核心组成部分。在生产线上，没有其他部分能像机器视觉那样在产品评估和故障检测，以及数据收集方面提供更多的信息，同时还能引导生产过程并最大化机器人和其他设备的效率。与简单的传感器不同，在工业 4.0 环境中，视觉传感器会生成大量的图像数据，从而极大地提高其实用性。随着工业 4.0 工厂中数据分析能力的提升，通过视觉设备获取的大量数据可以用于识别和标记有缺陷的产品，识别其局限性，并实现快速高效的处理。

表面缺陷检测是机器视觉领域中非常重要的一项研究内容，也称为 AOI(Automated optical in-spection，AOI) 或 ASI(Automated surface inspection，ASI)，它是利用机器视觉设备获取图像来判断采集图像中是否存在缺陷的技术。目前，基于机器视觉的表面缺陷检测装备已经在各工业领域广泛替代人工肉眼检测，在包括 3C、汽车、家电、机械制造、半导体及电子、化工、医药、航空航天、轻工等工业领域有着非常广泛的应用。工业产品的表面质量直接关系到产品的质量和性能。通过对表面图像进行缺陷检测，可以及时发现并修复产品表面的缺陷，确保产品的质量达到标准要求，降低不良品率，提高产品的竞争力和市场占有率。其次，自动化的表面缺陷检测系统可以降低人力成本和检测时间，减少人为因素带来的误差，提高生产效率的同时降低了生产成本。最后，通过记录和分析产品表面缺陷的数据，可以进行产品质量追溯和问题分析，及时发现生产过程中存在的问题并进行改进，持续提升产品质量和生产效率。

本章将围绕工业过程中基于图像数据的表面缺陷检测展开，首先介绍常用的图像表面缺陷检测方法，而后介绍一个图像表面缺陷检测的工业应用案例。

4.2 工业图像数据建模方法

4.2.1 传统图像处理方法

(1) 基于频谱分析的方法

基于频谱分析的方法利用了工业产品中可能存在的周期性，通过将空间域图像转换为频率域图像，并使用能量准则进行产品表面缺陷检测。

傅里叶变换算法可用于监测工业产品的空间频谱[1]。工业产品表面的缺陷会导致规则结构发生变化，从而引起特定频率的频谱变化。然而，傅立叶变换后能捕获全局特征，对于局部小缺陷无法有效检测。

小波变换可以在多尺度下分析工业产品表面图像，并高效分析其局部信息[2]。由于使用了多尺度的特征信息，小波变换适合用于局部缺陷检测[3]。小波变换在颜色变化和边缘平滑的情况下可能无法检测到缺陷，且小波基的选择会影响检测效果。

对于具有方向性和周期性纹理的工业产品缺陷（例如纺织品），可以使用图像处理当中 Gabor 变换直接分割[4,5] 出织物缺陷。Gabor 滤波器的优势是其适用于描述和分析纺织品的缺陷，但对于其他形式的缺陷无法准确描述，适用范围受限。

（2）基于统计指标的方法

统计方法通过计算工业品无缺陷区域和缺陷区域的统计指标来检测缺陷。这些方法简单易于实现，但其检测结果可能受到纹理图案和缺陷形状的影响，这可能导致它们无法用于检测小型缺陷。此外，为不同复杂度的缺陷设计不同的统计指标成本较高，这限制了统计方法在织物缺陷检测中的实际应用。

直方图统计通过计算灰度值来区分织物图像中缺陷区域与无缺陷区域的统计差异[6]。直方图统计具有计算速度快，成本低的优势，但对噪声敏感，易产生高误检率，使其更适合检测经向和纬向缺陷。

灰度共生矩阵通过分析图像空间中像素之间的相关特性来计算纹理特征[7]，其对于复杂纹理特征的工业品特征提取具有优势。

此外，数学形态学方法也可用于表面缺陷检测[8]，主要依靠其分割出特征图当中的缺陷区域，相比基于频谱分析算法，其优势在于计算需求更低，效率高，然而无法有效应用于具有周期性纹理的工业品（如纺织品）图像。

4.2.2 卷积神经网络

通常的图像数据包含单通道图片，由二维像素点组成，同时还有不同的通道，比如常见的三原色包含的 RGB 三通道，将单通道图片长宽记为 H，W，通道数记为 C，则单个图片样本包含的变量数为 $H\times W\times C$。以 1024 分辨率的彩色图片为例，单张图片包含 $1024\times1024\times3=3145728$ 个变量，若使用前面提到的多层感知机（MLP）对其进行建模，则构建 10 维隐变量的网络就需要上百万的参数，在数据量有限的情况下模型会有很大的过拟合风险。但是，图像数据往往具有平移不变性以及局部性：前者要求检测对象出现在图像的各个位置，神经网络的前面几层应该对相同的图像区域具有相似的反应；后者要求神经网络前几层应该只探索输入图像中的局部区域，而不过度在意图像中相隔较远区域的关系。卷积神经网络针对这两个特性在 MLP 的基础上进行了特化，提出了两个针对图像的特定层，使其更好的处理高维度的图像数据。

（1）卷积层

第一个层是卷积层，给定一张图片 $\boldsymbol{x}\in\mathbb{R}^{H\times W\times C_{\text{in}}}$，其长宽和通道数为 $H\times W\times C_{\text{in}}$，定义卷积核为 $\mathbf{V}\in\mathbb{R}^{h\times w\times C_{\text{in}}\times C_{\text{out}}}$，则卷积层进行的运算为：

$$[\boldsymbol{h}]_{i,j,d}=\sum_{a=-\Delta}^{\Delta}\sum_{b=-\Delta}^{\Delta}\sum_{c}[\mathbf{V}]_{a,b,c,d}[\boldsymbol{x}]_{i+a,j+b,c} \tag{4-1}$$

式中，$\boldsymbol{h}$ 表示卷积层输出的三维张量特征图（feature map），$[\boldsymbol{h}]_{i,j,d}$ 表示特征图 $\boldsymbol{h}$ 中坐标为（i,j,d）的元素值，Δ 表示卷积核的尺寸。从上式可以看到，卷积层是通过尺寸有限的卷积核在原始图像上不断滑动进行互相关的计算获取特征图的，以一个 2×2 卷积核在 3×3 的矩阵的卷积为例，计算过程如图 4-1 所示。

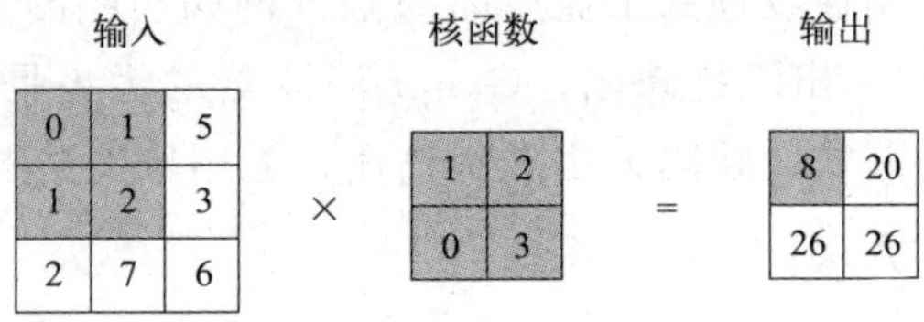

图 4-1　二维互相关计算

注：阴影部分是第一个输出元素，以及用于计算输出的输入张量元素和核张量元素。

在卷积核进行滑动运算时，容易想到的是会因为尺寸不匹配而丢失边缘像素，由于通常使用小卷积核，因此对于任何单个卷积，可能只会丢失几个像素。但随着许多连续卷积层的应用，累积丢失的像素数就多了。解决这个问题的简单方法即为填充（padding）：在输入图像的边界填充元素（通常填充元素是 0）。同时，在计算互相关时，卷积窗口从输入张量的左上角开始，同时向下、向右滑动。在前面的例子中，默认每次滑动一个元素。但是，有时候为了高效计算或是缩减采样次数，卷积窗口可以跳过中间位置，每次滑动多个元素，将每次滑动元素的数量称为步幅（stride）。综合上面两种卷积层的操作，当填充为 p（行与列都是两边各一半），垂直步幅为 s_h、水平步幅为 s_w 时，输出特征图的形状为：

$$\lfloor (n_h - k_h + p + s_h)/s_h \rfloor \times \lfloor (n_w - k_w + p + s_w)/s_w \rfloor \tag{4-2}$$

当输入包含多个通道时，也需要卷积核的个数与通道数匹配，假设输入的通道数为 C_{in}，则卷积核的输入通道数也为 C_{in}。在最流行的神经网络架构中，随着神经网络层数的加深，常会增加输出通道的维数，通过减少空间分辨率以获得更大的通道深度。为了获得多个通道的输出，通常会在卷积核上再加入一个维度，构成 $h \times w \times C_{\text{in}} \times C_{\text{out}}$ 的四维向量。

（2）汇聚层

在卷积神经网络中，对于某一层的任意元素 $[\boldsymbol{x}]_{i,j,k}$，其感受野（receptive field）是指在前向传播期间可能影响 $[\boldsymbol{x}]_{i,j,k}$ 计算的所有元素（来自所有先前层）。容易想到，随着卷积层的连续堆叠，多层卷积后输出特征图上元素的感受野可能大于（当前卷积层）输入的实际大小。

直观来看，图像特征包含低级别的边缘、纹理等特征以及高级别的抽象语义特征，级别越高涉及到图像中特征范围越广，因此，在处理图像时，一个自然的设计是逐渐降低隐藏表示的空间分辨率、聚集信息，这样随着我们在神经网络中层叠的上升，每个神经元对其敏感的感受野（输入）就越大。

卷积神经网络另一个重要层是汇聚（pooling）层，它具有双重目的：降低卷积层对位置的敏感性，同时降低对空间降采样表示的敏感性。

与卷积层类似，汇聚层运算符由一个固定形状的窗口组成，该窗口根据其步幅大小在输入的所有区域上滑动，为固定形状窗口（有时称为汇聚窗口）遍历的每个位置计算一个输出。然而，不同于卷积层中的输入与卷积核之间的互相关计算，汇聚层不包含参数。相反，汇聚运算是确定性的，我们通常计算汇聚窗口中所有元素的最大值或平均值。这些操作分别称为最大汇聚层（maximum pooling）和平均汇聚层（average pooling），如图 4-2 展示了 2×2 窗口大小的最大汇聚层运算过程。在这两种情况下，与互相关运算符一样，汇聚窗口从输入张量的左上角开始，从左往右、从上往下的在输入张量内滑动。在汇聚窗口到达的每个位置，它计算该窗口中输入子张量的最大值或平均值。计算最大值或平均值是取决于使用了最大汇聚层还是平均汇聚层。

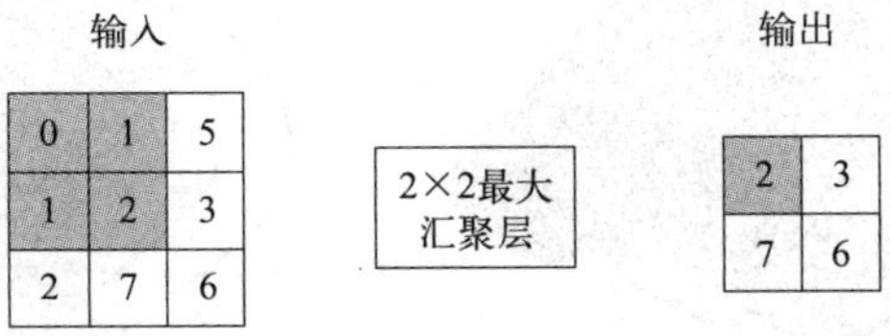

图 4-2 汇聚层运算过程

注：阴影部分是第一个输出元素，以及用于计算这个输出的输入元素。

汇聚层的填充、步幅与卷积层类似，与卷积层不同的是，在处理多通道输入数据时，汇聚层在每个输入通道上单独运算，而不是像卷积层一样在通道上对输入进行汇总。这意味着汇聚层的输出通道数与输入通道数相同。

将这两个基本运算层进行堆叠，就能构建深度卷积网络，然而简单堆叠起来的网络仍会受到梯度衰减、爆炸的制约，构建有效的深度网络仍需一些特别设计的结构，下面介绍的残差网络（ResNet）[9] 就是一个典型的案例。

（3）残差网络

首先，假设有一类特定的神经网络架构 $\mathcal{F}$，它包括学习速率和其他超参数设置。对于所有 $f\in\mathcal{F}$，存在一些参数集（例如权重和偏置），这些参数可以通过在合适的数据集上进行训练而获得。现在假设 f^* 是我们真正想要找到的函数，如果是 $f^*\in\mathcal{F}$，那可以轻而易举地训练得到它，但通常我们不会那么幸运。相反，我们将尝试找到一个函数 $f_{\mathcal{F}}^*$，这是在 $\mathcal{F}$ 中的最佳选择。

那么，怎样得到更近似真正 f^* 的函数？唯一合理的可能性是，需要设计一个更强大的架构 $\mathcal{F}'$。换句话说，预计 $f_{\mathcal{F}'}^*$ 比 $f_{\mathcal{F}}^*$ 更近似。然而，如果 $\mathcal{F}\nsubseteq\mathcal{F}'$，则无法保证新的体系“更近似”。事实上，$f_{\mathcal{F}'}^*$ 可能更糟：如图 4-3 所示[10]，对于非嵌套函数类，较复杂的函数类并不总是向“真”函数 f^* 靠拢（复杂度由 $\mathcal{F}_1$ 向 $\mathcal{F}_6$ 递增）。在图 4-3 的左边，虽然 $\mathcal{F}_3$ 比 $\mathcal{F}_1$ 更接近 f^*，但 $\mathcal{F}_6$ 却离得更远了。相反对于图 4-3 右侧的嵌套函数类 $\mathcal{F}_1\subseteq\cdots\subseteq\mathcal{F}_6$，可以避免上述问题。

根据这一分析，可得出 ResNet 的核心思想：每个附加层都应该更容易地包含原始函数作为其元素之一。为实现这一目标，ResNet 使用了残差块，残差块如图 4-4 所示。假设我们的原始输入为 $\boldsymbol{x}$，而希望学出的理想映射为 $f(\boldsymbol{x})$。图 4-4 左图虚线框中的部分需要直接拟合出该映射 $f(\boldsymbol{x})$，而右图虚线框中的部分则需要拟合出残差映射 $f(\boldsymbol{x})-\boldsymbol{x}$。残差映射在现实中往往更容易优化。以恒等映射作为希望学出的理想映射 $f(\boldsymbol{x})$，只需要将图 4-4 中右图虚线框线内上方的加权运算（如仿射）的权重和偏置参数设成 0，那么 $f(\boldsymbol{x})$ 即为恒等映射。实际中，当理想映射 $f(\boldsymbol{x})$ 极接近于恒等映射时，残差映射也易于捕捉恒等映射的细微波动。

ResNet 沿用了 VGG 卷积网络完整的 3×3 卷积层设计。残差块里首先有 2 个有相同输出通道数的 3×3 卷积层。每个卷积层后接一个批量规范化层和 ReLU 激活函数。然后

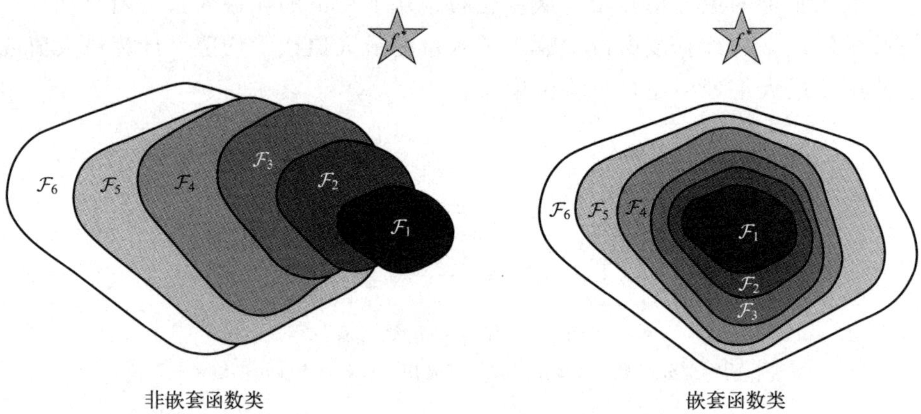

图 4-3 非嵌套与嵌套函数优化过程

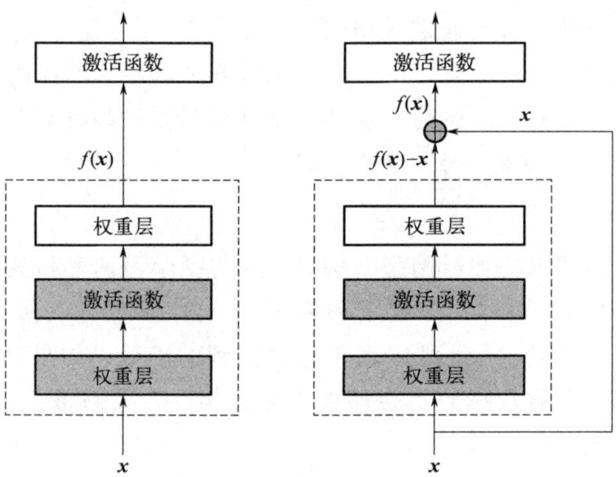

图 4-4 一个正常块和一个残差块

我们通过跨层数据通路，跳过这 2 个卷积运算，将输入直接加在最后的 ReLU 激活函数前。这样的设计要求 2 个卷积层的输出与输入形状一样，从而使它们可以相加。如果想改变通道数，就需要引入一个额外的 1×1 卷积层来将输入变换成需要的形状后再做相加运算。具体设计如图 4-5 所示。

ResNet 的前两层：在输出通道数为 64、步幅为 2 的 7×7 卷积层后，接步幅为 2 的 3×3 的最大汇聚层。在每个卷积层后增加了批量规范化层。ResNet 则使用 4 个由残差块组成的模块，每个模块使用若干个同样输出通道数的残差块。第一个模块的通道数同输入通道数一致。由于之前已经使用了步幅为 2 的最大汇聚层，所以无须减小高和宽。之后的每个模块在第一个残差块里将上一个模块的通道数翻倍，并将高和宽减半。最后，在 ResNet 中加入全局平均汇聚层，以及全连接层输出。

每个模块有 4 个卷积层（不包括恒等映射的 1×1 卷积层）。加上第一个 7×7 卷积层和最后一个全连接层，共有 18 层。因此，这种模型通常被称为 ResNet-18。通过配置不同的通道数和模块里的残差块数可以得到不同的 ResNet 模型，例如更深的含 152 层的 ResNet-152。

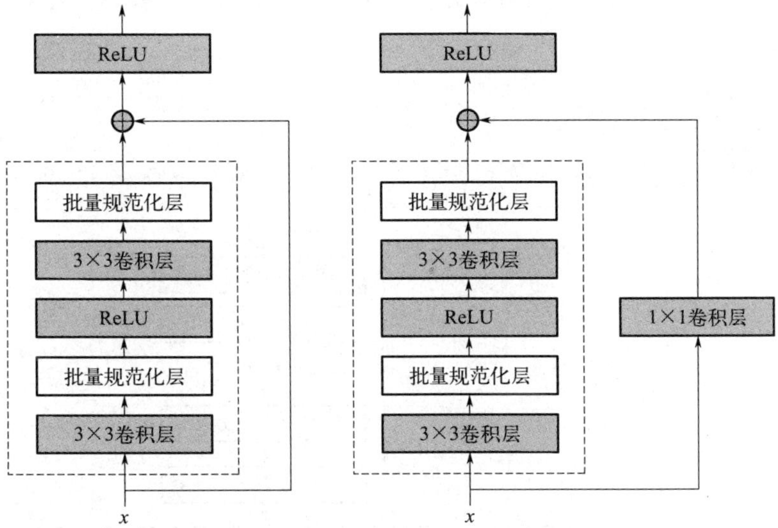

图 4-5　残差块结构（右图为包含 1×1 卷积层的残差块）

（4）不止于卷积：视觉 Transformer

在前一章，基于自注意力机制的 Transformer 模型被引入，由于其在自然语言处理方面成功的应用，一些研究者想将 Transformer 引入用于图像建模。在没有特定约束的情况下，视觉 Transformer(ViT）从图像中提取图像块（patch），并将其输入到 Transformer 编码器中以获得全局表示，最终将其转换用于分类[11]。值得注意的是，Transformer 相较于 CNN 显示出了更好的扩展性：在使用更大的数据集训练更大规模的模型时，视觉 Transformer 的性能显著优于 ResNet。与自然语言处理中的网络架构设计类似，Transformer 也已成为计算机视觉领域的变革性技术。

相比于 Transformer 结构，ViT 只采用编码器部分结构，如图 4-6 所示[10]。该架构由三个部分组成：一个用于将图像分块的输入层，一个基于多层 Transformer 编码器的主体部分，以及一个将全局表示转换为输出标签的输出层。

假设输入图像的高度为 h，宽度为 w，通道数为 c。指定分块的高度和宽度均为 p，图像被分割为 $m=hw/p^2$ 个 patch，每个 patch 被展平为长度为 cp^2 的向量。这样，图像块可以像文本序列中的词元（token）一样被 Transformer 编码器处理。一个特殊的“〈cls〉”（分类）token 和 m 个展平的图像块被线性投影为长度为 $m+1$ 的向量序列，并与可学习的位置嵌入相加。多层 Transformer 编码器将这 $m+1$ 个输入向量转换为相同数量且长度相同的输出向量表示。其工作方式与原始 Transformer 的编码器完全相同，仅在归一化的位置上有所不同。

由于“〈cls〉”token 通过自注意力机制可以关注到所有图像块，因此从 Transformer 编码器输出中提取的“〈cls〉”token 表示将被进一步转换为最终的输出的预测标签值。

ViT 的编码器中 MLP 结构和原始 Transformer 的编码器中逐位置前馈网络（FFN）稍微有不同，首先，激活函数采用的是高斯误差线性单元（GELU），其次，MLP 的每个全连接输出层都要使用暂退（dropout）层。

类似于序列数据处理，输入到 Transformer 编码器当中的数据也需要映射到嵌入空间，对于 patch 序列的嵌入映射可以使用卷积来实现，其中卷积核的大小和步幅均设置为 patch 的大小。

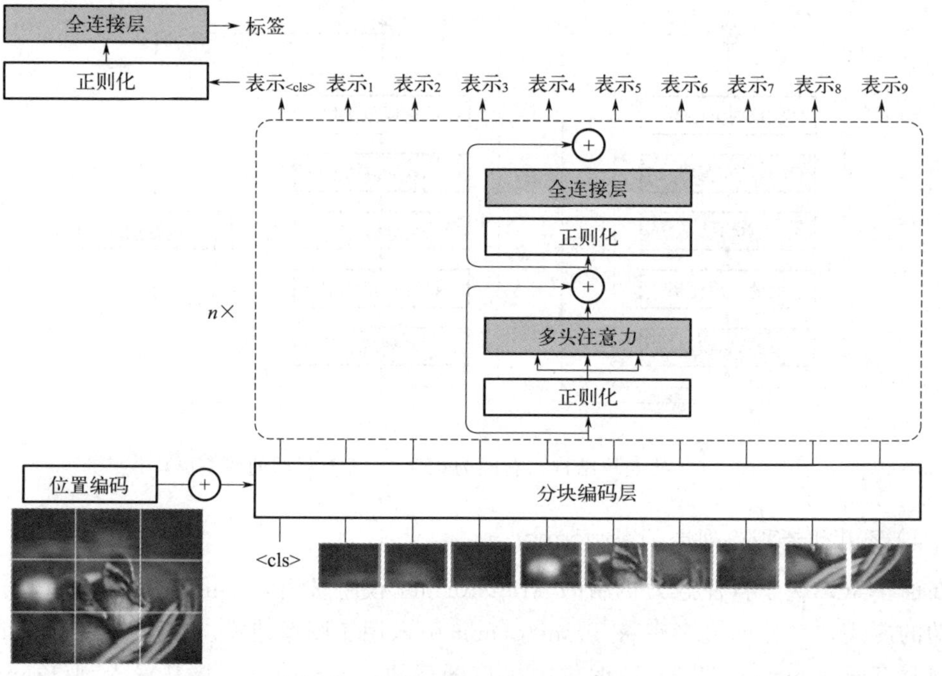

图 4-6 视觉 Transformer 的结构

4.2.3 有监督深度学习检测方法

监督学习是通过让网络学习大量带标签的样本数据来训练最优模型的过程。计算机视觉领域目标检测方向是可以解决工业产品缺陷检测的技术方向，它涉及对多个目标的定位和图像分类。通过工业产品的图片样本和是否有标签以及标签位置的标注，可以训练目标检测的深度神经网络用于工业产品缺陷检测。目标检测算法分为两类：基于回归的单阶段算法和基于候选框生成与分类的双阶段算法。两类算法基本流程如图 4-7 所示，单阶段算法使用单个 CNN 同时对候选框进行分类和回归，而双阶段算法则采用传统图像算法或经过训练的 CNN 生成候选框，随后对这些候选框进行分类操作和区域调整。

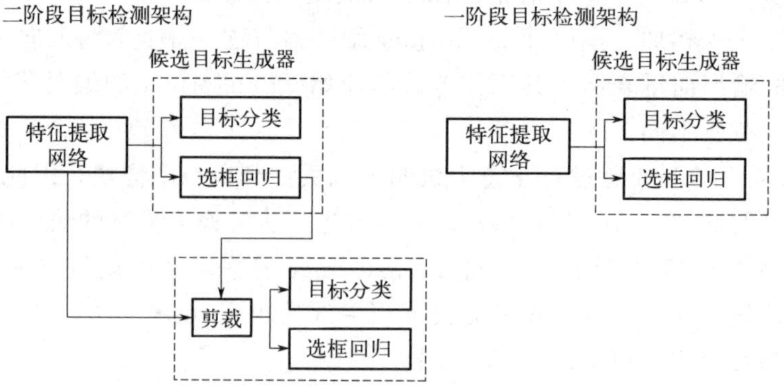

图 4-7 二阶段和一阶段目标检测算法预测流程

这里分别介绍二阶段目标检测模型代表区域卷积神经网络（Faster R-CNN）模型和一阶段目标检测模型代表 YOLO 模型。

（1） Faster R-CNN 模型

在二阶段目标检测架构的演进中，从 R-CNN 到 Fast R-CNN 的转变，通过将区域候选算法直接整合到神经网络中，大大提高了计算效率。然而，Fast R-CNN 中的区域候选阶段仍然依赖于基于 CPU 的算法（如 Selective Search），这种方法不涉及学习过程，导致了显著的计算开销，并限制了实时性能。

Faster R-CNN 通过引入区域建议网络（RPN），直接从输入图像生成区域候选。借助 RPN，Faster R-CNN 将区域候选时间从每张图像几秒钟显著减少到几毫秒，大幅提高了速度。Faster R-CNN 的框架如图 4-8 所示，其由主干网络、RPN、RoI 汇聚层、分类层组成。Faster R-CNN 的主干网络使用预训练的卷积神经网络（CNN），如 VGG 或 ResNet，从输入图像中提取有意义的特征，并利用中间卷积层的输出用于后续的目标检测任务。

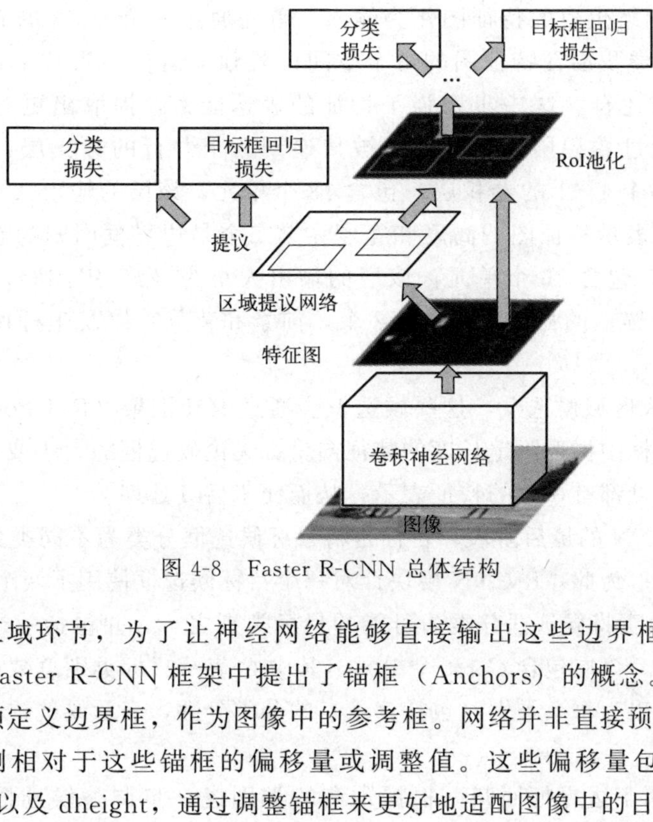

图 4-8 Faster R-CNN 总体结构

在生成候选区域环节，为了让神经网络能够直接输出这些边界框的（$\boldsymbol{x},\boldsymbol{y}$）坐标，Girshick 等人在 Faster R-CNN 框架中提出了锚框（Anchors）的概念。锚框是具有不同大小和长宽比的预定义边界框，作为图像中的参考框。网络并非直接预测绝对的边界框坐标，而是学习预测相对于这些锚框的偏移量或调整值。这些偏移量包括 dx-center、dy-center、dwidth，以及 dheight，通过调整锚框来更好地适配图像中的目标。如图 4-9 所示是一系列预先定义好的锚框。

这些锚框密集地分布在特征图的空间维度上，覆盖输入图像中的各个位置（感受野）和尺度。如果特征图的大小为 $k \times k$，并且每个位置有 p 个锚框，则在特征图的每个位置生成 p 个锚框，从而为每张图像生成 $k \times k \times p$ 个锚框。使用锚框的目的是提供一种系统化的方法来提议潜在的目标区域，而无需考虑所有可能的边界框位置。RPN 预测每个锚框包含目标（前景）或背景的可能性，而无需关心框内目标的具体类型（例如行人、汽车

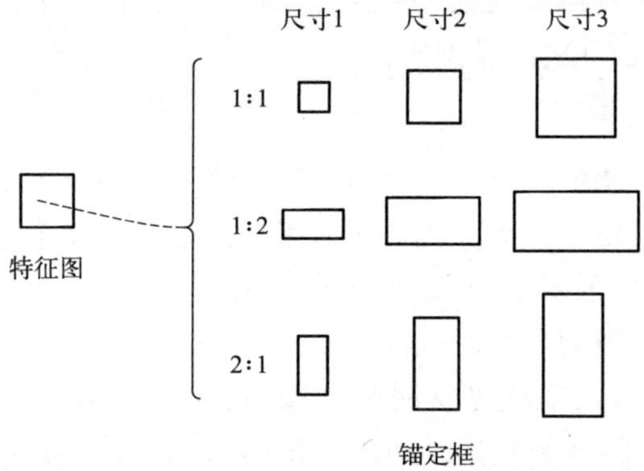

图 4-9 Faster R-CNN 使用的一组预先定义的锚框示意（包含 9 个锚框）

等）。它将基础网络生成的卷积特征图作为输入，并通过卷积层并行预测两个输出：前景概率和边界框调整参数。随后应用非极大值抑制（NMS）[12] 来移除冗余和重叠的候选框，并执行候选框选择步骤，从中选出得分最高的固定数量候选框进行进一步处理。

RPN 以主干网络生成的特征图作为输入，首先通过一个 3×3 的卷积层，该层包含 512 个单元。这个卷积层在特征图的每个空间位置独立运行，为每个位置生成一个 512 维的特征向量或描述符。这一步增强了特征的表达能力，提取出更有利于目标检测的区分性信息。在通过卷积层后，特征图被传递到两个并行的分支层：第一个是目标分类的卷积层，是一个 1×1 的卷积层，包含 18 个单元，该层的输出大小为（H,W,18），其中 H 和 W 分别表示特征图的高度和宽度；第二个是边界框回归的卷积层，同样是一个 1×1 的卷积层，包含 36 个单元，该层的输出大小为（H,W,36），这两层网络输出单元分别指对 9 个锚框的目标性得分（2 个，前景和背景）以及坐标调整（4 个，x,y,长度和宽度）。

一旦 RPN 生成区域候选框，这些候选框会通过 RoI 汇聚（RoI Pooling）[13]。RoI 汇聚从每个区域候选框中提取固定长度的特征向量，无论候选框的大小或长宽比如何。此步骤确保每个候选区域都有一致的特征表示，从而便于后续处理。

在 Faster R-CNN 的最后阶段，目标是将目标候选框分类为不同类别，并根据预测的类别调整其边界框。为此，R-CNN 模块针对每个目标候选框使用了两个不同的全连接层。

① 分类头：负责将候选框分类为可能的目标类别之一，并包括一个用于拒绝不相关候选框的背景类别。该层包含 $C+1$ 个单元，其中 C 表示目标类别总数，额外的一个单元用于背景类别。输出为每个类别（包括背景）的分类分数，表示候选框属于每个类别的可能性。

② 回归头：用于边界框回归，根据预测的类别进一步调整候选框的边界框。该层包含 $4\times(C+1)$ 个单元，其中 C 表示目标类别总数。输出为 $4\times(C+1)$ 个值，每组四个值对应一个类别的边界框调整参数。这些调整参数用于优化每个类别预测的边界框坐标。

由于 Faster R-CNN 涉及到从推荐区域候选到框的定位和分类，所以训练时的损失函数需要分为两块，首先是针对推荐区域候选的部分，其损失函数由分类损失和回归损失组成，表示为：

$$L(\boldsymbol{p},\boldsymbol{t})=\frac{1}{N_{\mathrm{cls}}}\sum_{i}L_{\mathrm{cls}}(p_i,p_i^*)+\lambda\frac{1}{N_{\mathrm{reg}}}\sum_{i}p_i^* L_{\mathrm{reg}}(\boldsymbol{t}_i,\boldsymbol{t}_i^*) \tag{4-3}$$

式中，分类损失表示 RPN 当中检测框为前景和背景的分类误差，每个锚框都会与真实目标框进行对比，如果两个框交并比（IoU）大于 0.7，则认为锚框是前景，两框 IoU 小于 0.3，则标记为背景，p_i^* 代表了第 i 个框为前景的标注；回归损失则表示那些为前景的锚框与真实目标框的位置误差，$\boldsymbol{t}_i^*$ 为第 i 个框的位置，$\boldsymbol{t}_i$ 为 RPN 对第 i 框预测的位置。第二块是分类回归头的损失函数，定义为：

$$L(p,u,t^u,v)=L_{\mathrm{cls}}(p,u)+\lambda[u\geqslant 1]L_{\mathrm{loc}}(\boldsymbol{t}^u,\boldsymbol{v}) \tag{4-4}$$

可以看到该损失函数同样由分类损失和检测框回归损失构成，式中 u 表示真实的类别标签，p 是预测的类别概率，$\boldsymbol{v}$ 是真实的边界框位置，$\boldsymbol{t}^u$ 是预测的边界框位置。$\lambda[u\geqslant 1]$ 表示是否为背景的指示，对于背景或不感兴趣的目标，边界框预测的损失是直接忽略的。

（2）YOLO 模型

YOLO 由 Joseph Redmon 等人在 CVPR 2016 上发表[14]，是一种实时端到端的目标检测方法。其全称 You Only Look Once 表示该方法仅需一次网络前向传播即可完成检测任务。这与之前的方法形成鲜明对比：早期的方法使用滑动窗口结合分类器，每张图像需要运行数百甚至数千次，而更先进的两步法则将任务分为两个阶段。

YOLOv1 将目标检测步骤统一为同时检测所有边界框。为此，YOLO 将输入图像划分为 $S\times S$ 的网格，并为每个网格单元预测 B 个同类别的边界框以及 C 种不同类别的置信度。每个边界框的预测由五个值组成：P_c, b_x, b_y, b_h, b_w。其中：P_c 是边界框的置信度分数，反映模型对该框包含目标的信心以及框的准确性；b_x 和 b_y 是边界框中心相对于网格单元的位置坐标；b_h 和 b_w 是边界框的高度和宽度，相对于整个图像的比例。YOLO 的输出是一个张量，尺寸为 $S\times S\times(B\times 5+C)$，后续可以选择使用非极大值抑制（NMS）来移除重复检测结果。图 4-10 显示了一个简化的输出向量[15]，假设使用一个 3×3 的网格、三个类别，并且每个网格单元仅对应一个类别，共八个值。在这种简化情况下，YOLO 的输出维度为 3×3×8。

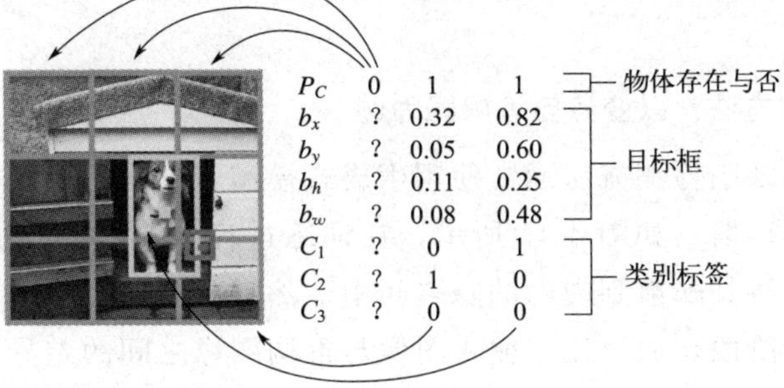

图 4-10 YOLO 输出示例

由于同时需要输出目标框的位置以及目标类别置信度，故 YOLO 模型训练时的损失函数分成几部分，包括框位置的回归误差：

$$\lambda_{\text{coord}}\sum_{i=0}^{S^2}\sum_{j=0}^{B}\mathbf{1}_{ij}^{\text{obj}}[(\boldsymbol{x}_i-\hat{\boldsymbol{x}}_i)^2+(\boldsymbol{y}_i-\hat{\boldsymbol{y}}_i)^2]$$

$$+\lambda_{\text{coord}}\sum_{i=0}^{S^2}\sum_{j=0}^{B}\mathbf{1}_{ij}^{\text{obj}}\left[\left(\sqrt{w_i}-\sqrt{\hat{w}_i}\right)^2+\left(\sqrt{h_i}-\sqrt{\hat{h}_i}\right)^2\right] \tag{4-5}$$

式中，$\boldsymbol{x}_i, \boldsymbol{y}_i, w_i, h_i$ 分别代表第 i 个网格内检测框的位置和长宽，$\mathbf{1}_{ij}^{\text{obj}}$ 表示第 j 个检测框在第 i 个网格内的指示变量。第二项是置信度误差，写为：

$$\sum_{i=0}^{S^2}\sum_{j=0}^{B}\mathbf{1}_{ij}^{\text{obj}}[(C_i-\hat{C}_i)^2]+\lambda_{\text{noobj}}\sum_{i=0}^{S^2}\sum_{j=0}^{B}\mathbf{1}_{ij}^{\text{noobj}}[(C_i-\hat{C}_i)^2] \tag{4-6}$$

式中，C_i 表示第 i 个网格内有目标的置信度的人为标度，$\mathbf{1}_{ij}^{\text{noobj}}$ 表示第 i 个网格内无目标的指示变量，λ_{noobj} 为空置项权衡系数。置信度误差前一项旨在最大化检测到目标的置信度，后一项是最小化无目标单元的置信度。第三项是分类预测误差：

$$\sum_{i=0}^{S^2}\mathbf{1}_{i}^{\text{obj}}\sum_{c\in\text{classes}}[(p_i(c)-\hat{p}_i(c))^2] \tag{4-7}$$

式中，$p_i(c)$ 表示第 c 类的样本出现在第 i 个网格内的概率。

YOLO 的架构由 24 个卷积层组成，后接 2 个全连接层，用于预测边界框的坐标和概率。YOLO 使用 1×1 的卷积核来减少特征图的数量，从而保持参数数量相对较低。YOLO 的结构详见文献［14］。在第一代 YOLO 的基础上，YOLOv2 使用锚框来预测边界框。锚框是一组具有预定义形状的框，用于匹配目标的典型形状。自第一代 YOLO 推出以来，YOLO 系列模型一直在更新当中，至今已到第 10 代[16]，每一代的情况总结于文献［15］中。

4.2.4 无监督深度学习检测方法

由于工业产品缺陷发生机制往往较为复杂，人工标注成本太高，标注数据难以覆盖罕见的未知缺陷情况，这些因素使得在表面缺陷检测任务中异常样本的获取较为困难。因此，工业产品缺陷检测方法逐渐向半监督、无监督的学习方式过渡。本小节介绍基于无监督方式的缺陷检测方法，目前这一研究方向主流方法主要分为两类：基于重构的方法与基于表征的方法。

（1）基于重构的方法：以变分自编码器为例

基于重构的表面缺陷检测方法通常使用生成式模型，许多生成式模型往往都具有类似的结构：编码器与解码器。如图 4-11 所示，在训练过程中，这些生成式模型只接收正常的样本并通过编码器将其映射到内部的隐空间中。然后，解码器将隐空间中的特征重构为原始图像。而在推断阶段，通过比较输入图像与重构图像之间的差异，可以获得像素级的缺陷分数，并从而得到语义级的缺陷判断。下面以经典的生成模型变分自编码器（Variational Auto-Encoder，VAE）为例，介绍一下数据生成的流程。

VAE 的结构如图 4-12 所示，它由两部分组成，第一部分是推断模型 $q_\phi(\boldsymbol{z}|\boldsymbol{x})$，用于输入数据 $\boldsymbol{x}\in\mathbb{R}^{n\times d}$ 的变分推断，生成隐变量的概率分布，相当于自编码器的编码器；第

二部分是生成模型 $p_\theta(\boldsymbol{x}|\boldsymbol{z})$，它能将隐变量的概率分布近似地还原为原始数据的分布，相当于自编码器的解码器。

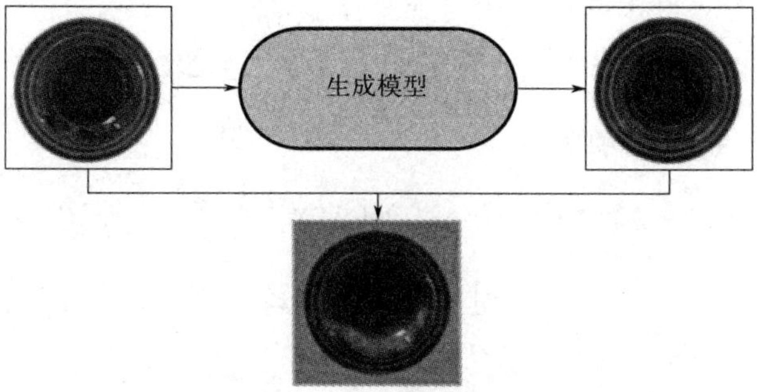

图 4-11　无监督重构方法

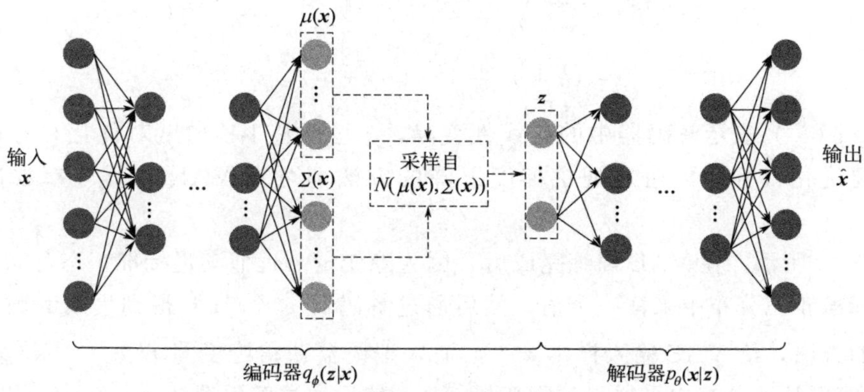

图 4-12　变分自编码器的模型结构

尽管 VAE 的结构与自编码器类似，但两者的作用原理却完全不同，VAE 的具体推导如下：给定一个数据集 $\{\boldsymbol{x}^{(i)}\}_{i=1}^{N}$，假设其中所有数据满足独立同分布的条件，为了对生成模型进行参数估计，需要最大化下面的对数似然函数：

$$\lg \prod_{i-1}^{N} p_\theta(\boldsymbol{x}^{(i)}) = \sum_{i-1}^{N} \lg p_\theta(\boldsymbol{x}^{(i)}) \tag{4-8}$$

对于 $\{\boldsymbol{x}^{(i)}\}_{i=1}^{N}$ 中任意一个样本 $\boldsymbol{x}^{(i)}$，根据变分推理可将其对数似然函数写成以下两项之和：

$$\lg p_\theta(\boldsymbol{x}^{(i)}) = D_{KL}(q_\phi(\boldsymbol{z}|\boldsymbol{x}^{(i)}) \parallel p_\theta(\boldsymbol{z}|\boldsymbol{x}^{(i)})) + L(\theta,\phi;\boldsymbol{x}^{(i)}) \tag{4-9}$$

其中，$\boldsymbol{z} \in \mathbb{R}^{\boldsymbol{n}\times\boldsymbol{h}}$ 是隐变量，$q_\phi(\boldsymbol{z}|\boldsymbol{x}^{(i)})$ 用于逼近真实的后验分布 $p_\theta(\boldsymbol{z}|\boldsymbol{x}^{(i)})$，表示概率分布之间的 KL 散度 D_{KL}。则似然函数的一个下界为：

$$\lg p_\theta(\boldsymbol{x}^{(i)}) \geqslant L(\theta,\phi;\boldsymbol{x}^{(i)}) = \mathbb{E}_{q_\phi(\boldsymbol{z}|\boldsymbol{x}^{(i)})}[\lg p_\theta(\boldsymbol{x}^{(i)}|\boldsymbol{z})] - D_{KL}(q_\phi(\boldsymbol{z}|\boldsymbol{x}^{(i)}) \parallel p_\theta(\boldsymbol{z})) \tag{4-10}$$

式中，$p_\theta(\boldsymbol{z})$ 为隐变量的先验分布。由于 $p_\theta(\boldsymbol{x}^{(i)})$ 形式未知，直接优化 $\lg p_\theta(\boldsymbol{x}^{(i)})$ 不可行，我们将优化目标转变为优化其下界 $L(\theta,\phi;\boldsymbol{x}^{(i)})$。$L(\theta,\phi;\boldsymbol{x}^{(i)})$ 的第一项等于

负的重构误差的期望，第二项等于隐变量 z 的先验分布 $p_\theta(z)$ 与后验分布 $q_\phi(z|\boldsymbol{x}^{(i)})$ 之间的 KL 散度。在 VAE 中，我们将 $p_\theta(z)$ 设定为标准正态分布，即 $p(z)=N(z;0,\boldsymbol{I})$，同时，其后验分布也满足以下多元正态分布：

$$\lg q_\phi(z|\boldsymbol{x}^{(i)})=\lg N(z;\mu(\boldsymbol{x}^{(i)}),\boldsymbol{\Sigma}(\boldsymbol{x}^{(i)})) \tag{4-11}$$

则 $L(\theta,\phi;\ \boldsymbol{x}^{(i)})$ 的第二项为：

$$\begin{aligned}D_{KL}(q_\phi(z)\parallel p_\theta(z))&=D_{KL}[N(\mu(\boldsymbol{x}^{(i)}),\Sigma(\boldsymbol{x}^{(i)}))\parallel N(\boldsymbol{0},\boldsymbol{I})]\\&=\frac{1}{2}\sum_{l=1}^{h}((\mu_l^{(i)})^2+(\sigma_l^{(i)})^2-1-\lg((\sigma_l^{(i)})^2)\end{aligned} \tag{4-12}$$

综上所述，变分下界 $L(\theta,\phi;\ \boldsymbol{x}^{(i)})$ 最终的推导结果为：

$$\begin{aligned}L^*(\theta,\phi;\boldsymbol{x}^{(i)})=&\|\boldsymbol{x}^{(i)}-g(\boldsymbol{z}^{(i)})\|^2+\frac{\beta}{2}\sum_{l-1}^{L}((\mu_l^{(i)})^2\\&+(\sigma_l^{(i)})^2-1-\lg((\sigma_l^{(i)})^2)\end{aligned} \tag{4-13}$$

式中，$g(\cdot)$ 表示解码器中的非线性变换，β 是调整 KL 散度对优化目标的影响权重。在确定优化目标后，通过随机梯度下降的方法即可对 VAE 的所有参数进行优化求解。

如图 4-13 所示，在 VAE 训练完成后，因为隐变量 z 近似满足标准正态分布，所以我们可以从标准正态分布中采样一个值，然后通过解码器 $p_\theta(\boldsymbol{x}|z)$ 得到生成的数据。对于基于重构的方法，给 VAE 输入样本 $\boldsymbol{x}^{(i)}$，输入编码器获得隐变量分布 $z\sim N(\mu(\boldsymbol{x}^{(i)}))$，$\boldsymbol{\Sigma}(\boldsymbol{x}^{(i)})$)，然后从该分布中采样得到隐变量 $z^{(i)}$，然后通过解码器 $p_\theta(\boldsymbol{x}|z^{(i)})$ 得到生成的数据 $\hat{\boldsymbol{x}}^{(i)}$。

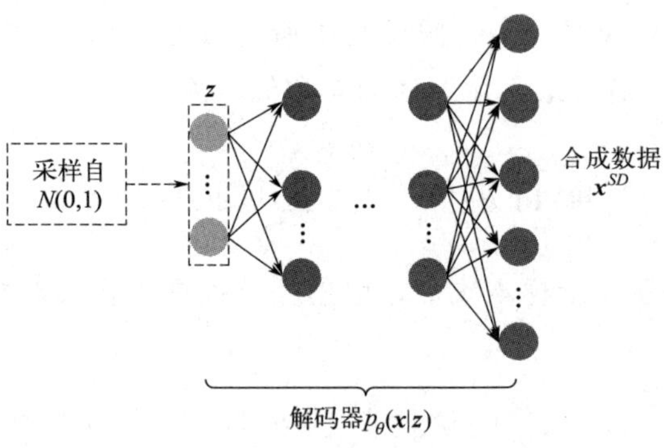

图 4-13　基于 VAE 的数据生成流程

（2）基于表征的方法

如图 4-14 所示，基于表征的方法通常试图将原始的图像数据映射到一个新的特征空间，以获取图像的缺陷信息，并最终设计一个额外的分类器或者密度估计器对缺陷进行分类或者检测。因此，特征提取器的提取效果对这些方法往往有着至关重要的影响。基于 ImageNet[17] 这类大图形数据集预训练的视觉模型在特征提取上有优秀的表现。通过特征提取器提取得到的特征会被传递给下游的密度估计模型或者分类器。基于分类器的方法将检测任务视作一个单分类任务，试图找到正常数据在特征空间中的分界。这些方法通常只关注语义级别的异常判别。相比分类器，基于密度估计模型的方法能获取像素级的缺陷分数，进行更精细的判别。

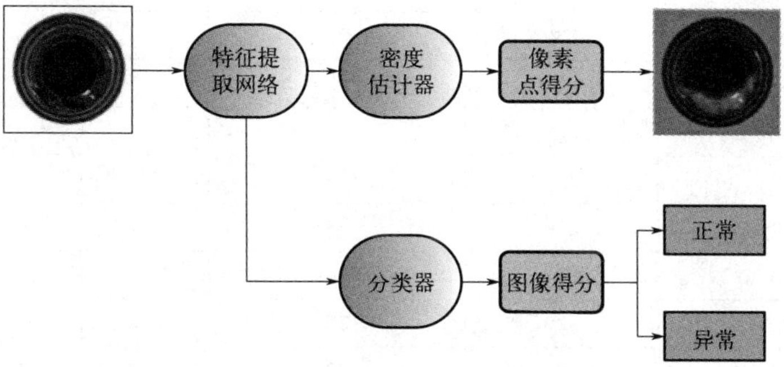

图 4-14　基于表征的方法

4.3　应用案例：工业产品表面缺陷检测

4.3.1　业务背景

工业产品表面缺陷检测本质上是一种图像异常检测问题。作为异常检测问题的一部分，表面缺陷检测技术旨在检测产品表面可能存在的生产缺陷，例如划痕、变形、破损、污渍等。该技术能够有效地判断瑕疵产品并检测出缺陷位置，从而提高整体的产品质量。

4.3.2　案例介绍

工业产品表面缺陷检测对象包括各种工业流程生产的产品，有两个较为常用的公开的工业产品表面缺陷数据集，分别是 MVTec Anomaly Detection（MVTec AD）数据集与 beanTech Anomaly Detection（BTAD）数据集。

（1） MVTec AD 数据集

MVTec AD 数据集是一个广泛应用于工业产品表面缺陷检测领域研究和评估的标准数据集之一。该数据集由 MVTec Software GmbH 创建，旨在提供各种真实工业产品的图像数据，用于评估和比较表面缺陷检测算法的性能。该数据集共计 5354 张高分辨率 RGB 图像，囊括了 15 种不同工业产品，其中有 10 种物体类型和 5 种纹理类型，同时包含了各种类型的异常，例如划痕、凹陷、斑点等。表 4-1 展示了该数据集中各种产品的种类、训练集中包含的图片数量、测试集中正常和缺陷样本的数量以及各产品在测试集中缺陷种类的数量。同时，该数据集也提供了像素级的标注。图 4-15 给出了一个 MVTec AD 数据集中的缺陷样本，该铁丝网出现了部分明显的弯曲。图右侧是该缺陷样本的像素级标注，黑色部分为正常区域，白色部分为缺陷区域。

表 4-1　MVTec AD 数据集总览

项目	种类	训练集	测试集(正常)	测试集(缺陷)	缺陷种类
纹理	Carpet	280	28	89	5
	Grid	264	21	57	5
	Leather	32	32	92	5
	Tile	230	33	84	5
	Wood	247	19	60	5
目标	Bottle	209	20	63	3
	Cable	224	58	92	8
	Capsule	219	23	109	5
	Haz7elnut	391	40	70	4
	Metal Nut	220	22	93	4
	Pill	267	26	141	7
	Screw	320	41	119	5
	Toothbrush	60	12	30	1
	Transistor	213	60	40	4
	Zipper	240	32	119	7

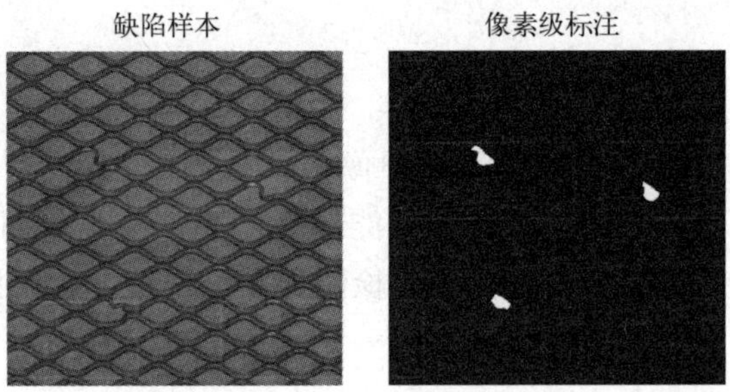

图 4-15　MVTec AD 数据集中铁丝网缺陷示例

尽管存在背景过于干净、角度过于一致等问题，该数据集相对而言仍然比较贴合表面缺陷检测技术的实际应用场景，包括以下几个方面。

① 无监督任务：训练集仅包含正常样本，没有其他的标注。模型需要有通过学习正常样本分辨异常样本的能力。

② 数据不足和不平衡：训练样本的数量比起传统的图像训练任务而言通常比较小，并且每一类产品所具有的样本在数量上也有很大的区别，范围从 60 到 391 不等。正常样本和有缺陷样本的分布也存在不平衡。

③ 多缺陷：每个产品都有各种类别的缺陷，其形状、大小、颜色和结构各异，很难用先验的知识对这些缺陷进行统一地概括，这对模型的通用性而言是极大的挑战。此外，一个缺陷样本有时也会含有多个分隔的异常区域。

（2） BTAD 数据集

BTAD 数据集与 MVTec AD 数据集极为相似，是一个用于实例分割、语义分割、目标检测和半监督学习任务的数据集，主要用于制造业和异常检测研究领域，2021 年由意大利的 beanTech 和意大利的乌迪内大学发布。与 MVTec AD 数据集相同，它仅包括正常训练样本、在测试集中同种产品具有多种异常以及具有像素级标注。但相比于 MVTec AD 而言，它产品种类较少，仅包含三种不同的产品。这三种产品的分辨率与样本数量各不相同，第一种产品的分辨率是 1600×1600，包含 400 个训练样本；第二种是 600×600，包含 1000 个训练样本；第三种是 800×600，包含 399 个训练样本。

4.3.3 基于频率增强标准流技术的产品表面缺陷检测

（1）特征提取器及其选择

基于表征的表面缺陷检测方法往往使用成熟的预训练图像模型作为特征提取器将图片信息提取到相应的特征空间中。预训练模型可以免除特征提取器的训练步骤，从而节省了训练成本，同时也有益于无监督和半监督的学习。但考虑到特征空间存在的敏感性，最终模型的性能会极大地受到所选取的预训练模型的影响。复杂的深层架构模型往往可以增加整体检测的准确性，但相较于更轻量的模型会需要更多的推断时间。比较常用的预训练模型是基于卷积神经网络（CNN）的深度模型，例如 ResNet、DenseNet 等，并在 ImageNet 数据集上进行了训练。近年来，一些基于 Transformer 的视觉神经网络也开始在机器视觉领域得到应用，例如 ViT[11] 及其变种 DeiT[18]、CaiT[19] 等。与传统的 CNN 相比，ViT 及其变种在低层和高层的特征更加均匀，具有更高的相似度。实际上，研究表明 ViT 即使在较低层也包含一定的图像全局信息，而 CNN 在较低层仅仅关注局部信息[20]。基于上述 ViT 的优势，本应用当中特征提取器选择 ViT。

（2）表面缺陷检测模型

标准流（NF）模型本质上是一个深层的可逆神经网络[21]，或者说是一个从特征空间 $\boldsymbol{Y}\in\mathbb{R}^{C\times H\times W}$ 到一个隐空间 $\boldsymbol{Z}\in\mathbb{R}^{C\times H\times W}$ 的双向映射，其中 $\boldsymbol{Y}$ 由特征提取器提取得到。NF 是由多个连续的流模块构成，流模块的结构如图 4-16 所示。

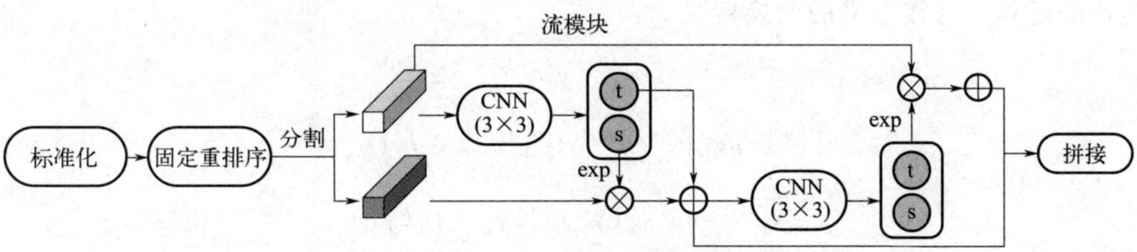

图 4-16 流模块基本架构

NF 通过一系列连续的可逆函数将输入特征 $\boldsymbol{y}\in\boldsymbol{Y}$ 映射为隐特征 $\boldsymbol{z}\in\boldsymbol{Z}$，如下式所示：

$$\begin{aligned}\boldsymbol{z}&=f_K\circ f_{K-1}\circ\cdots\circ f_1(\boldsymbol{y})=f_\theta(\boldsymbol{y})\\ \boldsymbol{y}&=f_1{}^{-1}\circ f_2{}^{-1}\circ\cdots\circ f_K{}^{-1}(\boldsymbol{z})=f_\theta{}^{-1}(\boldsymbol{z})\end{aligned}\tag{4-14}$$

式中，$\theta\in\boldsymbol{\Theta}$，即 NF 模型对应的参数空间中的参数。NF 模型假定最后得到的隐空间 $\boldsymbol{Z}$ 符合某个与参数 θ 有关的先验概率分布，从而使得输入特征空间 $\boldsymbol{Y}$ 的概率分布能够逆向地通过隐空间的概率分布进行计算：

$$\hat{p}_{Y}(\boldsymbol{y},\boldsymbol{\theta})=p_{Z}(\boldsymbol{z})\left|\det\left(\frac{\partial \boldsymbol{z}}{\partial \boldsymbol{y}}\right)\right| \tag{4-15}$$

取对数运算后有：

$$\lg\hat{p}_{Y}(\boldsymbol{y},\boldsymbol{\theta})=\lg p_{Z}(\boldsymbol{z})+\lg\left|\det\left(\frac{\partial \boldsymbol{z}}{\partial \boldsymbol{y}}\right)\right| \tag{4-16}$$

式中，$\frac{\partial \boldsymbol{z}}{\partial \boldsymbol{y}}$为函数 f_θ 关于 $\boldsymbol{y}$ 的雅可比矩阵 $\boldsymbol{J}_{f_{\boldsymbol{\theta}}}(\boldsymbol{y})$。假设 $\boldsymbol{y}_k$ 为经过 k 个连续的可逆函数后的隐特征，即：

$$\boldsymbol{y}_k=\begin{cases} f_k \circ f_{k-1} \circ \cdots \circ f_1(\boldsymbol{y}) & k\in\{1,2,\cdots,K\} \\ \boldsymbol{y} & k=0 \end{cases} \tag{4-17}$$

通过链式法则，可以用 $\boldsymbol{y}_k$ 来表示式(4-16) 中的雅可比矩阵：

$$\lg|\det(\boldsymbol{J}_{f_{\boldsymbol{\theta}}}(\boldsymbol{y}))|=\sum_{k=1}^{K}\lg|\det(\boldsymbol{J}_{f_k}(\boldsymbol{y}_{k-1}))| \tag{4-18}$$

雅可比矩阵行列式的运算通常需要立方级的时间复杂度，这在深度学习的训练过程中会消耗大量的时间。因此，NF 模型中的可逆函数往往是一些特定的函数，使得雅可比矩阵能够被简化计算，从而加快模型整体的训练和推断时间。本应用采取了 Real-NVP 中使用的双重仿射耦合架构，并添加了 ActNorm 模块以进行数据标准化。如图 4-16 中所示，每个流模块都相当于一个可逆函数 $f_k(\boldsymbol{y}_{k-1})$。当特征提取器提取完特征之后，该特征 $\boldsymbol{y}$ 被输入到第一个流模块中。流模块的第一步是一个 ActNorm 模块，其本质上是通过均值和标准差对原始数据进行了一次标准化处理，即：

$$\hat{\boldsymbol{y}}=\frac{\boldsymbol{y}-\boldsymbol{\mu}}{\boldsymbol{\sigma}} \tag{4-19}$$

式中，均值 $\boldsymbol{\mu}$ 和标准差 $\boldsymbol{\sigma}$ 都为模型中的可训练参数。标准化后的特征将经过某种固定的方式将通道进行随机打乱。固定地随机打乱指在仅第一次经过该模块时，会生成一串随机序列进行打乱操作，随后这串随机序列不会再重新生成，而是通过第一次生成的序列进行打乱。这是为了能够保持函数的可逆性。假设经过打乱后的特征为 $\boldsymbol{y}'$，为简化雅可比矩阵的运算，将接下来的变换定义为：

$$\begin{gathered}\boldsymbol{y}_a'=\boldsymbol{y}'_{0:\lfloor \frac{C}{2}\rfloor} \\ \boldsymbol{y}_b'=\exp(\boldsymbol{s}_1(\boldsymbol{y}_a'))\odot\boldsymbol{y}'_{\lfloor \frac{C}{2}\rfloor:C}+\boldsymbol{t}_1(\boldsymbol{y}_a') \\ \boldsymbol{y}_a'=\exp(\boldsymbol{s}_2(\boldsymbol{y}_b'))\odot\boldsymbol{y}_a'+\boldsymbol{t}_2(\boldsymbol{y}_b') \\ f_k(\boldsymbol{y}_{k-1})=\mathrm{concat}(\boldsymbol{y}_a',\boldsymbol{y}_b')\end{gathered} \tag{4-20}$$

式中，$\odot$为矩阵的阿达玛乘积，concat(·) 为矩阵按图像通道的拼接操作，$\exp(\boldsymbol{s}_1)$ 和 $\exp(\boldsymbol{s}_2)$ 为两次操作的尺度变换的比例系数，$\boldsymbol{t}_1$ 和 $\boldsymbol{t}_2$ 为两次操作的偏置项。其中使用 exp(·) 函数是为了确保比例系数大于 0。通过这种变换，原来的雅可比矩阵将成为一个简单的三角矩阵，而其行列式可通过对角线乘积进行计算，从而降低了运算的时间复杂度。为了训练这两个系数，这里使用了一个 3×3 卷积核的浅层卷积网络进行拟合，网络结构如图 4-17 所示。

综上，本应用提出的基于表征的表面故障检测（FA-Flow）模型架构如图 4-18 所示。

原始图像经过高斯金字塔与拉普拉斯金字塔[22] 进行频率解耦模块之后，获得多个频率分量（图中仅展示了使用一个高频分量）。这些频率分量经过同一个特征提取器之后可以获得在不同频域下的特征，这些特征分别输入到 NF 网络中进行密度估计，并最终加权求和得到像素级的异常分值。

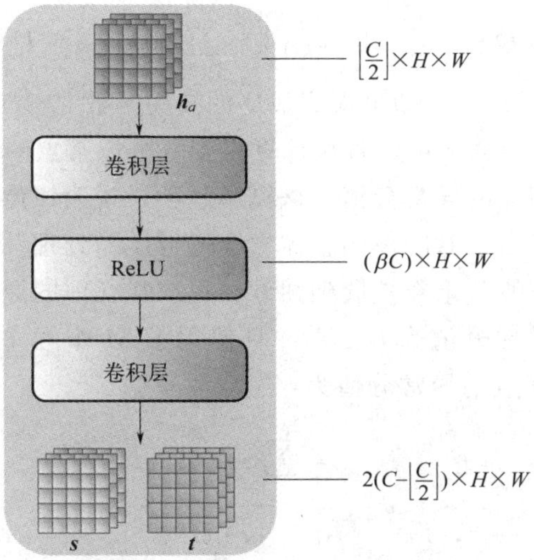

图 4-17　采用的浅层卷积网络架构

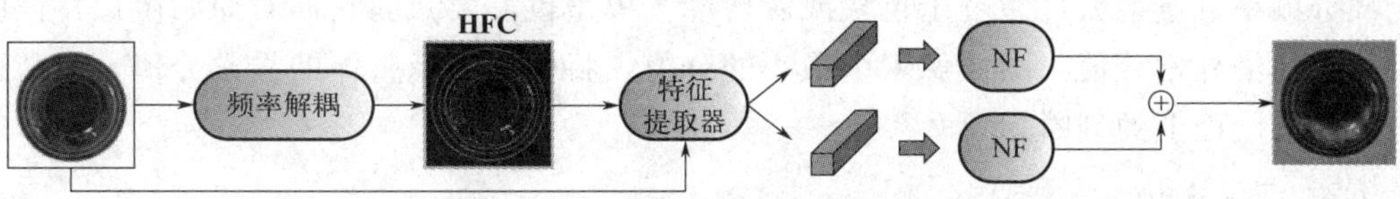

图 4-18　FA-Flow 模型基本架构

FA-Flow 模型的训练目的在于寻找一个最优的参数 $\boldsymbol{\theta}$ 使得提取后特征 $\boldsymbol{y}$ 能够达到最大似然，这等价于寻找最小的正向 KL 散度：

$$\begin{aligned}\mathcal{L}(\boldsymbol{\theta}) &= D_{\mathrm{KL}}(p_{\boldsymbol{Y}}(\boldsymbol{y}) \| \hat{p}_{\boldsymbol{Y}}(\boldsymbol{y};\theta)) \\ &= \mathbb{E}_{p_{\boldsymbol{Y}}(\boldsymbol{y})}[\lg p_{\boldsymbol{Y}}(\boldsymbol{y}) - \lg \hat{p}_{\boldsymbol{Y}}(\boldsymbol{y};\theta))]\end{aligned} \tag{4-21}$$

式中，$\hat{p}_{\boldsymbol{Y}}(\boldsymbol{y};\theta)$ 表示模型预测的概率密度，$p_{\boldsymbol{Y}}(\boldsymbol{y})$ 表示 $\boldsymbol{Y}$ 的概率密度。本应用案例假设最终生成的特征 $\boldsymbol{z}$ 中每一个像素点 $\boldsymbol{z}_{i,j} \in \mathbb{R}^{C}$ 都相互独立且服从正态分布 $\mathcal{N}(\boldsymbol{0}, \boldsymbol{I}_{C\times C})$，则隐变量先验概率可写为：

$$\lg p_{\boldsymbol{Z}}(\boldsymbol{z}) = -\frac{1}{2}(\mathrm{HWC}\lg(2\pi) + \|\boldsymbol{z}\|_2^2) \tag{4-22}$$

则模型预测的概率密度函数为：

$$\lg \hat{p}_{\boldsymbol{Y}}(\boldsymbol{y},\boldsymbol{\theta}) = \lg|\det(\boldsymbol{J}_{f_{\boldsymbol{\theta}}}(\boldsymbol{y}))| - \frac{\|\boldsymbol{z}\|_2^2}{2} + \mathrm{constant} \tag{4-23}$$

概率密度 $p_{\boldsymbol{Y}}(\boldsymbol{y})$ 与参数 $\boldsymbol{\theta}$ 无关，在给定一个数量为 D 的数据集 $\boldsymbol{X}$ 时，损失函数可记为：

$$\mathcal{L}(\boldsymbol{\theta})=\frac{1}{D}\sum_{i=1}^{D}\left(\frac{\|\boldsymbol{z}^{(i)}\|_2^2}{2}-\lg|\det(\boldsymbol{J}_{f_{\boldsymbol{\theta}}}(\boldsymbol{y}))|\right) \tag{4-24}$$

经过前面分析，流模块中对雅可比行列式产生的影响仅有 ActNorm 模块以及双重仿射耦合层中尺度变换的部分，则上式中后一项为：

$$\lg|\det(\boldsymbol{J}_{f_k}(\boldsymbol{h}_{k-1}))|=\sum_{i=1}^{C-\lfloor\frac{C}{2}\rfloor}\lg|\boldsymbol{s}_{k,1}|+\sum_{i=1}^{\lfloor\frac{C}{2}\rfloor}\lg|\boldsymbol{s}_{k,2}|-HW\sum_{i=1}^{C}(\lg|\boldsymbol{\sigma}_{k,i}|) \tag{4-25}$$

将该式代入到式(4-25）中，即可得到最终的损失函数。

由于 NF 模型在给定参数下可以直接计算得到每个像素点的似然函数，因此我们可以将得到的概率直接作为相应的异常分值。该概率越小，说明该像素点越可能存在异常。由于大部分的特征提取器倾向于对图像的整体像素进行压缩处理，这里对最后的异常分值进行双线性插值处理，从而使其重新扩展到图像在提取特征前的原始大小。我们假定在恢复图像后，每个像素点的异常分值为 $\psi_{i,j}$，并且使用了 M 个频率分量（这其中包括原图，即 LFC0)，则最终该像素点的异常分值为：

$$\psi_{i,j}=\frac{\sum_{m=1}^{M}\alpha_m\psi_{m,i,j}}{\sum_{m=1}^{M}\alpha_m} \tag{4-26}$$

式中，α_m 为频率的权重，以帮助确定各个频率分量对结果的影响。在实际实验中，由于部分频率分量会太过注重于色块或者轮廓，模型也需要减弱它们对原始图像特征的影响以防止污染异常分值。图像像素中最小的分值，将作为图像整体的异常分值，以帮助模型进行语义层面上的判断。

（3）结果分析

案例中采用 DeiT 作为特征提取主干网络，选用 ROC 曲线下方面积（AUROC）作为评估指标，它衡量模型对正负样本的区分能力，值范围为 [0,1]，值越高模型性能越好。计算 AUROC 需要做出分类器的 ROC 曲线，ROC 曲线是以分类器不同阈值下的真阳性率（TPR）为纵轴，假阳性率（FPR）为横轴绘制的曲线，两个指标计算如下：

$$TPR=\frac{TP}{TP+FN}$$

$$FPR=\frac{FP}{FP+TN} \tag{4-27}$$

式中，TP 为真阳性样本数，FP 为假阳性样本数，TN 为真阴性样本数，FN 为假阴性样本数。由于好分类器的标准为尽可能高的准确率（判别出真阳性样本）和召回率(找到真阳性样本候选)，需要尽可能高的真阳性率和尽可能低的假阳性率，因此需要分类器 ROC 曲线上的点尽可能往坐标轴左上方靠，这等价于越来越高的 AUROC。计算 AUROC 时，首先以不同的概率阈值（从高到低）计算一系列 TPR 和 FPR。而后将 ROC 曲线视为若干小梯形的组合，计算这些梯形的面积，计算公式为：

$$A=\sum_{i=1}^{k-1}\left[(FPR_{i+1}-FPR_i)\times\frac{TPR_i+1+TPR_i}{2}\right] \tag{4-28}$$

式中，k 是阈值划分后点的数量。

表 4-2 展示了 FA-Flow 方法在 MVTec AD 数据集检测准确性，可以看到 FA-Flow 在使用 DeiT 和一个高频分量的情况下，即使是在使用流模型的同类方法中，也能达到较高的像素级 AUROC 分数以及极高的语义级 AUROC 分数，几乎可以比肩使用 CaiT 的 Fastflow 方法。这有力地证明了频率分量在以特征提取器和标准流模型为基础的表面缺陷检测技术中的有效性。表 4-3 展示了 FA-Flow 方法在 BTAD 数据集的检测准确性，可以看到在所有产品上 FA-Flow 在语义级的 AUROC 分数上取得了一定的优势，在像素级的 AUROC 上也能有较好的表现。

表 4-2　MVTec AD 数据集中的检测准确性

方法	（语义级 AUROC，像素级 AUROC）
Fastflow[23]	(99.4,98.5)
SPADE[24]	(96.2,96.5)
FA-Flow	(99.4,98.4)

表 4-3　BTAD 数据集上不同方法的 AUROC 分数

方法	产品 1	产品 2	产品 3	均分
RD++[25]	(96.8,96.2)	(90.1,96.4)	(100,99.7)	(95.6,97.4)
Fastflow	(99.4,97.1)	(82.4,93.6)	(91.1,98.3)	(91.0,96.3)
FA-Flow	(99.5,94.9)	(88.7,95.4)	(99.1,98.5)	(95.8,96.3)

尽管 NF 模型具有极高的可逆性，但由于它需要保留所有的维度特征，因而无法对特征进行压缩。在此前提下，NF 模型内部特征通常处在高维空间中，因此这些特征往往具有非常低的可解释性。为了增强模型的可解释性，我们只能通过最后得到的异常分数来进行图形的可视化操作，生成对应的热力图，从而使得操作人员能够直观地察觉到模型检测出的缺陷。

为了能够生成热力图，我们首先要对得到的缺陷分数进行 Min-Max 标准化：

$$\psi'_{i,j}=\frac{\psi_{i,j}-\min(\psi)}{\max(\psi)-\min(\psi)} \tag{4-29}$$

式中，$\psi'_{i,j}$ 为经过 Min-Max 标准化后的缺陷分数。为了能够凸显出缺陷所在的位置，需要对该分数进行进一步变化：

$$\psi'_{i,j}=\max(0,\psi'_{i,j}-\max(\psi')\cdot\gamma) \tag{4-30}$$

式中，γ 是一个比例系数来决定缺陷的阈值。在实际使用中，我们将这个系数设置为 0.6。需要注意的是，尽管在前文中提到缺陷分数可以由计算得到的概率表示，但是实际维护的分数实际上是该值的相反数。这是为了能够保证在缺陷分数越高时，该像素点越有可能是异常，以便于计算 AUROC 分数和生成热力图。

FA-Flow 模型对于缺陷样本的检测结果如图 4-19 所示。其中，每个九宫格代表一类产品。九宫格的第一列是输入图像，第二列是像素级标注（白色为缺陷部分，正常样本则为纯黑图），第三列是生成的热力图，越是偏亮说明越可能是缺陷部分。

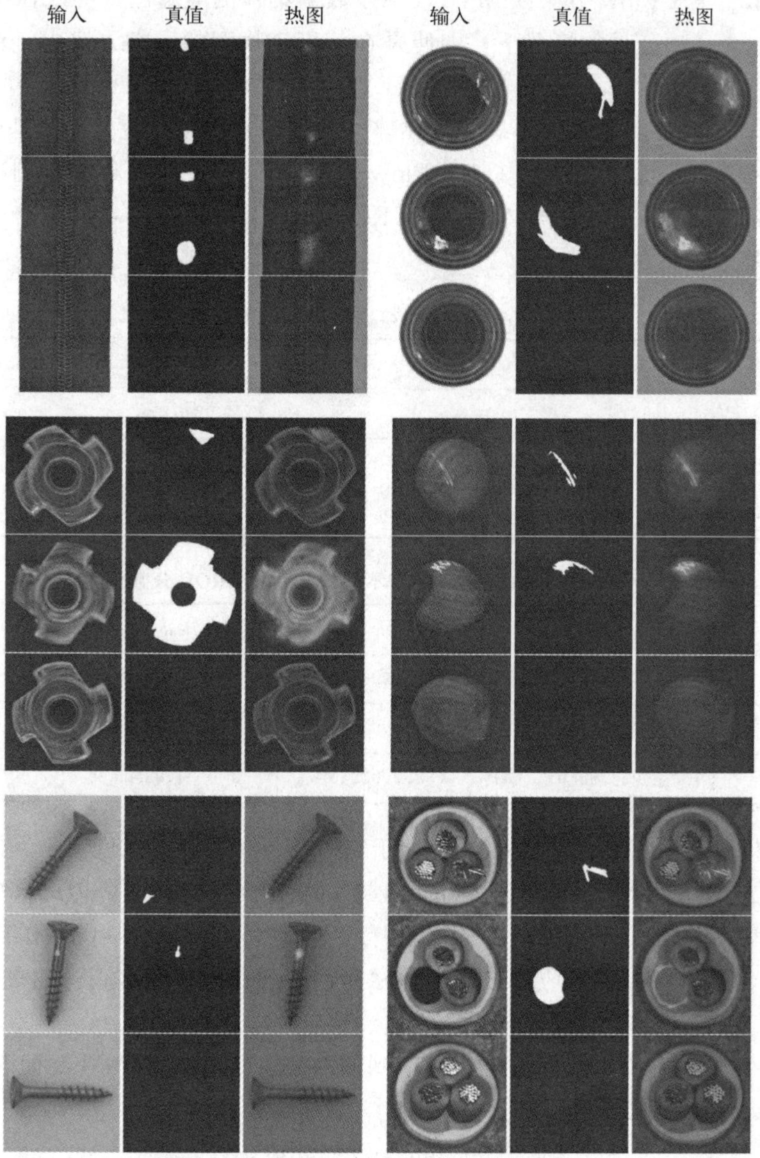

图 4-19　部分产品的表面缺陷检测图像

4.4　本章小结

表面缺陷检测是保障产品质量、提高生产效率的关键环节。工业过程表面缺陷检测应用借助机器视觉系统采集图像，根据图像建模分析方法对图像上缺陷的检测以完成识别。本章探讨了基于图像数据的缺陷检测方法，从传统的图像处理技术到目前炙手可热的深度学习模型，全面呈现该领域的最新进展。传统图像处理方法主要依赖于人工设计的特征和分类器，虽然在一些简单场景下表现良好，但对于复杂多样的缺陷类型，其泛化能力往往较弱。随着深度学习技术的迅猛发展，基于深度学习的缺陷检测方法逐渐成为主流。深度学习模型，尤其是卷积神经网络，具有强大的特征提取和分类能力，能够自动学习图像中的复杂特征，从而实现对各种缺陷的高精度检测。根据训练数据的标注情况，深度学习模型可以分为有监督和无监督两大类，本章详细介绍了这两类方法的原理、优缺点。最后，以工业产品表面缺陷检测为案例，介绍了深度学习图像处理方法的实际应用。

参考文献

[1] Tsai D M，Wu S C，Li W C. Defect detection of solar cells in electroluminescence images using Fourier image reconstruction [J]. Solar Energy Materials and Solar Cells，2012，99：250-262.

[2] Lambert G，Bock F. Wavelet methods for texture defect detection [J]. IEEE Computer Society，1997，3：201-204.

[3] Liu H X，Zhou W，Kuang Q W，et al. Defect detection of IC wafer based on two-dimension wavelet transform [J]. Microelectronics Journal，2010，41 (2/3)：171-177.

[4] Yun J P，Choi S，Kim J W，et al. Automatic detection of cracks in raw steel block using Gabor filter optimized by univariate dynamic encoding algorithm for searches (uDEAS) [J]. NDT & E International，2009，42 (5)：389-397.

[5] Kumar A，Pang G. Defect detection in textured materials using Gabor filters [C] //Proceedings of Conference Record of the 2000 IEEE Industry Applications Conference. Thirty-Fifth IAS Annual Meeting and World Conference on Industrial Applications of Electrical Energy. October 8-12，2000，Rome，Italy. Piscataway，NJ：IEEE，Aug. 2002：1041-1047.

[6] Song X Y，Bai F Z，Wu J X，et al. Wood knot defects recognition with gray-scale histogram features [J]. Laser & Optoelectronics Progress，2015，52 (3)：031501.

[7] Prahas Putri A，Rachmat H，Eka Atmaja D S. Design of automation system for ceramic surface quality control using fuzzy logic method at balai besar keramik (BBK) [J]. MATEC Web of Conferences，2017，135：00053.

[8] Lee D，Kang Y I，Park C，et al. Defect detection algorithm in steel billets using morphological top-hat filter [J]. IFAC Proceedings Volumes，2009，42 (23)：209-212.

[9] He K M，Zhang X Y，Ren S Q，et al. Deep residual learning for image recognition [C] //Proceedings of IEEE Conference on Computer Vision and Pattern Recognition (CVPR) . June 27-30，2016，Las Vegas，NV，USA. Piscataway，NJ：IEEE，2016：770-778.

[10] 阿斯顿·张 等著. 动手学深度学习 PyTorch 版 [M]. 北京：人民邮电出版社，2023.

[11] Dosovitskiy A，Beyer L，Kolesnikov A，et al. An Image is Worth 16x16 Words：Transformers for Image Recognition at Scale [C] //International Conference on Learning Representations. 2021.

[12] Neubeck A，Gool L J V. Efficient Non-Maximum Suppression [J]. IEEE Computer Society，2006.

[13] Girshick R. Fast R-CNN [C] //International Conference on Computer Vision. IEEE Computer Society，2015.

[14] Redmon J，Divvala S，Girshick R，et al. You Only Look Once：Unified，Real-Time Object Detection [C] //Computer Vision & Pattern Recognition. IEEE，2016.

[15] Terven J，Córdova-Esparza D M，Romero-González J A. A comprehensive review of YOLO architectures in computer vision：From YOLOv1 to YOLOv8 and YOLO-NAS [J]. Machine Learning and Knowledge Extraction，2023，5 (4)：1680-1716.

[16] Wang A，Chen H，Liu L，et al. YOLOv10：Real-Time End-to-End Object Detection [C] // Computer Vision and Pattern Recognition，2024.

[17] Deng J，Dong W，Socher R，et al. ImageNet：A large-scale hierarchical image database [C] //Proceedings of IEEE Conference on Computer Vision and Pattern Recognition. June 20-25，2009，Miami，FL，USA. Piscataway，NJ：IEEE，2009：248-255.

[18] Touvron H，Cord M，Douze M，et al. Training Data-Efficient Image Transformers & Distillation through Attention [C]. Meila M，Zhang T，eds. //Proceedings of the 38th International Conference on Machine Learning，

ICML 2021, 2021: 10347-10357.

[19] Touvron H, Cord M, Sablayrolles A, et al. Going deeper with image transformers [C] //Proceedings of IEEE/CVF International Conference on Computer Vision (ICCV). October 10-17, 2021, Montreal, QC, Canada. Piscataway, NJ: IEEE, 2021: 32-42.

[20] Raghu M, Unterthiner T, Kornblith S, et al. Do Vision Transformers See Like Convolutional Neural Networks? [C] //Advances in Neural Information Processing Systems 34. NeurIPS, 2021.

[21] Rezende D J, Mohamed S. Variational Inference with Normalizing Flows [C]. Bach F R, Blei D M, eds. //Proceedings of the 32nd International Conference on Machine Learning. ICML, 2015: 1530-1538.

[22] Adelson E H, Anderson C H, Bergen J R, et al. Pyramid Methods in Image Processing [J]. RCA Engineer, 1984, 29 (6): 33-41.

[23] Cohen N, Hoshen Y. Sub-image anomaly detection with deep pyramid correspondences. [Z/OL], arXiv, 2020 (2024-10-30).

[24] Yu J, Zheng Y, Wang X, et al. Fastflow: Unsupervised anomaly detection and localization via 2d normalizing flows. [Z/OL], arXiv, 2021 (2024-10-30).

[25] Tien T D, Nguyen A T, Tran N H, et al. Revisiting reverse distillation for anomaly detection [C] //Proceedings of IEEE/CVF Conference on Computer Vision and Pattern Recognition (CVPR). June 17-24, 2023, Vancouver, BC, Canada. Piscataway, NJ: IEEE, 2023: 24511-24520.

第5章

工业文本数据建模分析方法

5.1 工业文本数据概述

工业文本数据是指在工业环境中产生和收集的，以文本形式记录的信息。这些数据源自各种工业系统、设备、流程以及人与人之间的交流，涵盖了从生产操作记录、设备维护日志、质量控制报告到市场分析报告、客户反馈等广泛的内容。工业文本数据是工业大数据的重要组成部分，承载着丰富的业务信息和知识，对于企业的运营决策、生产效率提升、产品质量控制以及市场策略制定等方面具有不可替代的价值。

工业文本数据通常具有如下几个特征。

① 结构化与非结构化并存：尽管工业文本数据中有一部分（如工业知识图谱等）以结构化形式呈现，但大多数数据（如操作日志、报警信息等）则以非结构化的文本形式存在，往往缺乏固定的字段和格式，这就需要采用专门的技术来进行解析和分析。

② 多源性：工业领域中的文本数据来源多样，涵盖了生产日志、维护记录、电子邮件、社交媒体反馈等多种类型，每种文本都有其特定的格式和内容特征。这些文本数据源自企业内部的多个设备和系统，例如生产线、信息管理系统以及运维平台，展现了数据来源的广泛性。

③ 复杂性：工业文本数据涵盖了丰富的多维度信息，包括但不限于时间戳、设备型号、测量数据和状态说明等，形式上包含了数字、文本和符号等多种元素。这些信息之间可能存在复杂的相互联系和依赖性，从而增加了处理这些数据的复杂性。

④ 时效性：工业文本数据的产生往往与特定的时间节点相关，如生产日报、月度总结等，这些数据对于及时发现问题、调整策略至关重要。

工业文本数据在工业领域中具有广泛的应用价值，主要包括以下几个方面。

① 生产流程优化：工业文本数据中的生产记录、操作日志等可以反映生产过程中的细节和问题。通过自然语言处理技术对这些文本进行分析，可以识别出生产流程中的瓶颈、浪费环节以及潜在的改进点，为生产流程的优化提供数据支持。例如，分析设备故障报告可以找出故障频发的原因，指导设备维护和改进设计。

② 工业故障诊断：设备维护日志、报警信息等工业文本数据是设备健康管理的重要依据。通过对这些文本进行语义理解和模式识别，可以预测设备的故障趋势，提前安排维修计划，减少非计划停机时间，降低维护成本。同时，还可以通过分析故障报告来识别故障的根本原因，为设备改进和升级提供指导。

5.2 工业文本数据建模方法

工业文本数据作为一类特殊的信息载体，在描述工业设备状态、生产流程记录、故障诊断报告等方面发挥着重要作用。为了有效挖掘和利用这些文本信息，一系列专门的建模方法应运而生。这些方法大致可以分为基于统计的方法和基于机器学习的方法两大类。基于统计的方法，侧重于通过计算文本中词汇的频率、分布等统计特征，来揭示文本的内在规律和模式。这种方法直观且易于实现，能够在一定程度上帮助识别关键词、主题以及文本间的相似度。而基于机器学习的方法，利用算法和模型自动学习文本的特征表示，并进行分类、聚类、实体识别等复杂任务。这类方法能够捕捉到更深层次的语义信息，对于处理大规模、多样化的工业文本数据尤为有效。在实际应用中，这两类方法往往相辅相成，共同作用于工业文本数据的挖掘与分析过程中，帮助我们更全面地理解文本内容，提取出对工业生产和管理具有指导意义的关键信息，从而推动工业智能化进程，提升生产效率与质量。

5.2.1 词向量

词向量模型是最基础的自然语言数据建模方法，其通过将词语的语义信息编码为向量，映射到连续的向量空间中，以数学的方式更好地表征词语语义，使得相似语义的词语在向量空间中有更近的距离。

（1）基于统计学的词向量模型

① One-hot 编码　One-hot 编码是词向量模型中最基础的一种表示方法。它的核心思想是将每个词语表示为一个独热向量，即向量中只有一个元素为 1，其余元素均为 0。这个为 1 的元素位置对应着词语在词汇表中的索引。

例如，假设我们有一个简单的词汇表：[“我”，“喜欢”，“大数据”]，那么这三个词语的 One-hot 编码可以分别表示为：

“我”：[1,0,0]

“喜欢”：[0,1,0]

“大数据”：[0,0,1]

One-hot 编码的优点是简单直观，每个词语都有一个唯一的向量表示。然而，它也存在明显的缺点。首先，One-hot 编码是稀疏的，即向量中大部分元素都是 0，这会导致存储和计算上的不便。其次，One-hot 编码无法体现词语之间的语义关系。在上述例子中，“我”和“喜欢”在语义上它们可能经常一起出现，但是它们的 One-hot 编码之间没有任何关联。为了克服 One-hot 编码的局限性，研究者们提出了多种改进的词向量模型，以更好地捕捉词语之间的语义关系，使得相似语义的词语在向量空间中有更近的距离。

② 词袋模型（Bag of Words，BoW）　词袋模型是另一种基于统计的词向量表示方法，它忽略了文本中词语的顺序和语法结构，只考虑词语出现的频率。在词袋模型中，文本被看作是一个装满词语的“袋子”，每个词语都是独立的，不考虑其出现的具体位置和上下文关系。我们建设一个简单的词汇表来表示两组文本的词袋模型，如表 5-1 所示。

表 5-1　词袋模型示例

文本	我	喜欢	大数据	算法	词袋模型表示
我喜欢大数据	1	1	1	0	[1,1,1,0]
大数据算法	0	0	1	1	[0,0,1,1]

词袋模型的优点是简单且易于实现，能够快速地将文本转换为数值化的特征向量。然而，它也存在一些局限性。首先，由于忽略了词语的顺序和上下文关系，词袋模型无法捕

捉到文本的语义结构和句法信息。其次，对于稀疏的文本数据，词袋模型可能会产生高维且稀疏的特征向量，这会增加计算复杂度和存储成本。

③ 词频-逆文档频率方法（term frequency-inverse document frequency，TF-IDF） 词频-逆文档频率是一种常用的文本特征提取方法，旨在评估一个词语在文档中的重要性。它不仅考虑了词语在单个文档中出现的词频（Term Frequency，TF），还考虑了词语在整个语料库中出现的文档频率（Document Frequency，DF），并通过逆文档频率（Inverse Document Frequency，IDF）对其进行调整，以减少常见词语的权重，增加稀有词语的权重。

TF 是指一个词语在文档中出现的次数。通常，词频会被归一化，以防止文档长度对词频的影响。例如，可以使用词语在文档中出现的次数除以文档的总词数，得到词语在文档中的相对频率。

IDF 是对词语普遍重要性的度量。它的计算方式是取语料库中总文档数除以包含该词语的文档数，再将结果取对数。这样，如果一个词语在很多文档中都出现，那么它的 IDF 值就会较低，反之则较高。

TF-IDF 的值就是 TF 和 IDF 的乘积。它综合了词语在文档中的出现频率和在整个语料库中的稀有程度，因此能够较好地反映词语对文档内容的重要性，公式如下：

$$tfidf_{i,j}=tf_{i,j}\times idf_{i,j} \tag{5-1}$$

式中，$tfidf_{i,j}$ 表示词频 $tf_{i,j}$ 和倒文本词频 $idf_{i,j}$ 的乘积。值越大表示该特征词对这个文本的重要性越大。

TF-IDF 方法的优点是它能够有效地提取文档中的关键信息，并且对于不同的文档集合，它能够自适应地调整词语的权重。然而，它也存在一些局限性。例如，TF-IDF 方法仍然是一种基于词袋的模型，忽略了词语的顺序和上下文关系。此外，对于某些特定的领域或语料库，一些稀有的专业术语可能会得到过高的权重，而一些常见的但重要的词语可能会因为 IDF 值的降低而被忽视。

④ n-gram 模型　n-gram 模型是一种考虑词语局部上下文信息的词向量表示方法。与词袋模型不同，n-gram 模型不仅关注文本中每个词语的出现，还关注这些词语在文本中的连续排列方式，即它们的上下文关系。n-gram 中的“n”表示连续词语的个数，因此，根据 n 的不同取值，我们可以得到不同的 n-gram 特征。

例如，对于文本“我喜欢工业大数据”，我们可以构建不同 n 值的 n-gram 特征。

a. 当 $n=1$ 时，我们得到的特征就是句子中的每个单独词语：“我”，“喜欢”，“工业”，“大数据”。

b. 当 $n=2$ 时，我们得到的特征是相邻两个词语的组合：“我 喜欢”，“喜欢 工业”，“工业 大数据”。

c. 当 $n=3$ 时，我们得到的特征是相邻三个词语的组合：“我 喜欢 工业”，“喜欢 工业 大数据”。

d. 当 $n=4$ 时，由于整个句子只有四个词语，所以我们可以得到一个完整的 4-gram 特征：“我 喜欢 工业 大数据”。

在实际应用中，我们通常会设置一个合理的 n 值，以平衡特征的表达能力和计算复杂度。n-gram 模型能够捕捉到词语之间的局部上下文关系，因此，在文本分类、情感分析等任务中，n-gram 模型通常比词袋模型表现更好。然而，n-gram 模型也存在一些局限性。首先，随着 n 值的增加，特征空间会迅速膨胀，导致计算复杂度和存储成本显著增加。其次，n-gram 模型仍然无法捕捉到文本的远程依赖关系，即相隔较远的词语之间的语义联系。为了克服这些局限性，研究者们进一步提出了基于神经网络的词嵌入模型。

（2）基于神经网络的词向量模型

① Word2vec 模型　谷歌 2013 年提出的 Word2Vec 是目前最常用的词嵌入模型之一[1]。Word2Vec 是一种先进的词向量表示方法，它基于神经网络模型，能够捕捉到词语之间的语义关系和句法结构。与传统的词向量表示方法相比，Word2Vec 生成的词向量具有更低的维度和更丰富的语义信息，因此在自然语言处理任务中取得了显著的效果。

该模型包括 CBOW（Continuous BoW，CBOW）和 skip-gram 两种训练模型，架构如图 5-1 所示，这两种模型类似于神经网络语言模型（NNLM）[2]，但 NNLM 的主要目标是训练语言模型，而词向量只是其副产品。

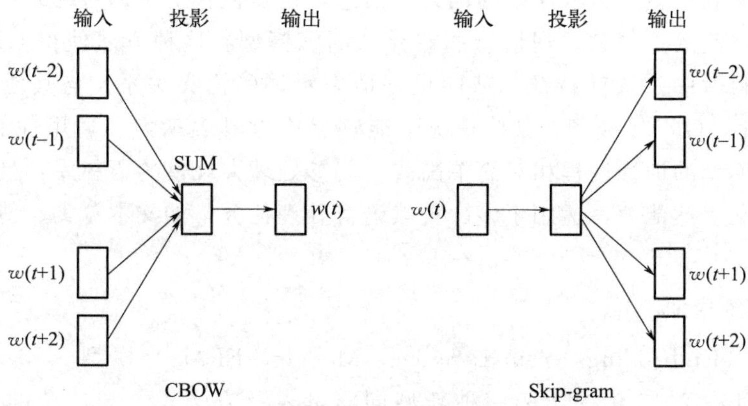

图 5-1　Word2vec 模型

CBOW 模型：CBOW 模型通过上下文来预测当前词语的出现概率。具体来说，它根据给定上下文中的词语（即窗口内的其他词语）来预测中心词。CBOW 模型适用于上下文信息较为丰富的情况，能够快速地捕捉到词语的共现关系。

Skip-gram 模型：与 CBOW 模型相反，Skip-gram 模型通过当前词语来预测其上下文的出现概率。它根据给定的中心词来生成其上下文中的词语，从而学习到词语之间的语义关系。Skip-gram 模型在处理稀疏数据或词语频率较低的情况时表现较好。

② GloVe（Global Vectors for Word Representation，GloVe）模型　GloVe 是由斯坦福大学的研究者在 2014 年提出的一种新的词向量表示方法[3]。与 Word2Vec 不同，GloVe 模型结合了全局的词频统计信息和局部的上下文窗口信息，从而更全面地捕捉到词语之间的语义关系。

GloVe 模型的核心思想是利用词语共现矩阵中的全局统计信息来训练词向量。共现矩阵是一个二维矩阵，其中的元素表示在某个语料库中，两个词语共同出现在同一个上下文窗口中的次数。GloVe 模型通过优化一个目标函数，使得学习到的词向量能够尽可能地反映出共现矩阵中的信息。

具体来说，GloVe 模型假设词语之间的共现概率可以表示为它们词向量的内积形式，即对于任意两个词语 i 和 j，它们的共现概率可以近似为：

$$X_{i,j}=\exp(\boldsymbol{w}_i^{\mathrm{T}}\boldsymbol{w}_j+b_i+b_j) \tag{5-2}$$

式中，$\boldsymbol{w}_i$ 和 $\boldsymbol{w}_j$ 分别表示词语 i 和 j 的词向量，b_i 和 b_j 表示作为偏置项的标量，T 表示转置操作。基于这个假设，GloVe 模型构建了一个目标函数，通过最小化这个目标函数来训练词向量。目标函数的形式为：

$$J=\sum_{i,j}^{N}f(X_{i,j})(\boldsymbol{w}_i^{\mathrm{T}}\boldsymbol{w}_j+b_i+b_j-\lg(X_{i,j})) \tag{5-3}$$

式中，V 表示词汇表的大小，f 是一个权重函数，用于调整不同共现频率的词语对目标函数的贡献，计算方式如下，其中 α 是超参数。

$$f(x)=\begin{cases}(x/x_{\max})^{\alpha}, & x<x_{\max}\\ 1, & \text{其他}\end{cases} \tag{5-4}$$

GloVe 模型利用整个语料库中的词共现信息，构建包含所有词对的共现矩阵，并通过最小化词向量之间的点积和共现信息的差异来训练模型。这种方法使得 GloVe 能够捕捉到词在整个语料库中的统计特征，从而更好地表示词的语义关系。与其他词向量模型如 Word2Vec 相比，GloVe 模型在某些情况下能够提供更具表现力和通用性的词向量表示。此外，GloVe 模型的训练过程相对简单高效，能够处理大规模的语料库，且生成的词向量具有较好的语义表达能力，适用于多种自然语言处理任务，如文本分类、情感分析、机器翻译等。

（3）预训练模型

① ELMo（Embeddings from Language Models，ELMo）模型　ELMo 是由 Allen Institute for AI 在 2018 年提出的一种新型词向量表示方法[4]。与传统的词向量模型如 Word2Vec 和 GloVe 不同，ELMo 模型基于深度双向语言模型，能够捕捉到词语在不同上下文中的复杂语义和句法特征。此外，ELMo 模型生成的词向量是动态变化的，即同一个词语在不同的上下文中会有不同的表示。这种动态性使得 ELMo 模型能够更好地适应不同的自然语言处理任务，并捕捉到词语在不同语境中的细微差异。

ELMo 模型的核心思想是利用深度双向 LSTM 网络来训练语言模型，从而学习到词语的深层次表示。在双向 LSTM 中，每个词语都会得到两个向量表示：一个是从左到右的 LSTM 网络生成的向量（称为前向向量），另一个是从右到左的 LSTM 网络生成的向量（称为后向向量）。这两个向量共同构成了词语的 ELMo 表示。

具体来说，ELMo 模型首先在大规模语料库上训练一个深度双向 LSTM 网络，该网络由多层 LSTM 单元堆叠而成，模型架构如图 5-2 所示。对于每个词语，ELMo 模型都会提取其前向和后向 LSTM 网络的隐藏状态，并将它们拼接起来作为词语的初始表示，如式(5-5) 所示：

$$\boldsymbol{R}_k=\{\boldsymbol{x}_k^{LM},\overrightarrow{\boldsymbol{h}}_{k,j}^{LM},\overleftarrow{\boldsymbol{h}}_{k,j}^{LM}\mid j=1,\cdots,L\}=\{\boldsymbol{h}_{k,j}^{LM}\mid j=0,\cdots,L\} \tag{5-5}$$

式中，$\boldsymbol{R}_k$ 是 ELMo 模型的词向量表示，$\boldsymbol{x}_k^{LM}$ 是词的初始嵌入表示，$\overrightarrow{\boldsymbol{h}}_{k,j}^{LM}$ 和$\overleftarrow{\boldsymbol{h}}_{k,j}^{LM}$ 分别是第 j 层 LSTM 的前向和后向隐藏状态，L 是 LSTM 的层数。最终，$\boldsymbol{h}_{k,j}^{LM}$ 表示词 k 在第 j 层的上下文嵌入表示。

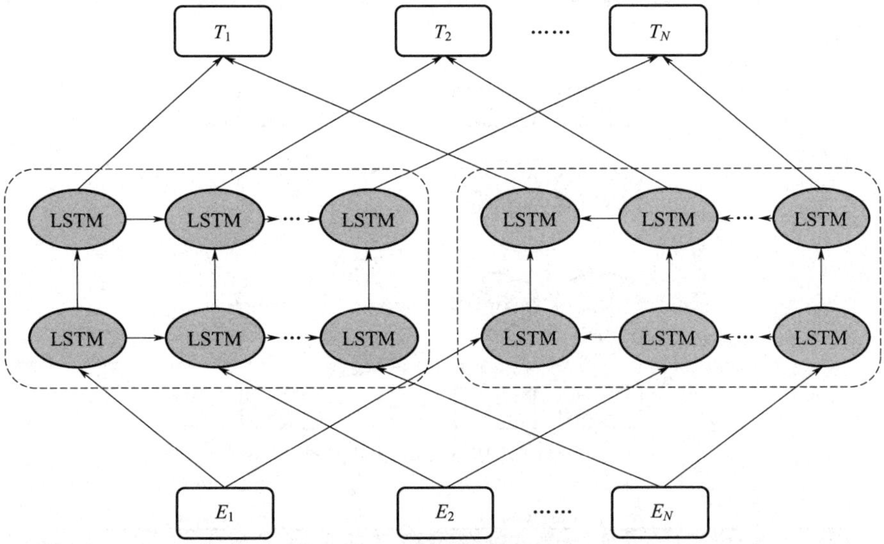

图 5-2　ELMo 模型架构图

ELMo 模型是一种基于语言模型的预训练方法，通过在大量文本语料上进行训练，捕捉到词语在不同上下文中的复杂语义和句法特征，从而提供更丰富、更准确的词向量表示。此外，ELMo 模型还具有很好的泛化能力，可以适用于多种自然语言处理任务，如文本分类、情感分析、命名实体识别、问答系统等。对于不同的下游任务，可以进行针对性的微调，如式(5-6) 所示：

$$\mathrm{ELMo}_k^{\mathrm{task}}=E(R_k;\Theta^{\mathrm{task}})=\gamma^{\mathrm{task}}\sum_{j=0}^{L}s_j^{\mathrm{task}}h_{k,j}^{LM} \tag{5-6}$$

式中，Θ^{task} 表示模型参数，γ^{task} 表示缩放系数，s_j^{task} 表示归一化的 softmax 权重。

② BERT（Bidirectional Encoder Representations from Transformers，BERT）模型

BERT 是由谷歌在 2018 年提出的一种基于 Transformer 架构的预训练语言模型[5]。BERT 模型在多个自然语言处理任务上取得了显著的效果，成为自然语言处理领域的一项重大突破。BERT 通过在大规模无监督语料上进行预训练，学习到了丰富的语言表示，这些表示可以很好地迁移到其他下游任务上，通过微调即可实现高性能。

BERT 的核心思想是通过双向 Transformer 编码器来学习词语的上下文表示。与传统的语言模型不同，BERT 在预训练阶段采用了双向编码的方式，即每个词语的向量表示不仅依赖于其左边的上下文，还依赖于其右边的上下文。这使得 BERT 能够捕捉到更全面的语义信息，生成更为准确的词向量表示。

BERT 模型架构如图 5-3 所示，主要包括两个部分：嵌入层（Embedding Layer）和 Transformer 编码器层。如图 5-4 所示，嵌入层将输入的词语转化为向量表示，BERT 的嵌入由三部分组成：词语嵌入（Token Embeddings）、段嵌入（Segment Embeddings）和位置嵌入（Position Embeddings）。词语嵌入将每个词语映射为一个向量，段嵌入用于区分输入的两个句子（在句子对任务中），位置嵌入为模型提供词语在句子中的位置信息。Transformer 编码器层由多个相同的编码器块堆叠而成，每个编码器块包含多头自注意力机制和全连接前馈网络[6]。注意力机制使模型能够同时关注输入序列的不同部分，捕捉

到更丰富的上下文信息。全连接前馈网络则用于对注意力层的输出进行进一步处理，增强模型的表示能力。

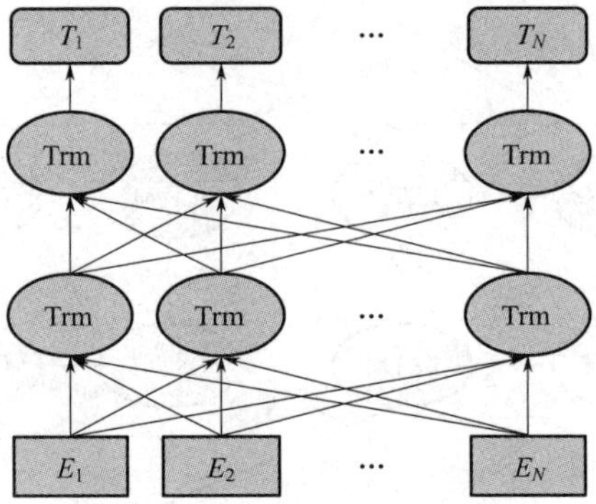

图 5-3　BERT 模型架构图

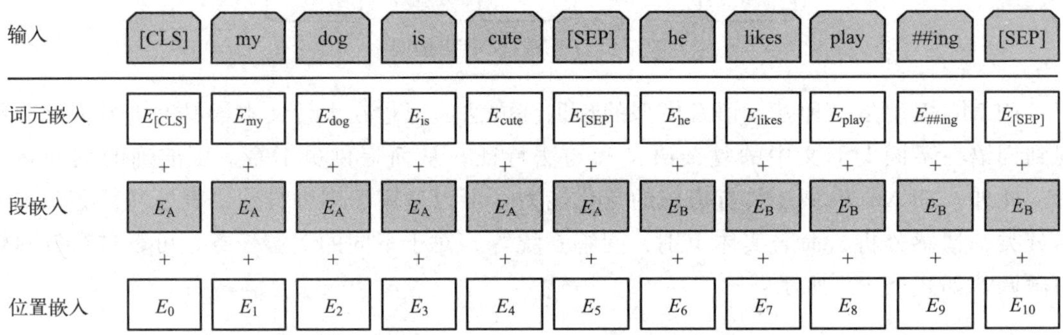

图 5-4　BERT 输入表示

BERT 的预训练任务主要包括两个：掩码语言模型（Masked Language Model，MLM）和预测下一句话（Next Sentence Prediction，NSP）。

MLM 任务通过掩码部分输入单词并预测这些被掩码的单词，训练模型理解上下文信息。BERT 中的 MLM 在输入序列中随机选择 15％的单词进行掩码处理。这些被选中的单词中，80％被替换为特殊的掩码符号［MASK］，10％被替换为随机单词，剩下 10％保持不变。模型的任务是预测这些被掩码的单词的原始词汇 ID。这种方法允许模型在预训练时同时利用左右两侧的上下文信息，从而训练出更深层次的双向表示。相比传统的从左到右或从右到左的单向语言模型，MLM 能够捕捉到更丰富的语义信息。

NSP 任务通过预测两个句子是否是连续的，帮助模型理解句子间的关系。在预训练数据集中，随机选择句子对作为输入。其中，50％的句子对是连续的（标记为“IsNext”），另外 50％的句子对是不连续的，随机从语料库中选取（标记为“NotNext”）。模型的任务是预测这两个句子是否是连续的。NSP 任务使模型能够理解句子间的逻辑关系，这对于许多下游任务（如问答系统和自然语言处理）至关重要。通过这一任务，模型能够学习到如何有效地表示和理解文本对。

如图 5-5 所示，预训练的 BERT 模型还可以通过微调来应用于很多下游任务。通过微调，即针对特定任务的数据集对预训练模型参数进行进一步训练和调整，BERT 可以轻松地适应各种下游自然语言处理任务。在微调过程中，通常保持模型大部分结构不变，仅对与特定任务相关的层或输出层进行必要调整。BERT 模型的提出极大推动了自然语言处理的发展，自此之后预训练和微调的方法成为了主流。

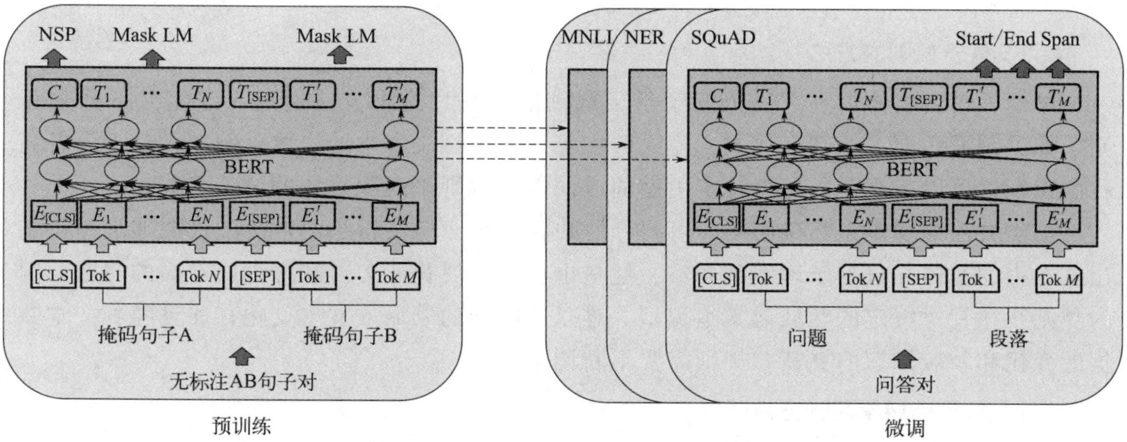

图 5-5　BERT 的预训练与微调流程

RoBERTa（Robustly Optimized BERT Approach，RoBERTa）是由 Facebook AI Research 在 2019 年提出的一种自然语言处理模型，它是对 BERT 模型的改进版本[7]。在数据集方面，RoBERTa 使用了比 BERT 多 10 倍的数据集进行预训练，总数据量达到了 160GB，涵盖了更多的新闻、社区问答、百科等内容，使得模型能够学习到更丰富的语言表征。在任务方面，RoBERTa 移除了 BERT 中的 NSP 任务，实验发现 NSP 任务对模型在下游任务上的表现并没有显著提升，甚至可能引入噪声。在掩码策略方面，RoBERTa 采用了动态掩码策略，每次输入序列时都会生成新的掩码模式，而不是在预处理阶段一次性生成静态掩码。这有助于模型在训练过程中适应不同的掩码策略，学习到更丰富的语言表征。

ALBERT（A Lite BERT，ALBERT）是谷歌在 2019 年提出的一种 BERT 的改进模型，旨在解决 BERT 参数量过大、训练过慢的问题[8]。ALBERT 对嵌入层进行了参数因式分解，将大的词嵌入矩阵分解为两个小的矩阵，从而显著减少了参数量。这种方法使得隐藏层的节点数扩展不再受限制，同时保持了模型的性能。此外，ALBERT 在 Transformer 编码器层之间实现了参数共享，即所有层的参数都是相同的。这不仅进一步减少了参数量，还有助于稳定模型的训练过程。在任务方面，ALBERT 用句子顺序预测（Sentence Order Prediction，SOP）任务替换了 BERT 中的 NSP 任务。SOP 任务要求模型判断两个句子的顺序是否正确，这有助于模型更好地理解句子间的连贯性关系。实验证明，SOP 任务在多个下游任务上的表现优于 NSP 任务。通过这些改进，ALBERT 在保持 BERT 高性能的同时，显著减少了参数量和训练时间，使得模型更加高效和易于部署。

5.2.2　命名实体识别

命名实体识别（Named Entity Recognition，NER）是自然语言处理中的一项关键任务，特别是在工业文本数据分析中，它能够帮助我们从大量的非结构化文本中抽取出关键的信息实体，如设备名称、产品型号、时间日期、地点等，并对这些实体进行分类，如设备、产品、时间、地点等类别。这对于后续的文本理解、信息抽取、知识图谱构建等任务都至关重要。

（1）基于规则的方法

早期，命名实体识别主要依赖于基于规则的方法。这种方法通过人工定义一系列规则，如关键词匹配、正则表达式、模式匹配等，来识别文本中的实体。例如，对于设备名称的识别，可以定义一些包含特定关键词或词性的规则来匹配可能的设备名称。

这类方法的优点是精确度高、可解释性强，在规则定义得当的情况下，能够准确识别出文本中的实体并且易于理解和调整。但是也存在着泛化能力差和维护成本高的问题，因为规则往往针对特定的领域或文本类型，难以适应新的领域或文本变化，并且随着文本数据的变化和领域知识的更新，规则需要不断调整和维护。

（2）基于机器学习的方法

随着机器学习技术的发展，基于机器学习的方法逐渐成为命名实体识别的主流。这类方法通过训练模型来自动学习文本中实体的特征和规律，从而实现对实体的识别。常用的模型包括隐马尔可夫模型（Hidden Markov Model，HMM）、条件随机场（Conditional Random Fields，CRF）、支持向量机（SVM）、最大熵模型（Maximum Entropy Models，MEM）等。本书将重点介绍 HMM 和 CRF 这两种方法，为读者提供深入的理论和实践指导。

① 隐马尔可夫模型　HMM 是一种用于描述具有隐含马尔可夫链的随机过程的统计模型。在命名实体识别任务中，HMM 将文本视为一个由隐藏状态（即实体类别）和观测值（即文本中的单词或字符）组成的序列。模型通过学习这些序列的概率分布，来预测给定文本中每个单词或字符所属的实体类别[9]。

HMM 的关键在于其假设：当前状态仅依赖于前一个状态（即马尔可夫假设），并且观测值仅依赖于当前状态。这种假设简化了模型的复杂性，使得 HMM 能够在计算上保持高效。在命名实体识别中，HMM 通常通过监督学习的方式进行训练，即利用已标注的文本数据来学习模型参数。HMM 示意图如图 5-6 所示。

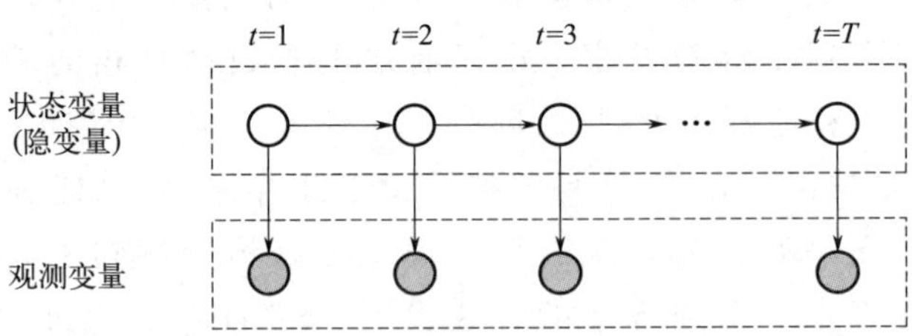

图 5-6　HMM 示意图

HMM 的优点在于其简单易懂且计算效率高，适用于处理大规模文本数据。然而，HMM 也存在一些局限性，如它无法考虑上下文之间的长距离依赖关系，以及对于某些复杂的实体识别任务可能效果不佳。尽管如此，HMM 仍然是命名实体识别领域中的一种重要方法，并且在许多实际应用中取得了显著成果[10]。

② 条件随机场　CRF 是一种用于建模序列数据或图数据的概率图模型[11]。与 HMM

不同，CRF 能够考虑上下文之间的任意依赖关系，因此它在处理复杂的命名实体识别任务时具有更强的表现力。

CRF 将文本视为一个由节点（即文本中的单词或字符）和边（表示节点之间的依赖关系）组成的图结构。每个节点都有一个隐藏的随机变量（即实体类别），而 CRF 的目标是学习这些随机变量的联合概率分布。通过最大化给定观测序列（即文本数据）的条件下隐藏变量序列的概率，CRF 能够实现对实体的准确识别。

CRF 示意图如图 5-7 所示，其中 X 代表观测序列，Y 代表隐藏变量序列或标签序列。在命名实体识别中，X 通常表示输入的文本数据，即由一系列单词或字符组成的序列，Y 表示与观测序列 X 相对应的隐藏状态序列或标注序列。对于命名实体识别任务，Y 可能表示每个单词或字符所属的实体类别（如人名、地名、组织名等）。

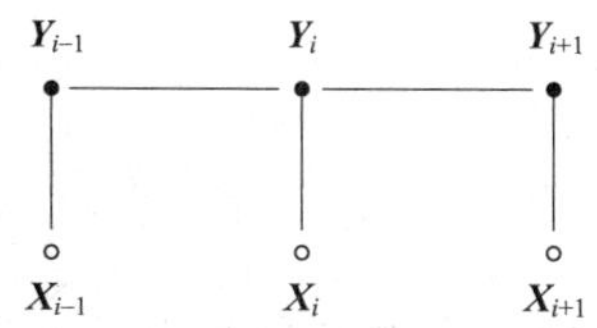

图 5-7　CRF 示意图

在 CRF 的训练过程中，模型会学习给定观测序列 X 的条件下隐藏变量序列 Y 的联合概率分布。在推理（或解码）阶段，模型会使用这个学习到的概率分布来预测给定观测序列 X 的最可能的隐藏变量序列 Y。

CRF 的优点在于其能够捕捉上下文之间的复杂依赖关系，并且对于命名实体识别等序列标注任务具有出色的性能。此外，CRF 还支持特征工程，允许用户根据具体任务引入额外的特征来提高模型的识别效果。然而，CRF 的计算复杂度相对较高，尤其是在处理大规模文本数据时可能需要更多的计算资源。尽管如此，由于其卓越的性能和灵活性，CRF 已成为命名实体识别领域中的主流方法之一。

（3）基于深度学习的方法

随着深度学习技术的发展，尤其是循环神经网络（RNN）及其变体如长短期记忆网络（LSTM）的出现，命名实体识别任务取得了显著的进展。这些网络结构能够捕捉文本中的序列信息，对于处理 NER 这种序列标注任务非常有效。

RNN 是一种能够处理序列数据的神经网络，它通过循环连接将前一个时间步的信息传递到下一个时间步，从而捕捉文本中的时序依赖关系[12]。然而，传统的 RNN 在处理长序列时容易遭受梯度消失或梯度爆炸的问题，导致难以捕捉长距离依赖。

LSTM 是 RNN 的变体，它们通过引入门控机制来解决梯度消失问题，从而能够更有效地处理长序列数据[13]。在 NER 任务中，LSTM 可以用于对文本进行编码，提取出每个单词的上下文表示，然后基于这些表示进行实体识别。

为了进一步提高 NER 的性能，双向 LSTM（Bidirectional LSTM，BiLSTM）被引入。这些模型同时考虑文本的前向和后向信息，从而能够捕捉到更全面的上下文特征。在 NER 任务中，BiLSTM 通常与 CRF 结合使用，形成 BiLSTM-CRF 模型[14]。模型结构如图 5-8 所示。图中的示例采用了经典的 BIO 标注方法，B-和 I-的标签表示对应实体的开始和中间位置，O 表示实体之外的其他单词。

其中，BiLSTM 层负责从输入序列中提取丰富的上下文信息，由于 LSTM 能够处理长序列数据并捕捉长期依赖关系，而 BiLSTM 则通过同时考虑前向和后向信息，提供了更全面的上下文理解。CRF 层接收 BiLSTM 层的输出，并对其进行解码。CRF 层考虑标签之间的转移概率和发射概率，通过全局的推断算法（如 Viterbi 算法）找到最优的标签

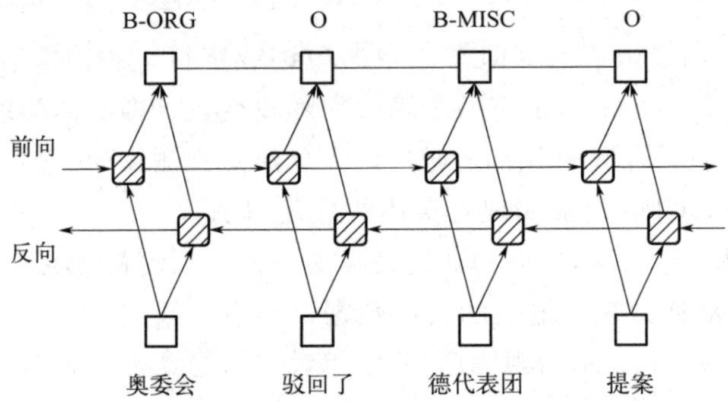

图 5-8　BiLSTM-CRF 模型结构

序列。这种组合能够充分利用 BiLSTM 的序列建模能力和 CRF 的序列标注能力，提高 NER 的准确率。

5.2.3　知识图谱

2012 年，谷歌为提高搜索引擎的效率，正式提出了知识图谱（Knowledge Graph，KG）的概念[15]。此后，知识图谱引起了学界研究上的广泛关注，在语义搜索、决策支持、智能问答系统等智能服务领域逐渐成为了关键的支撑技术之一。在工业领域，知识图谱作为一种结构化的知识表示方式，将实体、属性以及实体之间的关系以图的形式进行组织，为工业文本数据的深度理解和智能应用提供了强大的工具。

知识图谱的通用表示方式一般为三元组的格式，即 $G=(E,R,S)$，其中 E 表示数据库中所有实体集合，R 表示数据库中所有关系的集合，$S\subseteq E\times R\times E$ 代表知识库中所有的三元组集合[16]。其中每一个三元组的表示为（主语、谓语、宾语），如（爱因斯坦，获奖，诺贝尔奖），这类实际知识作为实体节点，关系作为边，构建有向图实现知识图谱的表示。国内外有关知识图谱的研究繁杂多样，主要可以划分为知识图谱构建、知识图谱推理、知识图谱问答等方面。

（1）知识图谱构建

知识图谱构建是一个复杂而系统的过程，主要涉及到从多源异构数据中提取、整合、优化和存储知识，以形成一个结构化、统一且高质量的知识库。知识图谱构建过程中一般会涉及到知识抽取、知识融合等技术。

① 知识抽取　知识抽取是构建知识图谱的首要步骤，旨在从不同来源、不同结构的数据中提取出实体、关系等知识要素。实体抽取，又称命名实体识别，在本书前面部分已经对具体的方法有所讲解。关系抽取旨在从文本中抽取三元组，三元组由两个实体及其关系组成。三元组的格式一般表示为＜主体（Subject），关系（Predicate），客体（Object）＞，也可以看作是知识图谱中的头节点、边和尾节点。在构建知识图谱的过程中，命名实体识别和关系抽取一般都需要完成，当前完成这两个任务的方法主要可以分为流水线方法（pipeline approach）和联合抽取方法（joint approach）。

流水线方法的思路是首先完成命名实体识别任务，然后在此基础上完成关系抽取。很多传统的知识抽取算法都是流水线方法，基本上会采用 BIO 等方法标注文本中的实体并训练模型进行识别，并对抽取的实体重新排列顺序计算出可能存在的关系。这种方法可以将不同的实体抽取算法与关系抽取算法结合起来，具有很强的灵活性，但存在误差传播的问题。

因此，近年来的算法多为实体和关系的联合抽取算法，利用联合抽取模型同时解决这两个问题，可以有效结合全局信息，避免误差传播问题。Bekoulis 等人[17] 提出了一种基于 BiLSTM 的实体关系联合抽取的神经网络模型，该模型使用 CRF 层完成实体识别任务，并将文本信息和抽取的实体信息结合起来完成关系提取任务，是联合抽取算法的一个里程碑式的进展。Wang 等人[18] 将实体和关系的联合提取问题转换为链接的标记对（token pair）识别问题，并提出了 TPLinker 模型，在重叠和多重关系提取问题上具有更佳的性能。Ren 等人[19] 为每个关系设计了表格表示方法，并提出了一种面向全局特征的三元组抽取模型 GRTE，充分利用了实体和关系的全局信息。这些联合提取模型在主要的开源数据集上取得了最佳的效果，充分展示了联合方法的优越性能。

② 知识融合　知识融合是知识图谱构建中的关键环节，它旨在整合不同来源、可能存在异构性和冗余性的知识，以形成一个统一、高质量的知识图谱。这一过程涉及实体对齐、属性融合、冲突消解等多个方面。

实体对齐旨在将不同数据源中指向同一现实对象的实体进行准确关联，通过比较实体的多维度特征实现消歧和链接。属性融合则涉及整合各数据源中关于同一实体的属性信息，解决属性描述方式、单位的差异，以及去重和归一化问题。当遇到相互矛盾的信息时，冲突消解依据规则或算法判断信息可靠性，并作出相应处理。

知识融合是知识图谱构建中不可或缺的一环，它通过将不同来源的知识进行整合和优化，为构建高质量、大规模的知识图谱提供了有力支持。

（2）知识图谱推理

知识图谱推理是知识图谱技术中的核心环节之一，它旨在利用图谱中已有的知识，通过推理机制挖掘出隐含的、未直接表述的知识。这种推理能力对于提升知识图谱的智能化水平、增强其在复杂应用场景中的实用性具有重要意义。知识图谱推理主要可以分为符号推理、向量推理和路径推理三种类型。

① 符号推理　符号推理是基于逻辑规则进行的一种推理方式。在知识图谱中，实体、属性和关系都可以被看作是符号，而符号推理则是通过应用这些符号之间的逻辑关系，如蕴含、等价、矛盾等，来推导出新的知识。例如，如果图谱中存在“A 是 B 的子类”和“C 是 A 的实例”两个知识，那么通过符号推理可以推导出“C 也是 B 的实例”。其中较为经典的就是 Schoenmackers 等[20] 提出的一阶归纳学习器（First-Order Inductive Learner，FOIL），其目的是搜索知识库中的所有关系，获取每个关系的霍恩子句集合作为特征模式来预测推理结果。符号推理的优点在于其推理过程清晰、可解释性强，但受限于规则的定义和图谱的复杂度，有时可能无法处理复杂的推理任务。

② 向量推理　向量推理则是利用向量空间模型来进行知识推理。在这种方法中，知识图谱中的实体和关系被嵌入到高维向量空间中，通过计算向量之间的相似度或距离来推断实体之间的关系。例如，如果两个实体在向量空间中的距离较近，那么它们之间可能存

在某种关联或相似性。其中，这种知识图谱表示方法有很多种，包括基于翻译模型的TransE方法[21]、基于张量分解的RESCAL方法[22]、基于语义匹配模型的DisMult方法等[23]。向量推理的优势在于能够处理大规模的知识图谱，并且对于某些类型的推理任务（如相似度计算、聚类等）具有较好的效果。然而，向量推理的解释性相对较弱，且对于某些复杂的逻辑关系可能难以准确捕捉。

③ 路径推理　路径推理是基于知识图谱中的路径信息来进行推理的一种方法。在知识图谱中，实体之间通过关系相连形成路径，而路径推理则是通过分析这些路径来推导出新的知识。例如，如果图谱中存在一条从实体 A 到实体 B 的路径，且这条路径上的关系具有某种传递性，那么可以推导出 A 与 B 之间也存在某种关系。基于这种思路，Lao等[24]提出了路径排序算法（Path Ranking Algorithm，PRA），通过随机游走的方式来提取图谱中边的特征，并预测图结构中缺失的边，计算效率很高。此外，基于强化学习进行路径探索的方式也是一种知识推理的研究方向，如DeepPath[25]、MINERVA[26]等算法。路径推理能够利用图谱中的结构信息，将知识图谱推理建模为多步路径游走，在得到推理结果的同时，可以显式地推导出具体的路径，可解释性较强。

（3）知识图谱问答

知识图谱问答（Knowledge Graph Question Answering，KGQA）是知识图谱应用的一个重要领域，它利用知识图谱中的结构化知识来回答用户的自然语言问题。KGQA系统通常包括两个主要方法：语义解析和检索排序。

① 语义解析　语义解析是一种将自然语言问题转换为形式化查询语言（如SPARQL、SQL或逻辑表达式）的过程，以便在知识图谱上执行并获取答案。这一过程首先涉及对问题的语法解析，识别出实体、关系等关键元素，并将这些元素映射到知识图谱的语义空间。接着，通过构建查询图或逻辑表达式等形式化查询，直接在知识图谱上执行查询以获取答案。语义解析方法的优势在于其能够深入理解用户的意图，并精确利用知识图谱的结构进行查询，从而返回准确的答案。然而，该方法也面临自然语言复杂性和多样性带来的挑战，以及构建形式化查询所需的大量手工工作和领域知识。

依赖于强大的端到端的序列数据生成能力，预训练语言模型也被用于基于语义解析的知识图谱问答中，对于逻辑表达式的生成有很大的帮助。RNG-KBQA[27]根据预定义的规则对整个数据库中可执行逻辑表达式进行枚举，并根据问题设计了逻辑表达式的排序方法，然后将排序后的top-k结果和问题拼接起来放入生成器，得到最终准确的逻辑表达式。ChatKBQA[28]设计了一种基于大语言模型的新型生成检索框架知识库问答框架，首先采用微调大语言模型的方式生成逻辑表达式，然后在检索阶段通过无监督的方法检索知识库中的相关实体和关系集合，并将查找的结果替换到逻辑表达式上，是首次将微调大模型生成可执行逻辑表达式来解决知识库问答任务的方法，达到了多个数据集的SOTA水平。

② 检索排序　检索排序方法通过问题中的主要实体检索子图，通过子图提供的相关信息来获取后续答案集合，并对答案集合排序获得最终的结果。这种方法首先识别出问题中的关键实体，并在知识图谱中检索与之相关的子图。然后，从这些子图中提取特征，并利用机器学习算法对这些特征进行学习和排序，以找到最符合问题意图的答案。检索排序方法的优点在于其能够处理更复杂和模糊的问题，且能够通过算法自动地学习和优化答案

的排序。然而，该方法也可能受到知识图谱的不完整性、噪声数据以及算法性能等因素的制约，从而影响答案的准确性和可靠性。

对于检索排序方法而言，预训练模型强大的表示能力可以增强对指定问题的相关资源检索，缓解知识库本身的资源不完整性。Zhang 等人[29] 基于预训练模型提出了一种与后续推理过程解耦的子图检索器，解决了知识检索过程中经常遇到的子图上下文噪声问题。QA-GNN[30] 通过预训练语言模型来为指定问题检索到的子图上下文的重要性进行打分，通过重要性评分来增强对应的节点特征，并设计了一个基于注意力机制的图神经网络模块来实现联合推理，模型在知识库问答方面的效果得到了显著提高。Dragon[31] 根据特定的文本片段检索子图中的信息，然后设计了基于预训练语言模型和图神经网络的双向融合模型，将文本补全和链路预测作为模型训练任务，得到的融合文本和知识图谱的跨模态模型在常识知识问答和医疗知识问答方面取得了不错的效果。

5.3 应用案例：工业知识图谱智慧运维管理

5.3.1 业务背景

城市地下综合管廊主要包括燃气管道、电力电缆、给排水管道等，这与人们的生产生活息息相关[32]。制定高效的维护和巡检方案对城市地下管廊中设备的稳定运行起着关键作用。目前，地下综合管廊的维护和巡检工作主要根据维护手册和工人的经验进行，不利于促进智能化发展。此外，随着社会的不断发展，与地下综合管廊相关的运维知识变得越来越复杂，仅靠传统的维护手册很难实现维护方案的快速更新。此外，日积月累的工业现场知识往往以非结构化文本的形式保存于维修日志中，其价值难以得到系统化的挖掘[33]。近年来，知识图谱已成为存储和表示复杂知识的重要手段，并逐渐在工业领域得到应用，知识图谱具有查询效率高、可扩展性强的特点，可以很好地解决上述问题。因此，本案例建立了城市地下综合管廊运维知识图谱，以帮助进行故障诊断和维护。

知识图谱构建过程中主要涉及的方法研究为知识抽取，即如何从海量且形式多样的数据中提取出有效的知识，以构建需要的知识图谱。结构化数据的知识获取相对容易，因此当前学界研究的重心一般在非结构化数据的知识抽取上。

5.3.2 案例介绍

数据是建立模型的基础，特定领域的数据集可以有效帮助算法开发解决特定的实际任务。因此，需要首先构建城市地下综合管廊运维文本数据集，用于建模训练、算法评估以及知识图谱的进一步扩展。

本案例首先从与城市地下综合管廊运维相关的维护手册和官方文件中收集文本语料库，然后清洗数据，包括去除与城市地下综合管廊无关的文本和重复性数据，最后在文本上标注实体和关系。在数据集建立完成后，将数据集命名为城市地下综合管廊运行与维护标准数据集（Standards for Operation and Maintenance of Urban Utility Tunnel，SOMUUT），其中包含 800 个句子和近 30000 个字符。

数据集 SOMUUT 标注的具体细节见表 5-2。SOMUUT 的标注类型包括实体分类和关系分类，实体分类方面，文本中涉及的实体可以分为巡检项目、巡检内容、巡检方法、维护方法、巡检周期 5 类，它们之间涉及的关系可以分为 2 个主要类型和 21 个细分类型，主要类型包括包含（contain）关系和需要（need）关系，包含关系主要指的是两种相同类型实体之间存在的从属关系，比如巡检项目会包含巡检子项目，那么关系类型表示为巡检子项目；需要关系主要指的是两种相同类型实体之间存在的递进关系或不同类型实体之间存在的从属或递进关系，比如巡检项目需要的另一个巡检项目，那么关系表示为一项技术为另一项技术的基础，但二者并不为从属关系；再比如巡检项目需要的巡检内容，说明巡检项目包含着的一些巡检内容，实际上表示一种从属关系。

表 5-2　城市地下综合管廊运维数据集 SOMUUT 的标注类型和数目

概念	简写	数量
实体:巡检项目	PRO	1747
实体:巡检内容	CON	1810
实体:巡检方法	INS	207
实体:维护方法	MAI	253
实体:巡检周期	PER	91
关系:巡检子项目	Contain:PRO=>PRO	657
关系:巡检子内容	Contain:CON=>CON	59
关系:维护子方法	Contain:MAI=>MAI	5
关系:巡检子方法	Contain:INS=>INS	2
关系:巡检项目所需的巡检内容	Need:PRO=>CON	1486
关系:巡检内容所需的巡检内容	Need:CON=>CON	457
关系:巡检项目所需的维护方法	Need:PRO=>MAI	158
关系:巡检项目所需的巡检方法	Need:PRO=>INS	135
关系:巡检项目所需的巡检内容	Need:CON=>MAI	112
关系:巡检内容所需的巡检方法	Need:CON=>INS	101
关系:巡检内容所需的巡检周期	Need:CON=>PER	52
关系:维护方法所需的巡检内容	Need:MAI=>CON	45
关系:巡检项目所需的巡检周期	Need:PRO=>PER	38
关系:巡检方法所需的巡检内容	Need:INS=>CON	43
关系:巡检方法所需的巡检周期	Need:INS=>PER	22
关系:维护方法所需的巡检项目	Need:MAI=>PRO	20
关系:巡检方法所需的巡检方法	Need:INS=>INS	8
关系:维护方法所需的维护方法	Need:MAI=>MAI	8

续表

概念	简写	数量
关系:巡检项目所需的巡检项目	Need:PRO=>PRO	4
关系:维护方法所需的巡检周期	Need:MAI=>PER	2
关系:巡检方法所需的维护方法	Need:INS=>MAI	1

5.3.3 基于 GPBP 技术的综合管廊运维知识图谱构建与应用

(1) 实体关系标注方法

由于 SOMUUT 数据集的实体中存在较多边界模糊的实体表示，逐字标注方法边界识别能力较弱，此外，还有重叠关系，如果采用逐字标注也会导致标注稀疏的问题。因此，在设计知识抽取算法的时候，本案例采用了基于跨度（span-based）的表示方法[34]。数据集 SOMUUT 中的实体标注如图 5-9 所示。

	[C]	照	明	系	统	需	要	保	证	控	制	功	能	良	好	[S]
[C]																
照		0	0	0	1	0	0	0	0	0	0	0	0	0	0	
明		0	0	0	0	0	0	0	0	0	0	0	0	0	0	
系		0	0	0	0	0	0	0	0	0	0	0	0	0	0	
统		0	0	0	0	0	0	0	0	0	0	0	0	0	0	
需		0	0	0	0	0	0	0	0	0	0	0	0	0	0	
要		0	0	0	0	0	0	0	0	0	0	0	0	0	0	
保		0	0	0	0	0	0	0	0	0	0	0	0	0	0	
证		0	0	0	0	0	0	0	0	0	0	0	0	0	0	
控		0	0	0	0	0	0	0	0	0	0	0	2	0	0	
制		0	0	0	0	0	0	0	0	0	0	0	0	0	0	
功		0	0	0	0	0	0	0	0	0	0	0	0	0	0	
能		0	0	0	0	0	0	0	0	0	0	0	0	0	0	
良		0	0	0	0	0	0	0	0	0	0	0	0	0	0	
好		0	0	0	0	0	0	0	0	0	0	0	0	0	0	
[S]																

图 5-9 数据集 SOMUUT 的实体标注方法

设 $W=[w_1, w_2, \cdots, w_{l+2}]$ 为一条文本数据，l 表示句子长度。实体类别集合为 $T_{\text{entity}}=[e_1, e_2, \cdots e_{n_e}]$，主要关系类别集合为 $T_{\text{relation}}=[e_1, e_2, \cdots e_{n_r}]$，其中 n_e 和 n_r 分别表示实体类型和主要关系类型的数目。构建全零矩阵 $\boldsymbol{L}\in\boldsymbol{O}^{l\times l}$，对实体标注而言，设 w_i 表示某实体的首字，w_j 表示某实体的尾字，可以用实体头字和尾字对（w_i, w_j）表示一个实体，实体类型 $e_k\in T_{\text{entity}}$，$k<n_e$，则标注 $\boldsymbol{L}(i,j)=k$。

在实体标注过程中，因为实体的头字在尾字之前，可以隐藏掉标注矩阵的下三角矩阵，而标注关系时并不符合这个条件。对于关系三元组<主体，关系，客体>，设 w_i 表示主体的头字，w_j 表示客体的尾字，三元组中关系一般指的是细分关系，可以通过 $(e_{k_1}, e_{k_2}, e_{k_3})$ 来表示，其中 $e_{k_1} \in T_{\text{entiy}}, e_{k_2} \in T_{\text{relation}}, e_{k_3} \in T_{\text{entiy}}$，$k_1 \in [1, n_e]$，$k_2 \in [1, n_r]$，$k_3 \in [1, n_e]$。实体类别 e_{k_1} 和 e_{k_3} 都是在实体过程中表示，所以关系标注中只需要标注主要关系 e_{k_2}，即 $\boldsymbol{L}(i,j)=k_2$，通过这种方式得到的矩阵表示三元组中主体和客体的头字关系矩阵，同样可以通过这种方式标注出主体和客体的尾字关系矩阵。实际上，所有的标注矩阵都会通过独热编码的方式转换为新的标注矩阵 $\boldsymbol{L} \in \boldsymbol{R}^{l \times l \times n}$，矩阵中所有的元素都是 0 或 1，$n$ 表示关系数目。

（2）算法模型结构

全局指针（Global Pointer，GP）是一种优秀的命名实体抽取模型，GPLinker 是一种基于全局指针的实体和关系联合抽取方法[35]。受这些方法的启发，本案例将全局指针应用于流水线方法上，设计了基于全局指针流水线的知识抽取算法（Global Pointer Based Pipeline approach，GPBP），可以在数据集 SOMUUT 中表现出更好的性能[36]。GPBP 的模型结构如图 5-10 所示，首先，将一条城市地下综合管廊运维标准相关的句子的词向量编码作为模型输入，然后采用 BERT 预训练模型作为编码器来提取句子特征，解码器用来将文本特征矩阵转化为一个可以表征实体或关系的三维矩阵。整个计算过程中，本案例采用两个独立的编码器和三个独立的解码器来实现这个模型结构。其中，第一组编码器和解码器用来计算实体识别所需的实体表征矩阵，另外两个解码器共享来自于另一个编码器的句子特征来计算关系抽取所需要的头字关系矩阵和尾字关系矩阵，最终三个表征矩阵做推理运算完成＜主体，关系，客体＞三元组的抽取。

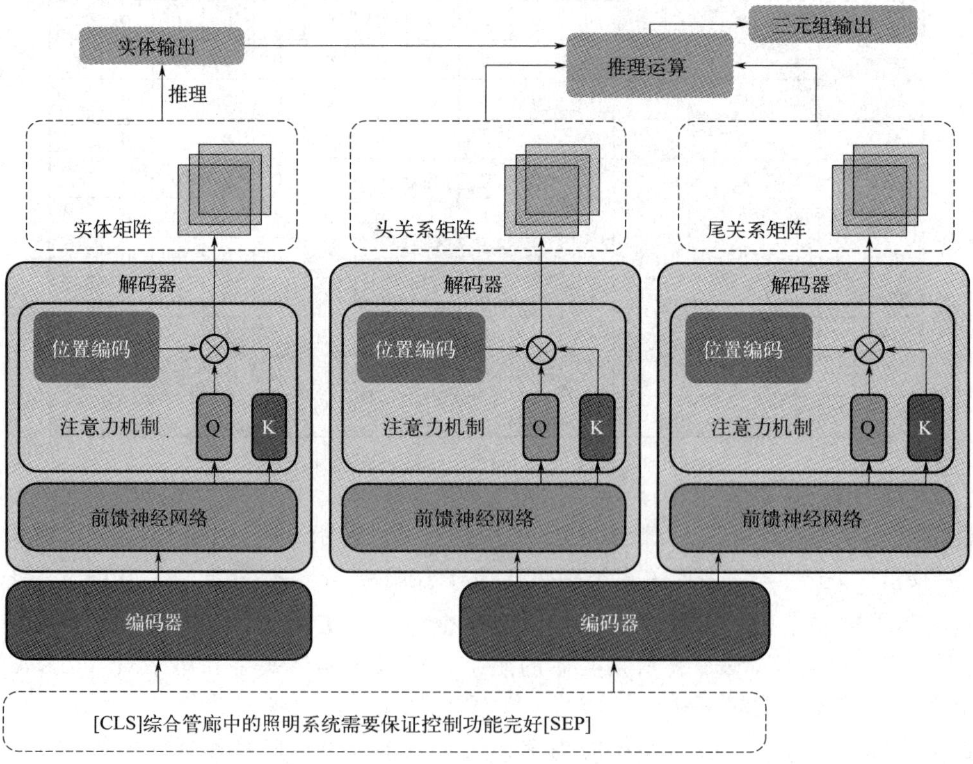

图 5-10　GPBP 算法的模型结构

BERT 通过对大量语料库文本进行训练，得到预训练模型，并应用于很多自然语言处理任务。本案例采用 BERT 作为预训练模型（BPM）。对于输入文本 $W=[w_1, w_2, \cdots, w_{l+2}]$，定义句子特征矩阵为 $\boldsymbol{H}_e$，$\boldsymbol{H}_r \in \mathbb{R}^{(l+2)\times h_1}$，$\boldsymbol{BPM}_e$ 和 $\boldsymbol{BPM}_r$ 分别表示命名实体抽取和关系抽取的预训练模型，h_1 表示 BERT 模型最后一个隐藏层中的参数。

$$\boldsymbol{H}_e=\boldsymbol{BPM}_e(w_1, w_2, \cdots w_{l+2}) \tag{5-7}$$

$$\boldsymbol{H}_r=\boldsymbol{BPM}_r(w_1, w_2, \cdots w_{l+2}) \tag{5-8}$$

然后，将 $\boldsymbol{H}_{e/r}$ 输入到两个独立的前馈神经网络之中，来获取两个特征矩阵 $\boldsymbol{Q}_t \in \mathbb{R}^{(l+2)\times h_2}$ 和 $\boldsymbol{K}_t \in \mathbb{R}^{(l+2)\times h_2}$，其中，$h_2$ 表示隐藏层的句子维度，t 表示命名实体抽取或者主要关系识别的分类序号。

$$\boldsymbol{Q}_t^{\mathrm{T}}=\boldsymbol{W}_1\boldsymbol{H}_{e/r}^{\mathrm{T}}+\boldsymbol{b}_1 \tag{5-9}$$

$$\boldsymbol{K}_t^{\mathrm{T}}=\boldsymbol{W}_2\boldsymbol{H}_{e/r}^{\mathrm{T}}+\boldsymbol{b}_2 \tag{5-10}$$

式中，$\boldsymbol{W}_{1/2} \in \mathbb{R}^{h_2\times h_1}$，$\boldsymbol{b}_{1/2} \in \mathbb{R}^{h_2}$ 表示可以训练的权重矩阵和偏置向量，它们在三个解码层中都是独立参数的，之后通过乘性注意力机制[28]计算得分矩阵 $\boldsymbol{S}_t \in \mathbb{R}^{(l+2)\times(l+2)}$：

$$\boldsymbol{S}_t=\boldsymbol{Q}_t\boldsymbol{K}_t^{\mathrm{T}} \tag{5-11}$$

Roformer 算法[37]将 ROPE 位置编码应用于实体表征，并融入到乘法注意力机制之中。定义位置编码矩阵 $\boldsymbol{R}_p$，得到一个新的得分矩阵计算结果 $\boldsymbol{S}_t$：

$$\boldsymbol{S}_t=\boldsymbol{Q}_t\boldsymbol{R}_p\boldsymbol{K}_t^{\mathrm{T}} \tag{5-12}$$

矩阵中的元素 $s_t(i,j)\in \boldsymbol{S}_t$ 表示 token pair(w_i, w_j) 在实体类别或主要关系类别 e_t 上的得分，其中 $i,j\in(0,l+2)$。全局指针提出一种在多分类问题上解决分类不均衡问题的损失函数：

$$\boldsymbol{L}=\lg\Big(1+\sum_{(i,j)\in P_t} \mathrm{e}^{-s_t(i,j)}\Big)+\lg\Big(1+\sum_{(i,j)\in Q_t} \mathrm{e}^{s_t(i,j)}\Big) \tag{5-13}$$

式中，$\boldsymbol{P}_t$ 和 $\boldsymbol{Q}_t$ 分别表示正样本和负样本，在推理运算中，如果 token pair 的得分满足条件 $s_t(i,j)>0$，则可以认为是正样本。

命名实体识别过程中，得分矩阵 $\boldsymbol{S}_{\text{entity}_{t1}}$ 和损失函数 $\boldsymbol{L}_{\text{entity}}$ 可以通过将特征矩阵 $\boldsymbol{H}_e$ 代入式(5-9)、式(5-10)、式(5-12)、式(5-13）计算出来。关系识别过程中，得分矩阵 $\boldsymbol{S}_{\text{head}_{t2}}$ 和 $\boldsymbol{S}_{\text{tail}_{t2}}$、损失函数 $\boldsymbol{L}_{\text{head}}$ 和 $\boldsymbol{L}_{\text{tail}}$ 可以通过将特征矩阵 $\boldsymbol{H}_r$ 代入以上公式计算得出。t_1 和 t_2 分别表示实体和主要关系的分类，关系识别的损失函数表示如下：

$$\boldsymbol{L}_{\text{relation}}=\boldsymbol{L}_{\text{head}}+\boldsymbol{L}_{\text{tail}} \tag{5-14}$$

最终采用矩阵 $\boldsymbol{S}_{\text{entity}_{t1}}$ 来计算命名实体识别的结果，采用 $\boldsymbol{S}_{\text{head}_{t2}}$ 和 $\boldsymbol{S}_{\text{tail}_{t2}}$ 以及实体识别的结果来推理出关系抽取的结果，这两个推理过程的实际计算步骤如下：

① 对一条文本 $\boldsymbol{W}=[w_1, w_2, \cdots, w_{l+2}]$，输入模型后运算得到得分矩阵 $\boldsymbol{S}_{\text{entity}_{t1}}$，$\boldsymbol{S}_{\text{head}_{t2}}$ 和 $\boldsymbol{S}_{\text{tail}_{t2}}$，其中 $t_1\in \boldsymbol{T}_{\text{entity}}$，$t_2\in \boldsymbol{T}_{\text{relation}}$。

② 首先通过查询得分矩阵中的元素 $s_{t_1}(i,j)\in \boldsymbol{S}_{\text{entity}_{t1}}$，如果满足 $s_{t_1}>0$，那么就将 $(w_i, w_{i+1}, \cdots, w_j)$ 放入到实体结果中，其中 $i,j\in(0,l+2)$，实体分类为 t_1，并将

(i,j,t_1) 保存到实体集合 SE 中。

③ 将 SE 复制到一个新的集合 OE，对集合中的元素 $e_s(i_s,j_s,t_s)\in SE, e_o(i_o,j_o,t_o)\in OE$，对 $s_{t_2}(i_s,j_s)\in \boldsymbol{S}_{\text{head}_{t2}}$，如果满足 $s_{t_2}>0$，取 s_{t_2} 最大值时对应的 t_2，并保存为 t_a；对 $s_{t_2}(i_o,j_o)\in \boldsymbol{S}_{\text{tail}_{t2}}$，如果满足 $s_{t_2}>0$，取 s_{t_2} 最大值时对应的 t_2，并保存为 t_b。当 t_a 与 t_b 相等时，那么就将 $((w_{i_s},w_{i_s+1},\cdots,w_{j_s}),(t_s,t_2,t_o),(w_{i_o},w_{i_o+1},\cdots,w_{j_o}))$ 保存到关系三元组结果中，其中 (t_s,t_2,t_o) 表示的是细分的关系类型。

（3）结果分析

本案例对比了 Multihead[17]、GRTE[19]、GPLinker[35]、GPBP 四种算法，其中 GPBP 指的是本案例的算法，即基于全局指针流水线的知识抽取方法，算法性能对比如表 5-3、表 5-4 所示，采用精确率、召回率和 F_1 得分来评估算法效果。

表 5-3 数据集 SOMUUT 上的命名实体抽取算法效果

方法	精确率	召回率	F_1 值
Multihead	62.7	69.6	66.0
GPLinker	**75.9**	65.7	70.4
GPBP	71.8	**77.5**	**74.6**

表 5-4 数据集 SOMUUT 上的关系抽取算法效果

方法	精确率	召回率	F_1 值
Multihead	52.5	46.2	49.2
GRTE	63.1	**62.1**	62.6
GPLinker	61.4	54.7	57.9
GPBP	**70.8**	57.5	**63.4**

精确率（Precision）衡量识别出的实体属于正确认知的实体的比例，召回率（Recall）衡量识别出的实体在所有实体集当中的比例，计算如下：

$$Precision=\frac{TP}{TP+FP}$$
$$Recall=\frac{TP}{TP+FN} \tag{5-15}$$

式中，TP 表示真阳性（识别出的实体）的数据量，FP 表示假阳性（识别为实体，实际上并非实体）的数据量，FN 表示假阴性（未识别为实体，实际为实体）的数据量。

F_1 得分为精确率和召回率的调和平均数，综合考虑了两者，计算如下：

$$F_{1score}=\frac{2TP}{2TP+FP+FN} \tag{5-16}$$

GPBP 在命名实体识别和关系抽取任务中的 F_1 值最高，取得了最好的表现效果，主要原因如下。

① 在数据标注方面，目前主流算法一般都是对细分的关系进行标注。城市地下综合管廊运维数据集有 21 种细分关系类型，每个类别中三元组数量存在显著差异，导致了严重的类别不均衡问题。GPBP 只预测两个主要关系，并基于实体类别推断细分关系，可以大大缓解上述问题。

② 与 GPLinker 相比，GPBP 主要优势是使用了两个独立的模型结构。当将全局指针应用于命名实体识别和关系抽取任务时，这两个任务之间存在一定的相似性，但在句子特征提取的要求上却存在一些差异。采用两个编码器和独立的训练过程，使两个神经网络能够在相应的任务中获得更好的性能。

（4）知识图谱构建与应用

本案例将知识抽取算法应用于某城市地下综合管廊运维知识图谱的构建。首先，需要整理与本项目相关的运维数据，如某地下综合管廊标准与相关施工单位的维护手册，总体而言，收集的数据可以分为结构化数据集和非结构化数据集。接下来，可以先使用结构化数据来初步构建知识图谱，然后采用知识抽取算法完成文本数据的命名实体识别和关系抽取，以此方式提取的三元组用来扩展原本的知识图谱。最后，为了实现有效使用知识图谱，一般需要将其存储起来，以便于后续可能开展的知识图谱信息检索，本案例采用 Neo4j 图数据库的方式对知识图谱进行存储。

某城市地下综合管廊运维知识图谱在 Neo4j 图数据库的信息界面如图 5-11 所示，其中包含的节点有系统、巡检项目、内容、巡检周期、巡检方法、维护方法共六大类，节点数量共 791 个，主要关系类型包括内容、子内容、巡查项目、巡查子项目、巡检周期、巡检方法、维护方法共七大类，关系数量共 1407 个。

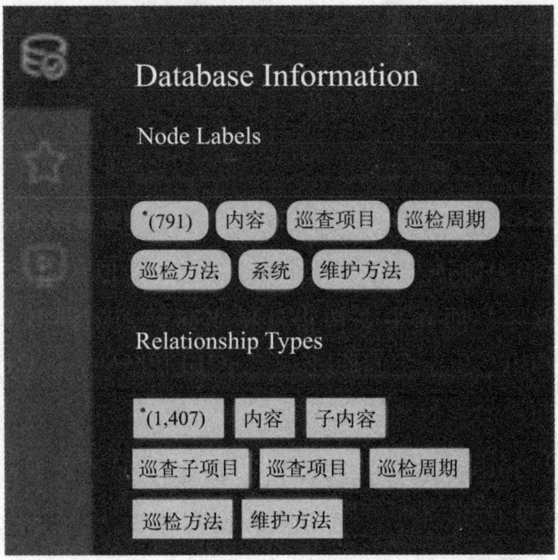

图 5-11　某城市地下综合管廊运维知识图谱在 Neo4j 图数据库的信息界面

将图谱存储于 Neo4j 图数据库中可以进行初步的可视化，某城市地下综合管廊知识图谱的可视化结果如图 5-12 所示。图谱中不同颜色的节点代表了不同类型的实体，节点之间的连线上标明了节点之间的关系，通过图谱的可视化可以对全局的知识信息有一个整体

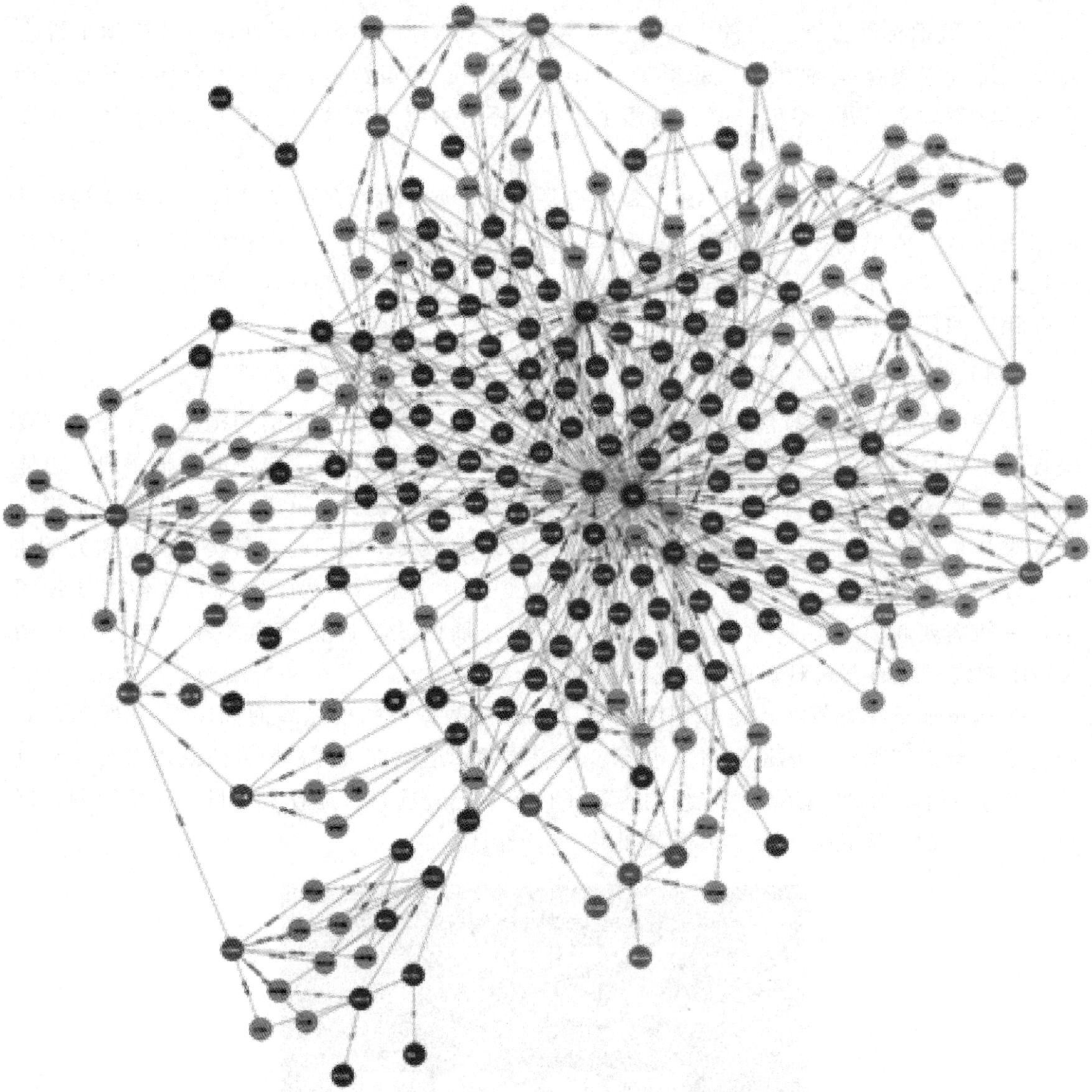

图 5-12　某城市地下综合管廊运维知识图谱在 Neo4j 图数据库的可视化结果

的把握。

利用构建好的某城市地下综合管廊运维知识图谱，可以实现相关运维知识的有效检索。如需要对综合管廊开展消防巡查工作，希望了解管廊内消防相关信息，可以利用 Neo4j 数据库的 Cypher 查询语句检索关键词“消防”的一阶邻域信息，会展示出相关的维护信息，可以得知消防巡查的项目，如图 5-13 所示。

管廊运维过程中搜索某一缺陷的检测方法和检测对象等相关信息是非常重要的，方便缺陷的统一排查，而对于维护手册而言搜索这类信息十分不方便，而如果采用知识图谱来搜索则可以迅速获取相关信息，如用户希望得知渗漏相关缺陷的排查对象和解决方案时，可以搜索关键词“渗漏”，得到的检索结果如图 5-14 所示，可以得知管廊中需要检测渗漏的对象有变形缝、预留孔、结构、泵机连接管道和机座，而且对应的巡检周期和巡检方法也在图中展示了出来。

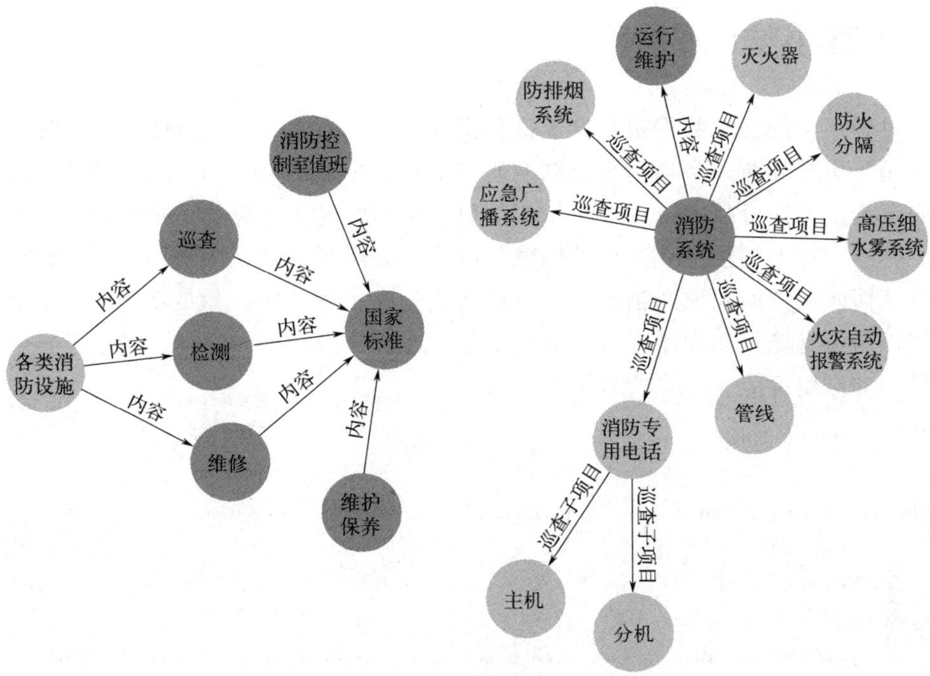

图 5-13　关键词“消防”的检索结果

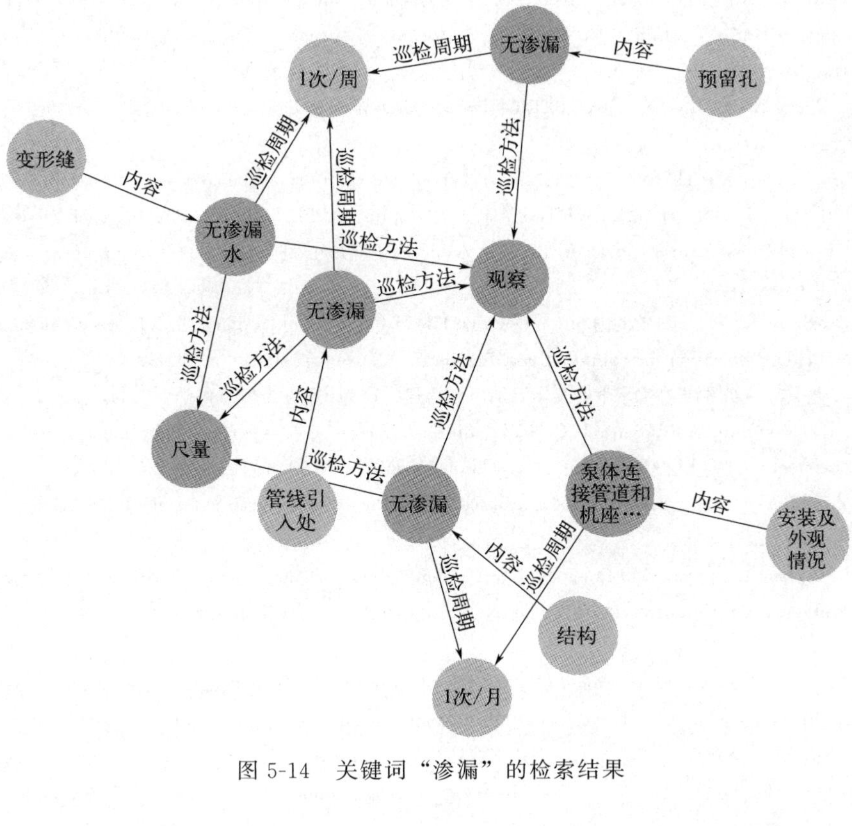

图 5-14　关键词“渗漏”的检索结果

5.4 本章小结

工业过程产生的文本数据蕴含着丰富的潜在信息，如何有效挖掘这些非结构化数据，并将其应用于生产环节，是当前智能制造研究的热点问题。为从文本当中提取有用特征，本章首先讨论了词向量技术，详细介绍了如何将文本转化为计算机可理解的数值表示。在此基础上，本章重点关注知识图谱的构建与应用，介绍了从知识图谱构建，到知识图谱推理，最终到面向用户的知识图谱问答。通过构建包含实体、属性和关系的知识图谱，实现对工业知识的深度挖掘和利用。最后以城市地下综合管廊运维为案例，展示了知识图谱在实际场景中的应用价值。

参考文献

[1] Mikolov T，Chen K，Corrado G，et al. Efficient estimation of word representations in vector space [J]. ArXiv，2013.

[2] Bengio Y，Réjean D，Vincent P，et al. A neural probabilistic language model. [J]. Journal of Machine Learning Research，2003.

[3] Pennington J，Socher R，Manning C. Glove：Global vectors for word representation [C]//Proceedings of the 2014 Conference on Empirical Methods in Natural Language Processing (EMNLP). Doha，Qatar. Stroudsburg，PA，USA：ACL，2014：1532-1543.

[4] Peters M，Neumann M，Iyyer M，et al. Deep contextualized word representations [C]//Proceedings of the 2018 Conference of the North American Chapter Ofthe Association for Computational Linguistics：Human Language Technologies，Volume 1 (Long Papers). New Orleans，Louisiana. Stroudsburg，PA，USA：ACL，2018：2227-2237.

[5] Devlin J，Chang M W，Lee K，et al. BERT：Pre-training of deep bidirectional transformers for language understanding [J]. ArXiv，2019.

[6] Vaswani A. Attention is all you need [J]. Advances in Neural Information Processing Systems，2017.

[7] Liu Y，Ott M，Goyal N，et al. RoBERTa：A robustly optimized BERT pretraining approach [J]. ArXiv，2019.

[8] Lan Z，Chen M，Goodman S，et al. ALBERT：A lite BERT for self-supervised learning of language representations [J]. ArXiv，2019.

[9] Zhou G D，Su J. Named entity recognition using an HMM-based chunk tagger [C]//Proceedings of the 40th annual meeting of the association for computational linguistics. 2002：473-480.

[10] 丁建平，李卫军，刘雪洋，等. 命名实体识别研究综述 [J]. 计算机工程与科学，2024，46 (07)：1296-1310.

[11] Lafferty J，Mccallum A，Pereira F C N. Conditional random fields：probabilistic models for segmenting and labeling sequence data [C]//Proc. 18th International Conf. on Machine Learning. 2001.

[12] Lipton Z C，Berkowitz J，Elkan C. A Critical Review of Recurrent Neural Networks for Sequence Learning [J]. Computer Science，2015.

[13] Cheng J P，Dong L，Lapata M. Long short-term memory-networks for machine reading [C]//Proceedings of the 2016 Conference on Empirical Methods in NaturalLanguage Processing. Austin，Texas. Stroudsburg，PA，USA：ACL，2016：551-561.

[14] Huang Z，Xu W，Yu K. Bidirectional LSTM-CRF Models for Sequence Tagging [J]. Computer Science，2015.

[15] AMIT S. Introducing the knowledge graph [R]. America：Official Blog of Google，2012.

[16] 徐增林，盛泳潘，贺丽荣，等. 知识图谱技术综述 [J]. 电子科技大学学报，2016，45 (4)：589-606.

[17] Bekoulis G，Deleu J，Demeester T，et al. Joint entity recognition and relation extraction as a multi-head selection

problem [J]. Expert Systems with Applications, 2018, 114: 34-45.

[18] Wang Y, Yu B, Zhang Y, et al. TPLinker: Single-stage joint extraction of entities and relations through token pair linking [J]. 2020.

[19] Ren F, Zhang L, Yin S, et al. A novel global feature-oriented relational triple extraction model based on table filling [J]. Association for Computational Linguistics, 2021.

[20] Schoenmackers S, Etzioni O, Weld D S, et al. Learning first-order Horn clauses from web text [C]//Proceedings of the 2010 Conference on Empirical Methods in Natural Language Processing. New York: ACM, 2010: 1088-1098.

[21] Bordes A, Usunier N, Garcia-Duran A, et al. Translating embeddings for modeling multi-relational data [J]. Advances in neural information processing systems, 2013, 26.

[22] Nickel M, Tresp V, Kriegel H P. A three-way model for collective learning on multi-relational data [C]//Proceedings of the 28th International Conference on Machine Learning (ICML-11). Omnipress, 2011.

[23] Yang B, Yih W T, He X, et al. Embedding entities and relations for learning and inference in knowledge bases [J]. ArXiv, 2014.

[24] Lao N, Cohen W W. Relational retrieval using a combination ofpath-constrained random walks [J]. Machine Learning, 2010, 81 (1): 53-67..

[25] Xiong W, Hoang T, Wang W Y. Deeppath: A reinforcement learning method for knowledge graph reasoning [J]. ArXiv, 2017.

[26] Das R, Dhuliawala S, Zaheer M, et al. Go for a walk and arrive at the answer: Reasoning over paths in knowledge bases using reinforcement learning [J]. ArXiv, 2017.

[27] Ye X, Yavuz S, Hashimoto K, et al. Rng-kbqa: Generation augmented iterative ranking for knowledge base question answering [J]. ArXiv, 2021.

[28] Luo H, Tang Z, Peng S, et al. Chatkbqa: A generate-then-retrieve framework for knowledge base question answering with fine-tuned large language models [J]. ArXiv, 2023.

[29] Zhang J, Zhang X, Yu J, et al. Subgraph retrieval enhanced model for multi-hop knowledge base question answering [J]. ArXiv, 2022.

[30] Yasunaga M, Ren H, Bosselut A, et al. QA-GNN: Reasoning with language models and knowledge graphs for question answering [J]. ArXiv, 2021.

[31] Yasunaga M, Bosselut A, Ren H, et al. Deep bidirectional language-knowledge graph pretraining [J]. Advances in Neural Information Processing Systems, 2022, 35: 37309-37323.

[32] 杨远，王尉军，苟华新，等．城市地下综合管廊管线的数据采集及故障诊断研究 [J]. 粘接，2020，47 (6)：184-188.

[33] 李新琴，史天运，李平，等．基于文本的高速铁路信号设备故障知识抽取方法研究 [J]. 铁道学报，2021，43 (03)：92-100.

[34] Luan Y, Wadden D, He L, et al. A general framework for information extraction using dynamic span graphs [J]. ArXiv, 2019.

[35] Su J, Murtadha A, Pan S, et al. and Liu, Y. Global Pointer: Novel Efficient Span-based Appr ArXiv, 2022.

[36] Chen J Y, Qian J C, Zhang X M, et al. GPBP: Pipeline extraction of entities and relations for construction of urban utility tunnel knowledge graph [C]//Proceedings of CAA Symposium on Fault Detection, Supervision and Safety for Technical Processes (SAFEPROCESS). September 22-24, 2023, Yibin, China. Piscataway, NJ: IEEE, 2023: 1-6.

[37] Su J L, Ahmed M, Lu Y, et al. RoFormer: Enhanced transformer with rotary position embedding [J]. Neurocomputing, 2024, 568: 127063.

第6章

工业多源异构数据建模分析方法

6.1 工业多源异构数据概述

随着现代信息技术和网络技术的快速发展，数据的来源日益广泛，数据的类型也迅速增加。在工业领域，传统传感器（如温度计、流量计、压力传感器等）与新兴监测设备（如热像仪、摄像头等）的配合使用使得采集到的各类数据均具有不同的来源和表示形式。传统的数据大多是以二维表格的形式存储，例如温度、流量、压力等常规传感器数据；而现代工业系统中还存在着大量异构数据，例如工业摄像头捕获的图像数据或视频数据，设备运行过程中产生的机械噪声、声音警报等声音数据，振动传感器捕获的振动数据，记录系统运行状态的事件日志数据等[1]，其中每种数据都具有不同的表示、分布、规模和密度。我们将这些多样化的数据称为工业多源异构数据，其具有以下主要特征。

① 数据结构异构性：包括结构化数据（如关系数据）、半结构化数据（如XML文档）和非结构化数据（如文本、图像、音频和视频数据）。不同结构的数据表示形式也不同，例如，文本通常表示为离散的稀疏词向量，而图像则由像素特征表示，这些特征是实值且密集的。

② 数据来源多样性：数据可能来自传感器、工业设备、生产线、质检系统、企业管理系统等不同来源。每个数据源都从不同角度描述了对象或事件，提供了互补的信息。

③ 数据规模和增长速度不一：不同来源的数据在体量和产生速度上存在显著差异。有些数据源可能产生持续的高频数据流，而其他数据源则可能是低频率或离散式的数据采集。

对多个不同但潜在相关的数据集进行融合分析是大数据研究中的重要课题，具有以下重要价值。

① 信息互补性：不同来源的数据从不同维度描述了同一对象或过程，通过融合分析可以获得更全面的认知[2]。例如，在设备故障诊断中，结合设备运行参数、振动数据、温度数据和维护记录可以更准确地判断故障原因。

② 数据质量提升：基于多源异构数据互补特性，可以提高数据的可靠性和准确性。例如，某些数据源的缺失或噪声可以通过其他相关数据源的信息来修正或补充。

③ 知识发现：通过对多源异构数据进行融合分析，可以发现单一数据源难以识别的模式和规律。通过挖掘数据源之间的关联关系，可以产生新的知识[3]。

同时需要注意的是，简单地将来自不同数据源的特征进行拼接或等同对待往往无法取得良好的效果，这是因为以下几个方面原因。

① 不同数据源的特征具有不同的表示方式和尺度。

② 特征之间可能存在冗余和依赖关系。

③ 数据源的质量和可靠性各不相同。

因此，需要采用先进的数据融合技术，充分考虑数据源的特点和关联，才能真正发挥多源异构数据的价值。

6.2 工业多源异构数据建模方法

在工业环境中，不同设备、系统和应用产生大量多源异构数据，采用合适的数据融合建模方法有效地融合和利用这些数据对提升工业生产效率、实现智能决策具有重要意义。多源信息融合技术最早在二十世纪七十年代开始被应用于军事领域，且随着社会的发展，逐渐在现代军事、民生、工业、交通、金融等场景下得到了广泛的应用[4]。在工业过程中，通过对多传感器信息进行综合处理，利用信息关联、信息融合、滤波等方法消除异构数据间的语义鸿沟，融合多种数据进行相关性分析，在利用它们之间的互补性的同时消除其冗余性，能够获得更多有价值的信息。

多源异构数据融合方法有多种分类准则。按照融合层次的不同，可分为数据级融合、特征级融合和决策级融合[5]。如图 6-1 所示，数据级融合是指通过数据采集和预处理，将所有数据源进行转换、清洗并集成为融合数据进行存储；它是最低层次的融合，直接对原始数据进行处理，信息损失较少，但融合的局限性较大，仅适用于同类传感器的原始数据融合，计算量较大且实时性较差；代表方法有加权平均法、数理统计法、卡尔曼滤波法等。特征级融合是从原始数据中提取特征，然后将提取到的特征进行综合分析处理，形成融合特征；它是中间层次的融合，从原始数据中提取特征，减少数据量的同时提高了实时性，但特征提取导致的信息损失会带来数据精度的下降；代表方法包括模糊推理法、神经网络法、产生式规则法等。决策级融合则是对不同来源的数据分别单独处理，主要是经过预处理、特征提取和判别这几步并得到初步结论，然后基于一定准则进行决策融合，从而得到联合推理结果；它是最高层次的融合，可以融合不同类型的数据，计算量小，但是处理成本较高，且丢失了大量原始数据中的细节信息；决策级融合包括贝叶斯概率推理法和 D-S 证据推理法等[6]。

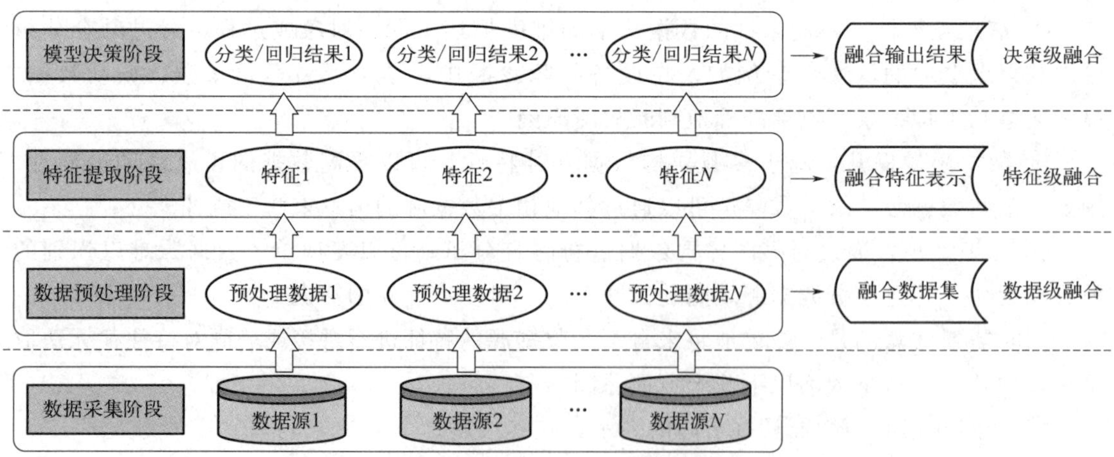

图 6-1　数据-特征-决策级融合

尽管按融合层次分类能够有效地从处理深度和数据量的角度对数据融合方法进行区分，但这只是数据融合领域中的一种分类方式。实际上，除了融合层次之外，数据融合的方法还可以根据其他准则进行细分。接下来，我们将基于融合策略的不同，将工业多源异构数据融合方法分为三大类——基于阶段的融合方法、基于特征的融合方法和基于语义的融合方法，并在本节剩余部分详细介绍这些方法的原理、特点及相关应用。

6.2.1 基于阶段的数据融合方法

在实际中有一些数据挖掘任务是多个目标复合的，为解决不同目标往往需要不同来源的数据，将不同目标任务看作不同阶段，解决总的任务需要使用基于阶段的数据融合方法。以进行城市交通异常检测为例[7]，这一任务需要检测交通异常位置并给出异常原因分析。这一工作首先利用 GPS 轨迹数据和路网数据检测可能存在交通异常的位置，然后识别与这些位置相关的社交媒体信息（如发布在社交平台上的信息），基于检索到的社交媒体信息，进一步挖掘代表性术语（例如在正常日子几乎不出现但在异常发生时变得频繁的“庆典”和“灾难”）分析获取引起交通异常的具体事件内容。在整个过程中分为交通异常位置点的检测和交通异常原因分析两个阶段，在每个阶段分别利用各自的多源异构数据进行分析，第一阶段的分析结果缩小了需要检查的社交媒体范围，而第二阶段则丰富了第一阶段检测结果的语义含义，但不同的数据集之间并不存在直接交互关系。

从案例中容易看到，基于阶段的数据融合方法使用的不同数据源之间的关联较为松散，对数据的结构和模态也没有统一的要求[8]。每个阶段都专注于特定的任务目标，选择最适合该任务的数据源进行处理。不同阶段之间通过数据流或控制流进行连接，形成完整的分析流程。其主要特点如下。

① 数据源之间保持相对独立，降低了异构数据直接融合的难度。

② 每个阶段可以采用最适合的处理方法，提高处理效率。

③ 整个分析流程具有较好的可解释性和可维护性。

基于阶段的融合方法的主要优点是实现简单、灵活性与可解释性强，可以根据不同阶段的任务目标选择合适的数据源，每个阶段的处理过程和结果都具有明确的业务含义；且易于添加新的数据源和对应的处理模块，系统的可扩展性好。然而，这种方法也存在一些局限性，即各阶段的数据处理相对独立，难以发现数据源之间的潜在关联关系与互补关系并加以利用，实际上并没有从根本上解决多源异构数据之间的语义鸿沟问题，也没有实现真正意义上的数据融合。

6.2.2 基于特征的数据融合方法

基于特征的融合方法在数据处理的中间层次进行融合，通过提取和组合不同数据源的特征来实现异构数据的统一表示和分析。根据特征融合的策略不同，可以分为直接拼接特征和基于深度神经网络的特征融合两种方法。下面对这两类方法作详细阐述。

（1）直接拼接特征

早期的特征融合方法非常简单。首先，分别从各个数据源提取特征，然后将不同来源的特征按顺序拼接为一个统一的特征向量，再将这个融合后的特征向量用于后续的分析任务。然而，由于多源特征的表示、分布和尺度不一致，直接拼接的特征融合方式存在较多的局限性，效果往往并不理想。首先，在训练样本较小的情况下，这种拼接一方面会导致过拟合，另一方面也忽略了每个视图的特定统计属性[9]。其次，很难发现存在于不同模态的低层次特征之间的高度非线性关系[10]。另外，这种特征融合方法还忽视了多源异构信息特征之间的冗余性，对此，可以在目标函数中添加稀疏正则化项[11]，从而为冗余的特征分配一个接近于零的权重以消除其影响。

（2）基于深度神经网络的特征融合

近年来，深度神经网络（Deep Neural Networks，DNN）在特征学习和提取方面取得了显著成果，也为多源异构特征的融合提供了新的思路。相比传统神经网络，深度神经网络具有更强的特征抽象能力，能够自动学习多层次的特征表示，并且支持端到端的学习。从以多层感知机（MLP）为代表的前馈神经网络到其他反馈神经网络，如受限玻尔兹曼机（Restricted Boltzmann Machines，RBM）、深度玻尔兹曼机（Deep Boltzmann Machines，DBM）、卷积神经网络（CNN），深度学习在特征学习性能上具有越来越多的优势，基于DNN的多源异构特征融合的研究和应用也越来越广泛，且基于模型结构与连接顺序的不同，融合方式也不尽相同。以下是一些基于深度神经网络进行特征融合的经典案例。

① 深度自编码器　Ngiam等人[12]提出了一种深度自编码器架构来处理多模态数据，该方法旨在通过对多个输入模态（如音频和视频）进行联合建模来学习更具表征能力的特征，如图6-2所示。首先，使用预训练的RBM单独对音频和视频数据进行特征提取，然后将这些单模态的特征表示堆叠起来，形成一个更深层的多模态特征提取网络。这种逐层贪婪训练的方式可以帮助模型发现跨模态的相关性。与仅使用单一模态特征相比，这种多模态深度自编码器在音视频分类任务中取得了更好的性能，不仅提升了在单一模态下的性能，还能学习到一种跨模态通用的特征表示。这为多模态融合以及跨模态应用带来了新的可能性。

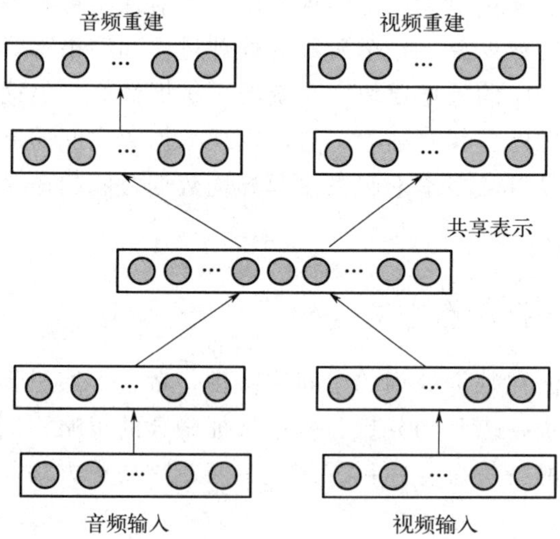

图6-2　双模态深度自编码器示意图

② 深度玻尔兹曼机　Srivastava等人在文献［10］中提出了一种使用DBM进行多模态学习的方法。DBM模型包含多个互连的隐藏层，能够自底向上和自顶向下双向地传播信息，如图6-3所示。在模型构建过程中，首先对每种模态单独预训练一个两层的DBM，

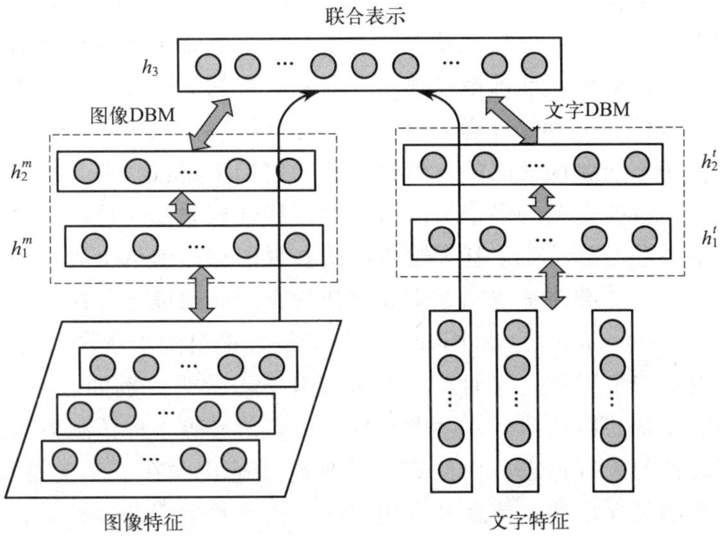

图 6-3 双模态深度玻尔兹曼机示意图

分别用于建模图像和文本数据。然后在顶层添加一个联合层，通过一种无监督的方式在所有层上进行联合训练，以学习跨模态的表征。其在图像-文本和视频-音频两种多模态数据集上进行了实验，结果显示 DBM 在分类和检索任务上都优于其他深度模型，如深度置信网络和降噪自编码器等。此外，即使在测试时缺失某些模态，DBM 也能通过生成缺失部分来有效地执行任务，展现了其良好的泛化能力。该研究提出的通用学习框架可以充分利用不同模态之间的互补性，从而学习到更丰富的特征，在多源异构特征融合应用中显示出优越的性能。

深度学习方法具有较强的特征抽象和泛化能力，可以学习到非线性的、层次化的特征表示。基于 DNN 的特征融合方法相较简单的直接拼接能够更好地捕捉不同模态之间复杂的相关性和潜在的关联模式，发掘高阶的交互信息。但在实践中，融合性能很大程度上依赖于网络参数的调优，这通常是一个耗时且依赖经验的过程。同时，由于深度神经网络的"黑盒"特性，其学习到的特征表示往往缺乏可解释性。

6.2.3 基于语义的数据融合方法

基于特征的融合方法只将特征视为实值数或分类值，并不关心每个特征的具体含义。与上述方法不同，基于语义的融合方法理解每个数据集的内在涵义以及来源于不同数据集的特征之间的关系。也就是说，我们知道每个数据集代表什么，为什么不同的数据集可以融合，以及它们如何相互增强彼此。当数据融合的过程具有了语义意义，它就是可解释的和有意义的[13]。本节将介绍四种基于语义的多源异构数据融合方法，分别是基于多视图的方法、基于相似度的方法和基于概率依赖的方法。

（1）基于多视图的方法

关于一个对象的不同来源的数据集或不同的特征子集可以被视为描述该对象的不同视图。例如，面部、指纹或签名作为标识信息虽然有着不同的来源，但它们都可以用来识别一个人；颜色和纹理特征虽然是不同的特征子集，但它们分别从不同的角度展现了同一幅图像。由于这些多源异构数据集描述的对象是相同的，因此它们之间存在一个潜在的共识；同时这些数据集彼此之间也是互补的，每个视图都包含了其他视图所没有的知识。因此，结合多个视图可以全面、准确地描述一个对象。根据文献［7］，多视图学习算法又可以分为协同训练、多核学习和子空间学习三类。协同训练算法[14] 通过交替训练两个模型，以最大化它们对不同数据视图的一致性预测为目标来进行学习。多核学习算法[15] 则利用能自然对应不同数据视图的多个核函数，通过线性或非线性地组合这些核函数来提高学习性能。而子空间学习算法[16] 基于输入的所有视图都源于某个潜在子空间的前提去寻找这一由多个视图共享的潜在子空间。下面将依次详细介绍以上算法。

① 协同训练（Co-training） 协同训练[14] 是最早提出的多视图学习方法之一，其核心思想是利用数据的多个视角之间的互补性来提升学习效果。例如，在设备故障诊断中，我们可以同时获取设备的振动信号、温度数据、声音信号等多种传感器数据，这些数据从不同角度反映了设备的运行状态。协同训练的理论基础建立在三个关键假设之上：a. 充分性，即每个视角都包含足够的信息可以用于学习任务并达到基准性能；b. 条件独立性，即在给定类标签的情况下，不同视角是条件独立的，从而确保了不同视角能够提供互补的信息；c. 一致性，即不同视角对同一个样本的预测结果应该是一致的，以便利用一个视角的高置信度预测来增强另一个视角的学习。实际应用中，协同训练包含以下几个关键步骤：a. 对每个视角的数据分别构建合适的特征表示；b. 使用少量带标签的数据在每个视角上训练初始分类器；c. 让每个视角的分类器独立地对未标注数据进行预测，并选择其中预测置信度最高的样本。这些高置信度样本及其预测标签将被添加到训练集中，用于下一轮的模型训练。随着研究的深入，研究者们还提出了一些协同训练的改进版本以适应不同的应用场景。如 Co-EM 算法[17] 将期望最大化（Expectation Maximization，EM）算法引入协同训练框架，不再直接分配硬标签，而是通过概率估计来处理未标注数据。这种软标签方式能够更好地处理不确定性，提高算法的鲁棒性。

在工业实践中，协同训练已经在多个领域展现出良好的应用价值。在设备故障诊断中，通过协同训练可以同时利用多种传感器数据，不仅提高了诊断准确率，还增强了模型的泛化能力。在产品质量预测中，协同训练可以有效融合工艺参数、材料属性、环境条件等多个视角的信息，实现更准确的质量预测。在预测性维护中，协同训练可以结合设备运行数据、维护记录、检测报告等多源信息，提前预警潜在的设备故障。另一方面，它也存在一些局限性。首先，条件独立性假设在实际应用中往往难以严格满足，不同视角之间可能存在相关性。其次，如果某个视角的初始分类器性能较差，可能会导致错误标签的传播，影响整体性能。再次，在处理高维特征时，可能面临维数灾难的问题。针对上述问题的改进方案，如放宽独立性假设、引入正则化约束、结合降维技术等，都有助于让协同训练更适合实际应用需求。

② 多核学习（Multi-Kernel Learning，MKL） 多核学习[15] 是一种用于机器学习领域的重要方法，通过学习多个核函数的最优组合来提升模型性能。如图 6-4 所示，作为多视图学习的一种，多核学习为每个视图设计一个对应的核函数，并通过学习最优的核组合权重，将多源信息进行有机融合。核函数的作用是将低维特征映射到高维空间，以捕捉非线性特征关系，而多核学习则进一步通过多个核函数的组合增强了这一能力。在多核学习的实现过程中，首先预定义核函数集$\{K_1, K_2, \cdots, K_m\}$。每个核函数代表一种视图或特征

子集的相似性度量，学习的目标是通过优化得到一个组合核 $K=f(K_1,K_2,\cdots,K_m)$。这里的组合方式主要包括三类：a. 线性组合，即 $K=\sum_{i=1}^{m}\beta_i K_i$，其中 β_i 为权重系数；b. 非线性组合，使用非线性函数，如乘法、幂次或指数组合[18]；c. 数据依赖型组合，能够为每个数据实例分配特定的核权重，从而识别数据中的局部分布，并为每个区域学习合适的核组合规则[15]。优化过程旨在寻找最优的核权重组合，从而最大化学习性能。这一联合优化任务主要有两类训练方法：a. 一步法，通过一次性计算组合函数和基础学习器的参数，采用顺序或同时学习的方式，在顺序方法中，首先确定组合函数参数，然后利用组合后的核训练一个基于核的学习器，在同时方法中，两组参数一同学习；b. 两步法，采用迭代方式，每次迭代首先更新组合函数的参数，同时固定基础学习器的参数，然后更新基础学习器的参数，同时固定组合函数的参数，这两个步骤重复进行，直到收敛。

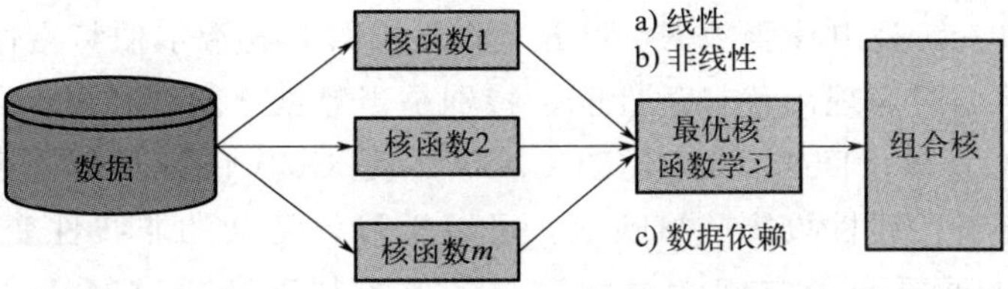

图 6-4　多核学习过程

与传统多视图学习方法相比，多核学习具有以下显著优势：a. 能够同时利用多种核函数，显式地表示不同视图之间的异同点，从而更好地捕捉视图间的互补信息；b. 可以通过核权重的优化过程实现核函数的自动选择，减少人为主观因素对融合效果的影响；c. 支持线性与非线性核组合，能够适应复杂的数据分布，使其在多源异构数据场景下表现优异。不过，多核学习在实际应用中仍面临一些挑战。例如，计算复杂性是多核学习的主要瓶颈。该优化过程涉及非凸问题，计算开销较大，尤其在核函数数量较多或数据规模较大的情况下。另外，核函数的选择对设计者有一定的要求，如果核函数设计不合理，可能会对模型性能产生负面影响。

③ 子空间学习（Subspace Learning）　子空间学习[16] 是多视图学习中的另一种重要方法，如图 6-5 所示，它旨在通过寻找一个共享的低维子空间，将来自多个视图的数据映射到该子空间中，更好地对齐和整合各视图的特征，从而实现不同视图数据的有效融合，并获得更丰富、更具有判别性的表示以执行后续的判别、分析任务。在工业场景中，大量存在需要融合多源异构数据的情况，例如在智能制造过程中，需要同时处理工艺参数、传感器数据、质量检测数据等多种类型的数据。子空间学习通过构建统一的特征表示空间，为这类问题提供了有效的解决方案。

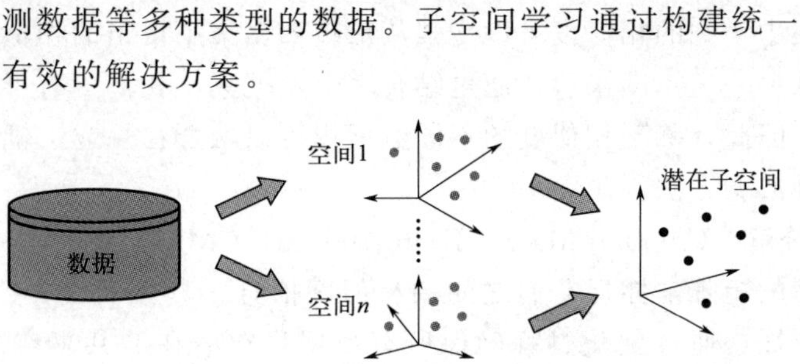

图 6-5　子空间学习过程

典型相关分析（Canonical Correlation Analysis，CCA）[19] 是最基础的子空间学习方法。给定两个视角的数据集 $X \in R^{d_1 \times n}$ 和 $Y \in R^{d_2 \times n}$，CCA 的目标是找到两组投影向量 $\boldsymbol{\omega}_x$ 和 $\boldsymbol{\omega}_y$，使得投影后的数据具有最大的相关性，优化问题可表示为下式：

$$\begin{aligned} \max_{\omega_x,\omega_y} \rho &= \operatorname{corr}(\boldsymbol{\omega}_x^{\mathrm{T}} X, \boldsymbol{\omega}_y^{\mathrm{T}} Y) \\ \text{s. t. } \operatorname{var}(\boldsymbol{\omega}_x^{\mathrm{T}} X) &= \operatorname{var}(\boldsymbol{\omega}_y^{\mathrm{T}} Y) = 1 \end{aligned} \tag{6-1}$$

这个优化问题可以转化为特征值问题进行求解。

为了处理数据的非线性关系，核化典型相关分析（Kernel CCA，KCCA）[20] 将原始数据通过核函数映射到高维特征空间，然后在该空间中执行线性 CCA。KCCA 的优化目标式表示如下：

$$\max_{f \in \mathcal{F}_K^1, g \in \mathcal{H}_K^2} \rho = \operatorname{corr}(f(X), g(Y)) \tag{6-2}$$

式中，$\mathcal{H}_K^1$ 和 $\mathcal{H}_K^2$ 是由核函数 K_1 和 K_2 定义的再生核希尔伯特空间。KCCA 在处理复杂的工业过程数据时表现出优异的性能，特别是当数据之间存在复杂的非线性关系时。

深度典型相关分析（Deep CCA，DCCA）[21] 是 CCA 的深度学习扩展版本。DCCA 使用深度神经网络替代线性投影或核映射，可以学习更复杂的非线性变换。除了 CCA 及其变体，还有其他重要的子空间学习方法。多视图判别分析（Multi-view Discriminant Analysis，MvDA）[22] 在 CCA 的基础上引入类别信息，同时优化类间可分性和视图间一致性。它的目标函数包含最大化类间散度、最小化类内散度和最大化视图间相关性三项。

作为一种多视图学习方法，子空间学习能够通过降维有效地减少特征空间的维度，从而降低计算复杂度，特别适用于高维数据的处理。通过在共享子空间中进行学习，能够从不同视图中提取出共同的结构信息，这对于提高数据融合的效果和提升模型的泛化能力具有重要意义。然而，子空间学习也面临一些挑战，其中之一是如何有效地寻找和表示这些共享的低维子空间。在实践中，往往需要使用一些正则化技术来保证不同视图的数据能够在共享子空间中对齐，从而避免过拟合问题的发生。

（2）基于相似度的方法

基于相似度的多源数据融合方法利用不同数据集之间的相似度关系来实现数据的融合。相似度存在于不同对象之间。如果我们知道两个对象（X，Y）在某种度量下是相似的，那么当 Y 缺乏数据时，可以利用 X 的信息。当 X 和 Y 分别有多个数据集时，我们可以学习两个对象之间的多个相似度，每个相似度是基于一对对应的数据集计算的。这些相似度可以相互加强，巩固两个对象之间的相关性，进而增强每个个体相似度的表现。例如，从密集数据集中学到的相似度可以增强从稀疏数据集中得出的相似度，从而帮助填补后者的缺失值。从另一个角度来看，通过结合多个数据集，我们更有可能准确估计两个对象之间的相似度。因此，基于相似度的不同数据集可以融合在一起。耦合矩阵分解和流形对齐是其中的两种典型方法。

① 耦合矩阵分解（Coupled Matrix Factorization，CMF） 耦合矩阵分解[23] 通过同时分解多个数据集的矩阵来捕捉它们之间的相似度信息。具体而言，CMF 能够联合分析不同数据源中的特征，通过优化过程确保所有数据集在潜在的共享空间中获得一致的表示。举例来说，在智能推荐系统中，当我们从不同的用户行为数据中提取信息时，CMF

可以通过学习多个矩阵之间的低秩表示来优化推荐结果。这种方法不仅能提高数据融合的准确性，还能解决数据稀疏问题，通过交替优化的方式有效地结合多个源数据，增强模型的鲁棒性和预测能力。

② 流形对齐（Manifold Alignment） 流形对齐[24] 将利用每个数据集内部实例之间的关系来增强数据集之间关系的知识，从而将不同数据集映射到一个共享的低维空间，使得来自不同源的数据能够对齐。举例来说，在图像和文本数据融合中，流形对齐能够将这两种异构数据映射到同一个低维空间，使它们的语义关系得到有效对齐。通过这种方式，图像和文本的特征不仅保留各自的独特性，还能在共享空间中体现它们的相似性，提升跨模态检索和分类性能。此外，流形对齐还能够处理数据中的噪声和缺失问题，帮助修复潜在的数据缺失，进一步提高融合结果的质量和准确性。

（3）基于概率依赖的方法

基于概率依赖的数据融合方法通过建模不同数据集之间的概率关系，来实现多源数据的有效融合。与基于相似度的方法不同，基于概率依赖的方法更强调数据集之间的交互作用，而不仅仅是它们之间的相似性。在这种方法中，从数据集中提取的特征被表示为图模型中的节点，而两个特征之间的概率依赖（或因果关系）则由连接它们的边表示。该类方法的核心是通过概率图模型（如贝叶斯网络和马尔可夫随机场）来表示这些依赖关系，第3章所介绍的贝叶斯网络[25] 就是一个典型案例。与贝叶斯网络不同，马尔可夫网络[26] 通过无向图建模变量之间的关系，特别适用于表示循环依赖关系。例如，马尔可夫随机场使用无向图来表示变量之间的依赖关系，其中每个节点代表一个随机变量，边则表示它们之间的直接依赖关系。

基于概率依赖的数据融合方法有许多优势。首先，贝叶斯网络和马尔可夫随机场能够处理复杂的依赖结构，尤其是在数据存在较强关联性时，这使得它们在多源数据融合中尤为有效。其次，这类方法可以处理隐变量的推理问题，适应性强，能够在多数据源中发现潜在的规律和因果关系，从而提供比传统方法更精确的结果。另一方面，这种融合方法也存在一些缺点。首先，构建和推理图模型可能需要大量的计算资源，特别是在面对大规模数据时，计算复杂度较高。尽管有一些优化方法（如变分推理和吉布斯采样），但在实际应用中，这些方法的效率问题仍然是一个挑战。此外，图模型的学习过程通常依赖于高质量的先验知识和较大的标注数据集，否则可能导致模型泛化能力差，影响融合效果。最后，尽管贝叶斯网络能够有效处理有向依赖关系，但对于一些复杂的循环依赖，马尔可夫网络能够更好地建模，然而在某些情况下可能无法提供足够的解释性。

6.3 应用案例：工业多源异构信息融合与实时感知

6.3.1 业务背景

高炉炼铁工艺是现代钢铁制造业的核心技术之一，高炉80%以上的原料由铁矿石烧结提供。随着高炉用烧结矿的比例逐步上升，对烧结矿质量提出了更高的要求。氧化亚铁

(FeO) 的含量正是评价烧结矿质量最重要的指标之一，实现对烧结矿中 FeO 含量的实时检测，可以指导烧结生产过程，帮助现场技术人员管控烧结工艺，及时采取相应措施实现稳定、合理的烧结质量控制，使烧结机的面积得到充分利用，是钢铁生产高质高产的重要条件。因此定量地计算与预测烧结矿中 FeO 含量尤为重要。

如图 6-6 所示，烧结过程通常包含以下 3 个步骤：①原料按比例混合后加水制成颗粒；②小车经过点火器时，混合物表面被点燃，燃烧层开始下降；③原料充分燃烧后，成品烧结矿被破碎、冷却、筛选。一般来说，整个过程大约需要 2h。收集的过程数据通常可以分为以下四类：原料参数（图 6-6 铁矿石比例）、操作参数（如台车速度）、设备参数（如风机频率）和状态参数（如废气温度）。此外，烧结机尾部的烧结物截面的温度测量也是一个关键指标，一般以可见光或红外图像呈现。

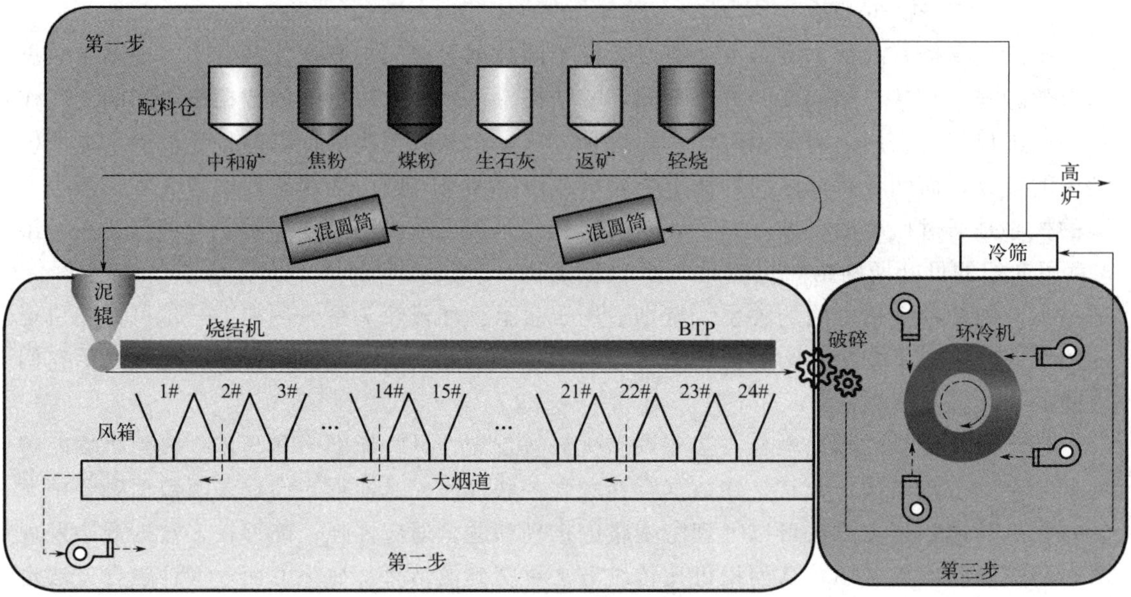

图 6-6　烧结工艺流程图

6.3.2 案例介绍

本实验数据来自一个真实的铁矿烧结厂，收集于 2021 年 12 月，共 2379 个样本。数据包括 28 个数值过程变量、1 个烧结矿截面的红外图像变量以及 1 个输出变量（FeO 含量的实验检测值）。通过计算 28×28 个皮尔逊相关系数，挑选出了其中 17 个数值过程变量作为最终采用的过程变量。由于整个烧结过程通常需要较长的时间，同一批烧结材料的不同指标是在不同地点收集得到的，因此采用了时间戳回溯策略，回溯的公式见表 6-1。t 为完成烧结机的采样时间，t_a、t_b 分别为环形冷却器和断裂过程的时间消耗，t_f 为从进料仓到点火位置的时间，t_n 为小车从 n 号风箱到烧结机尾部的运行时间，l_1、l_2 分别为第二次混合前、后的进料带长度，v 为进料带的速度，m_1、m_2 分别为第一次混合和第二次混合的时间消耗，带 * 的变量表示取自烧结机两边的数据的平均值。

表 6-1　多源数据时间戳回溯公式

编号	变量	单位	回溯时间
1	铁矿石比率	%	$t-t_a-t_b-t_n-t_f-(l_1+l_2)/v-m_2-m_1, n=1$
2	焦炭比	%	
3	焦煤比	%	
4	烧结矿返矿率	%	
5	快速石灰比	%	
6	轻度燃烧材料比率	%	
7	二混圆筒水分	m^3/h	$t-t_a-t_b-t_n-t_f-l_2/v-m_2, n=1$
8*	烧结机厚度	mm	$t-t_a-t_b-t_n, n=1$
9*	主风道负压	kPa	$t-t_a-t_b-t_n, n=12$
10*	主烟道排气温度	℃	
11*	主风扇频率	Hz	
12*	20 号风箱废气温度	℃	$t-t_a-t_b-t_n, n=20$
13*	21 号风箱废气温度	℃	$t-t_a-t_b-t_n, n=21$
14*	22 号风箱废气温度	℃	$t-t_a-t_b-t_n, n=22$
15*	23 号风箱废气温度	℃	$t-t_a-t_b-t_n, n=23$
16*	24 号风箱废气温度	℃	$t-t_a-t_b-t_n, n=24$
17	烧结机截面红外图像		$t-t_a-t_b$
18	环形冷却器外壳温度	℃	$t-t_a$
19	烧结后 FeO 含量	%	t

本实验使用的红外图像由一台放置于烧结机尾部的红外热像仪拍摄，图片大小 480×640。烧结过程伴随着快速的明暗转换，烧结机落下的灰尘也会降低图像的亮度，干扰图像信息。在烧结机的下降时刻，烧结机横截面与外界低温空气接触的时间最少，因而受到灰尘干扰的程度也最小，因此根据红外热图像每个像素点温度的总和的局部最小值选择关键帧。另外，处于烧结机尾部保温罩和手推车表面都有很高的温度，如图 6-7 中图像上方和下方的高温区域。在计算图像温度总和提取关键帧时，这样的区域会严重影响提取的结果。因此，本实验去除了图像的上下部分，将红外热成像仪的感受野裁剪到 128×640。

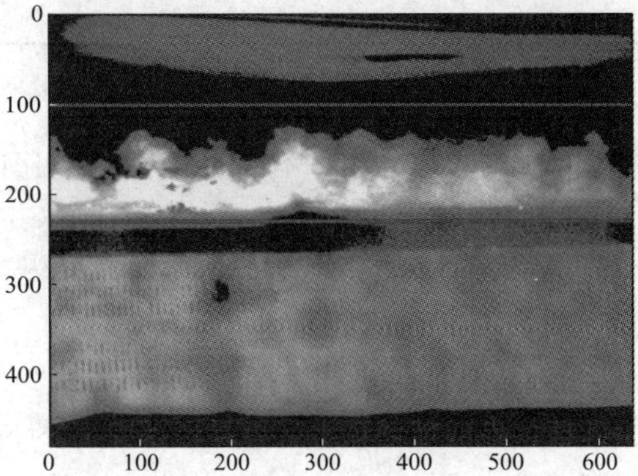

图 6-7　关键帧的感受野提取

具体来说，感受野在高亮显示的两条直线之间，这里横纵坐标分别代表图片像素点横纵坐标位置。

6.3.3 基于多特征融合技术的烧结工业 FeO 实时预测

（1）基于专家知识的浅层特征提取

在烧结过程中，机尾图像监视是重要的 FeO 含量判断方法。温度、烧结截面厚度、烧结均匀性和烧穿点（Burning Through Point，BTP）都是直接反映燃烧状态的关键特征[27]。图 6-8 中的烧结矿截面图像是红外热像仪拍摄的关键帧，横纵坐标分别代表图片像素点横纵坐标位置。曲线由垂直方向上的最高温度点组成，可以用图中曲线的标准差来反映烧结均匀性的状态，用垂直位置取平均值来计算 BTP。总体而言，该研究根据专家知识提取的烧结矿截面浅层特征有 4 个，具体计算公式见表 6-2。其中，h、w 分别为烧结矿截面的高度和宽度，t_{ij} 为坐标（i，j）处的温度，p_j 为火焰锋面垂直高度，m_j 为垂直方向上最高温度点的高度。

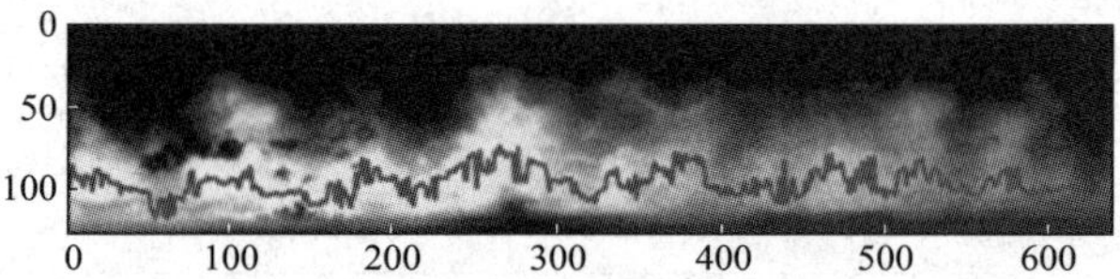

图 6-8 烧结矿截面的红外图像

表 6-2 多源数据时间戳回溯公式

浅层特征	计算公式
烧结矿截面温度	$Temp=\sum_{i=1}^{h}\sum_{j=1}^{w}t_{ij}$
烧结矿断面厚度	$Thick=\sum_{j=1}^{w}p_j$
烧结均匀性	$C=\sqrt{\sum_{j=1}^{w}(m_j-\overline{m})^2/(w-1)}, \overline{m}=\sum_{j=1}^{w}m_j/w$
烧穿点状态	$S_{\mathrm{BTP}}=\overline{m}$

（2）基于频率通道注意力网络的深层特征提取

由于浅层特征提取完全依赖于专家知识，不能够很好地挖掘图像的深层信息，因此该研究使用基于频率通道注意力机制和离散余弦变换（Discrete Cosine Transform，DCT）的卷积神经网络 FcaNet[30] 进行图像深层特征的提取。DCT 的基本形式如下：

$$\boldsymbol{f}_k=\sum_{i=0}^{L-1}\boldsymbol{x}_i\cos\left(\frac{\pi k}{L}\left(i+\frac{1}{2}\right)\right), \mathrm{s.t.}\ k\in\{0,1,\cdots,L-1\} \tag{6-3}$$

式中，$\boldsymbol{f}\in\mathbb{R}^L$ 为 DCT 的频谱，$\boldsymbol{x}\in\mathbb{R}^L$ 为输入，L 为输入的长度。

将上述一维公式推广到二维，推导出二维 DCT 的公式如下：

$$\boldsymbol{f}_{h,w}^{2d} = \sum_{i=0}^{H-1}\sum_{j=0}^{W-1}\boldsymbol{x}_{i,j}^{2d}\cos\left(\frac{\pi h}{H}\left(i+\frac{1}{2}\right)\right)\cos\left(\frac{\pi w}{W}\left(j+\frac{1}{2}\right)\right) \tag{6-4}$$
$$\text{s.t. } h \in \{0,1,\cdots,H-1\},w \in \{0,1,\cdots,W-1\}$$

式中，$\boldsymbol{f}^{2d} \in \mathbb{R}^{H\times W}$ 为 DCT 频谱，$\boldsymbol{x}^{2d} \in \mathbb{R}^{H\times W}$ 为输入，H、W 分别为输入的高和宽。

另外，为了简单起见，移除了一些常数标准化约束因子。同样地，可以得到二维 DCT 的逆变换公式：

$$\boldsymbol{x}_{i,j}^{2d} = \sum_{i=0}^{H-1}\sum_{j=0}^{W-1}\boldsymbol{f}_{h,w}^{2d}\cos\left(\frac{\pi h}{H}\left(i+\frac{1}{2}\right)\right)\cos\left(\frac{\pi w}{W}\left(j+\frac{1}{2}\right)\right) \tag{6-5}$$
$$\text{s.t. } i \in \{0,1,\cdots,H-1\},j \in \{0,1,\cdots,W-1\}$$

具体的设计采用一个多谱注意力模块改进 SE 模块，将输入 $\boldsymbol{X}$ 沿着通道划分成 n 块，记为 $[\boldsymbol{X}^0,\ \boldsymbol{X}^1,\ \cdots,\ \boldsymbol{X}^{n-1}]$，其中每个 $\boldsymbol{X}^i \in \mathbb{R}^{C'\times H\times W}$，$i\in\{0,\ 1,\ \cdots,\ n-1\}$，$C'=\dfrac{C}{n}$，对每个块计算一个二维 DCT 分量，则每个块的输出结果为：

$$Freq^i = 2\mathrm{DDCT}^{u,v}(\boldsymbol{X}^i) = \sum_{h=0}^{H-1}\sum_{w=0}^{W-1}\boldsymbol{X}_{i,h,w}^{i}B_{h,w}^{u,v} \tag{6-6}$$
$$\text{s.t. } i \in \{0,1,\cdots,n-1\}$$

式中，$[u,\ v]$ 为二维 DCT 的分量下标。

再将所得到的频率分量拼接成多谱向量 $\boldsymbol{Freq}=\mathrm{cat}([Freq^0,Freq^1,\cdots,Freq^{n-1}])$，将这个向量接入一个全连接层中进行加权以表征通道注意力。构建 DCT-ResNet 模块结构如图 6-9 所示。

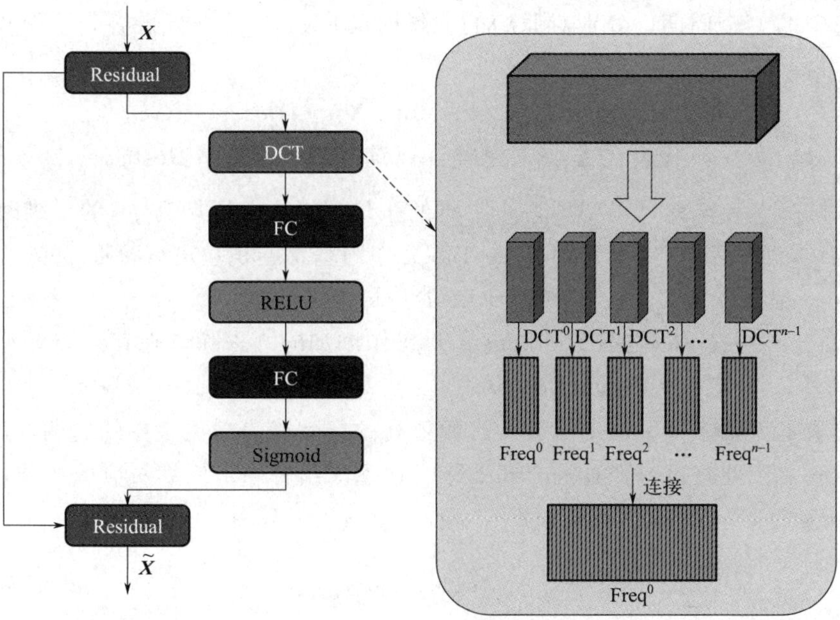

图 6-9　DCT-ResNet 模块结构图

（3）基于 TimesNet 的时间序列预测模型

时间序列具有多种周期性，实际世界中的时序数据通常由不同尺度的周期过程相互叠加而成，导致难以捕捉时序依赖。时间序列呈现出周期内和周期间的两种时序特征，周期内的变化反映了短期趋势，而周期间的变化则反映了连续周期之间的长期趋势。基于此，我们使用 TimesNet[29] 模型，采用模块化结构，将复杂的时序变化分解成不同周期的组成部分，将原始的一维时间序列扩展到二维空间，在此基础上实现了对周期内及周期间变化的统一建模。

一般地，对一个变量维数为 C，长度为 T 的多变量时间序列 $\boldsymbol{X}_{1\mathrm{D}} \in \boldsymbol{R}^{T\times C}$，使用快速傅里叶变换（FFT）来提取周期信息，即：

$$\boldsymbol{A}=\mathrm{Avg}(Amp(FFT(\boldsymbol{X}_{1\mathrm{D}}))) \tag{6-7}$$

式中，$FFT(\cdot)$、$Amp(\cdot)$ 分别为 FFT 和振幅值的计算。$\boldsymbol{A}\in\boldsymbol{R}^{\mathrm{T}}$ 代表每个频率的计算振幅，它是由 $\mathrm{Avg}(\cdot)$ 从 C 个维度平均得到的。

由于过高频的分量会带来无意义的噪声，只选择前 k 个振幅值来获得前 k 个重要的频率 $\{\boldsymbol{f}_1,\cdots,\boldsymbol{f}_k\}$：

$$\boldsymbol{f}_1,\cdots,\boldsymbol{f}_k=\mathrm{argTop}k_{f_*\in\left\{1,\cdots,\left[\frac{T}{2}\right]\right\}}(\boldsymbol{A}) \tag{6-8}$$

这 k 个频率也对应着 k 个周期长度 $\{p_1, \cdots, p_k\}$，由于频域的共轭性，只考虑 $\{1, \cdots, \frac{T}{2}\}$ 内的周期长度。有：

$$p_1,\cdots,p_k=\left\lceil\frac{T}{f_1}\right\rceil,\cdots,\left\lceil\frac{T}{f_k}\right\rceil \tag{6-9}$$

为了方便，将式(6-7)～式(6-9)总结成统一形式：

$$\boldsymbol{A},\{f_1,\cdots,f_k\},\{p_1,\cdots,p_k\}=\mathrm{Period}(\boldsymbol{X}_{1\mathrm{D}}) \tag{6-10}$$

对于选定的 k 个周期，分别对原始的一维时间序列 $\boldsymbol{X}_{1\mathrm{D}}$ 进行折叠，这个操作可以形式化为：

$$\boldsymbol{X}_{2\mathrm{D}}^{i}=\mathrm{Reshape}_{p_i,f_i}(\mathrm{Padding}(\boldsymbol{X}_{1\mathrm{D}})),i\in\{1,\cdots,k\} \tag{6-11}$$

这里 $\mathrm{Padding}(\cdot)$ 代表在 $\boldsymbol{X}_{1\mathrm{D}}$ 末尾补 0 以满足形状要求，$\mathrm{Reshape}_{p_i,f_i}(\cdot)$ 代表将向量变形成 $\mathbb{R}^{p_i\times f_i}$。至此，得到了 k 个二维的张量，对应着周期为 p_i 的二维时序变换。

对于二维时间序列，这里采用了 FcaBlock 作为基本卷积块进行特征提取，即：

$$\widehat{\boldsymbol{X}}_{2\mathrm{D}}^{l,i}=\mathrm{FcaBlock}(\boldsymbol{X}_{2\mathrm{D}}^{l,i}) \tag{6-12}$$

用 $\mathrm{Trunc}(\cdot)$ 表示将之前 $\mathrm{Padding}(\cdot)$ 操作添加的 0 去除，则有：

$$\widehat{\boldsymbol{X}}_{1\mathrm{D}}^{l,i}=\mathrm{Trunc}(\mathrm{Reshape}_{1,(p\times f_i)}(\widehat{\boldsymbol{X}}_{2\mathrm{D}}^{l,i})),i\in\{1,\cdots,k\} \tag{6-13}$$

由于提取的振幅表征了周期显著性，幅值高的频率代表着更主要的周期，需要对它赋予更大的权重。因此将振幅经过 softmax 作为权重赋给每一个周期对应的特征，有：

$$\begin{gathered}\widehat{\boldsymbol{A}}_{f_1}^{l-1},\cdots,\widehat{\boldsymbol{A}}_{f_k}^{l-1}=\mathrm{softmax}(\boldsymbol{A}_{f_1}^{l-1},\cdots,\boldsymbol{A}_{f_k}^{l-1})\\ \boldsymbol{X}_{1\mathrm{D}}^{l}=\sum_{i=1}^{k}\widehat{\boldsymbol{A}}_{f_i}^{l-1}\times\widehat{\boldsymbol{X}}_{1\mathrm{D}}^{l,i}\end{gathered} \tag{6-14}$$

模型结构如图 6-10 所示，输入的序列首先经过嵌入层得到其深层特征，对于第 l 层

TimesBlock，每个 TimesBlock 都进行式(6-10)～式(6-14) 的操作，设其输入为 $\boldsymbol{X}_{1D}^{l-1}$，输出为 $\boldsymbol{X}_{1D}^{l}$，则有：

$$\boldsymbol{X}_{1D}^{l}=\text{TimesBlock}(\boldsymbol{X}_{1D}^{l-1})+\boldsymbol{X}_{1D}^{l-1} \tag{6-15}$$

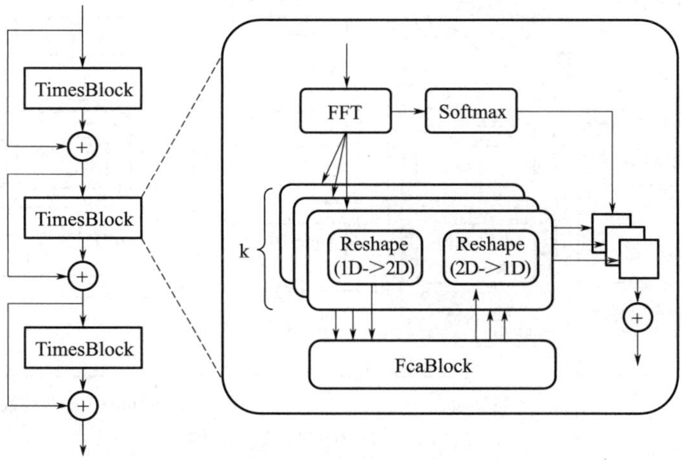

图 6-10　TimesNet 结构示意图

（4）多源异构特征融合的预测框架

上文已经介绍了对图像信息的浅层特征和深层特征的提取方法，并且确定了基于 TimesNet 的预测模型，这里组合上述的几个步骤，建立一个完整的针对烧结过程 FeO 含量实时预测的软测量模型。这个模型包括 3 个部分：时间戳对齐、特征融合和单步时序预测。

对于同一批烧结材料，由于其是在传送带上运动进行烧结过程，不同位置的传感器测量的数据（包括数值过程数据和图像数据）在时间上是有滞后性的，因此需要对测量的数据进行时间戳的回溯和对齐，保证测量到的数据对应着同一批烧结材料。

特征融合分为两个部分：首先是对红外热像仪获取到的烧结矿截面的红外图像分别提取浅层特征和深层特征，进行特征级融合；然后根据对齐后的回溯时间戳，实现数值过程数据和图像特征数据的数据级融合；最后将融合后的多源异构数据作为 TimesNet 的输入，通过一个单步预测，实现烧结过程中 FeO 含量的在线预测。整体的模型架构设计如图 6-11 所示。

（5）结果分析

基于目前流行的时间序列预测模型，本应用选择了各类方法中比较具有代表性的 6 个模型，它们分别是：基于循环神经网络的 LSTM[30]、基于季节-趋势分解（seasonal-trend decomposition，STD）的 Autoformer[31] 和 DLinear[32]、基于 CNN 的 TimesNet、基于多源异构信息融合的 Autoformer 改进模型 MIF-Autoformer[27] 以及本应用采用的基于多源异构信息融合的 TimesNet 改进模型。其中 LSTM、Autoformer、DLinear 和 TimesNet 都是基于纯数值过程数据的模型，MIF-Autoformer 和本应用使用了多源异构信息融合策略融合数值数据和图像数据。采用 RMSE 和决定系数（R^2）作为评价指标，R^2 计算公式如下：

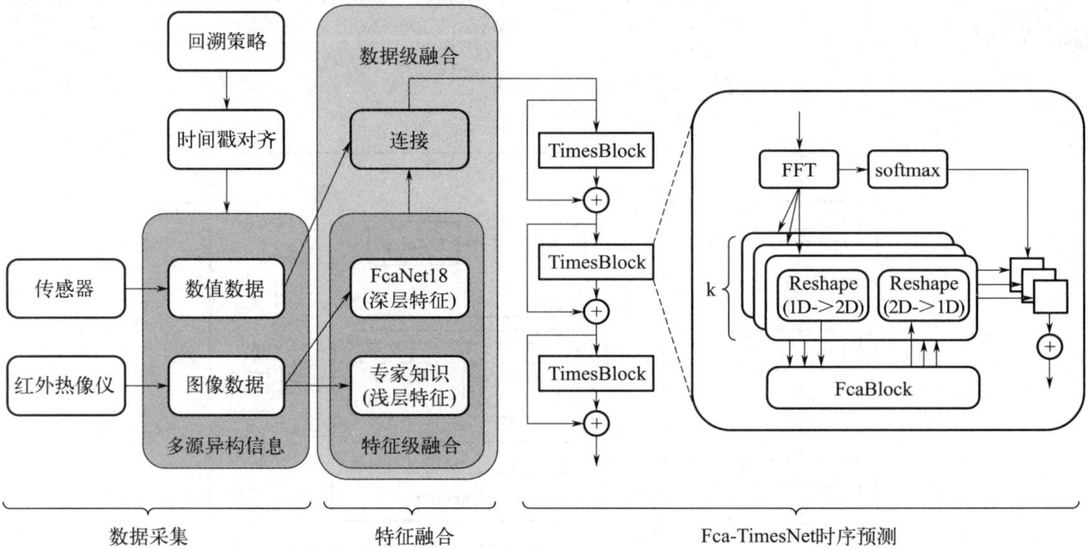

图 6-11　整体模型架构示意图

$$R^2 = 1 - \frac{\sum_{i=1}^{N_{\text{test}}} \| \widehat{y}_i - y_i \|^2}{\sum_{i=1}^{N_{\text{test}}} \| \overline{y}_i - y_i \|^2} \tag{6-16}$$

式中，$\widehat{y}_i$ 是模型预测值，y_i 为真值，$\overline{y}_i$ 为所有样本的平均值，N_{test} 表示测试集的样本数量。

对于基于纯数值过程数据的模型，预测效果如表 6-3 所示。可以看到，LSTM 模型的性能指标较差（$RMSE=0.053$，$R^2=0.510$），对波动较大的工业时序数据没有实现很好的跟踪；Autoformer 利用了 STD 分别捕捉趋势和季节特征，用其提出的 Auto-correlation，探索子序列间的全局依赖关系，模型精度有一定的提高（$RMSE=0.034$，$R^2=0.853$）；DLinear 作为基于 STD 的线性模型，对于复杂工业数据的捕捉能力略弱，但是 STD 分解的良好效果使得其预测效果优于 LSTM（$RMSE=0.045$，$R^2=0.740$）；TimesNet 利用时序数据一维到二维的扩展，实现了对时间序列周期内和周期间信息的捕捉，在纯数值作为输入的模型中达到了最好的效果（$RMSE=0.031$，$R^2=0.881$）。

表 6-3　纯数值模型预测结果

模型名称	$RMSE$	R^2
LSTM	0.053	0.510
Autoformer	0.034	0.853
DLinear	0.045	0.740
TimesNet	0.031	0.881

对于基于多源异构信息融合策略的模型，预测效果如图 6-12 和表 6-4 所示。图 6-12

中横坐标为预测对应的时刻（从测试集的第一个时刻开始计算），纵坐标为 FeO 含量（单位为%），Ground Truth 代表真实值，Prediction 代表预测值。可以看到两个模型的预测精度都优于基于数值型过程数据的模型的最好效果，并且相较于各自基于数值型数据的基线模型都有很大程度的预测精度提升。具体来说，MIF-Autoformer 的多源异构信息融合策略引入了图像信息，相较于纯数值数据作为输入的模型效果有了较大的提升（$RMSE=0.028$，$R^2=0.904$）。但是对于工业上数据较少的数据集来说，较不易收敛。本应用提出的基于多源异构信息融合的 TimesNet 模型，一方面充分利用了数值过程数据和图像数据信息，另一方面捕捉了时间序列周期内和周期间的关系，并且作为一个模型参数较少的模型，训练和推理速度块，预测曲线相比大模型更加平滑，并且在预测性能指标上也达到了最佳（$RMSE=0.020$，$R^2=0.958$），和在纯数值数据作为输入的模型中达到最佳效果的 TimesNet 相比，分别提升了 35.48%和 8.74%；和同样融合了图像信息的 MIF-Autoformer 相比，分别提升了 28.57%和 5.97%。可以看到，本应用模型的效果显著优于其他的预测模型，达到了最佳效果。

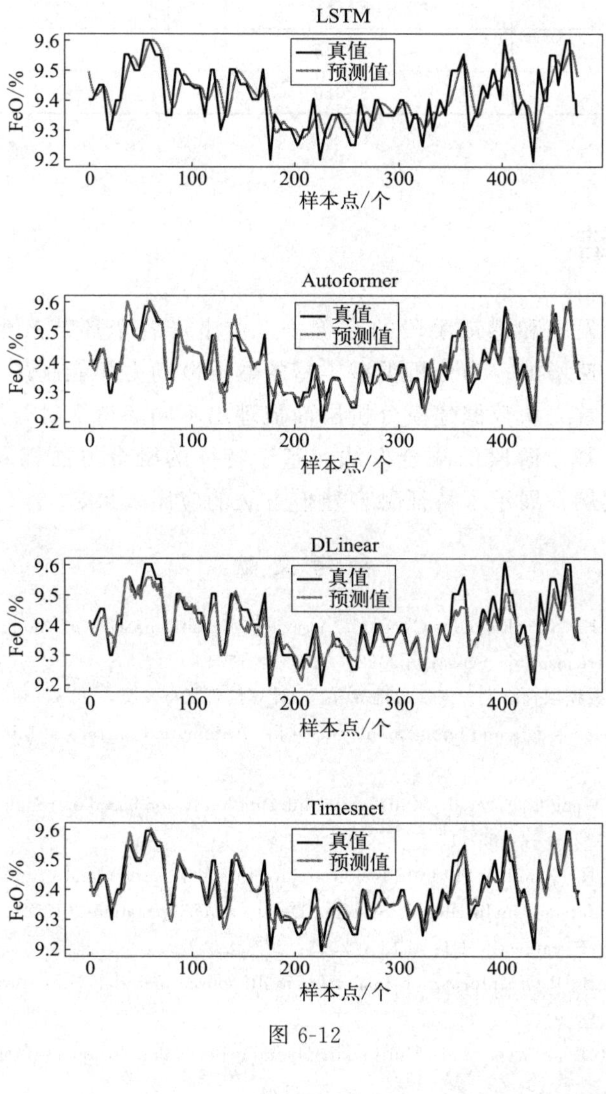

图 6-12

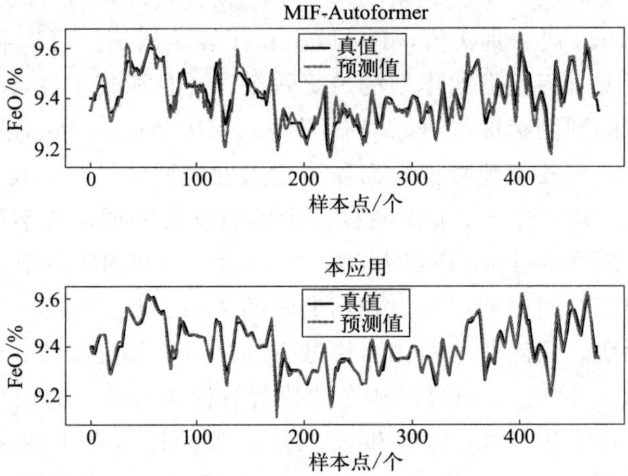

图 6-12　各模型的预测曲线

表 6-4　多源异构信息融合模型的预测效果对比

模型名称	*RMSE*	R^2
MIF-Autoformer	0.028	0.904
本应用	0.020	0.958

6.4　本章小结

随着信息技术的发展和感知手段的完善，工业生产各个环节产生的数据来源日益广泛，数据的类型也迅速增加。为分析类型丰富的数据以助力智能制造，本章重点关注多源异构特征融合方法，首先从数据建模分析层面梳理出不同的特征融合层次，而后又按照融合策略将方法归纳为基于阶段的融合方法、基于特征的融合方法以及基于语义的融合方法。以烧结过程为案例，展示了特征融合建模方法的应用效果。

参考文献

[1] Tsanousa A, Bektsis E, Kyriakopoulos C, et al. A review of multisensor data fusion solutions in smart manufacturing: Systems and trends [J]. Sensors, 2022, 22 (5): 1734.

[2] 孟小峰，杜治娟．大数据融合研究：问题与挑战 [J]. 计算机研究与发展，2016，53 (2)：231-246.

[3] Wang L D. Heterogeneous data and big data analytics [J]. Automatic Control and Information Sciences, 2017, 3 (1): 8-15.

[4] Zhang P F, Li T R, Wang G Q, et al. Multi-source information fusion based on rough set theory: A review [J]. Information Fusion, 2021, 68: 85-117.

[5] Ben Ayed S, Trichili H, Alimi A M. Data fusion architectures: A survey and comparison [C]//Proceedings of 15th International Conference on Intelligent Systems Design and Applications (ISDA). December 14-16, 2015, Marrakech, Morocco. Piscataway, NJ: IEEE, 2015: 277-282.

[6] Zhou J R, Hong X, Jin P Q. Information fusion for multi-source material data: Progress and challenges [J]. Applied Sciences, 2019, 9 (17): 3473.

[7] Zhang L L, Xie Y X, Luan X D, et al. Multi-source heterogeneous data fusion [C]//Proceedings of International

Conference on Artificial Intelligence and Big Data (ICAIBD). May 26-28, 2018, Chengdu, China. Piscataway, NJ: IEEE, 2018: 47-51.

[8] Pan B, Zheng Y, Wilkie D, et al. Crowd sensing of traffic anomalies based on human mobility and social media [C]//Proceedings of the 21st ACM SIGSPATIAL International Conference on Advances in Geographic Information Systems. Orlando Florida. New York: ACM, 2013: 344-353.

[9] Xu C, Tao D, Xu C. A survey on multi-view learning [J]. ArXiv, 2013.

[10] Srivastava N, Salakhutdinov R. Multimodal learning with deep Boltzmann machines [C]//Proceedings of Journal of Machine Learning Research., 2016.

[11] Neal R M. Pattern recognition and machine learning [J]. Technometrics, 2007, 49 (3): 366.

[12] Ngiam J, Khosla A, Kim M, et al. Multimodal deep learning [C]//Proceedings of the international conference on machine learning. 2011: 689-696.

[13] Zheng Y. Methodologies for cross-domain data fusion: An overview [J]. IEEE Transactions on Big Data, 2015, 1 (1): 16-34.

[14] Blum A, Mitchell T. Combining labeled and unlabeled data with co-training [C]//Proceedings of the Eleventh Annual Conference on Computational Learning Theory. Madison Wisconsin USA. New York: ACM, 1998: 92-100.

[15] Gönen M, Alpaydin E. Multiple kernel learning algorithms [J]. J Mach Learn Res, 2011, 12: 2211-2268.

[16] Chen N, Zhu J, Xing E P. Predictive subspace learning for multi-view data: A large margin approach [C]//Proceedings of Neural Information Processing Systems., 2010.

[17] Nigam K, Ghani R. Analyzing the effectiveness and applicability of co-training [C]//Proceedings of the Ninth International Conference on Information and Knowledge Management. McLean Virginia USA. New York: ACM, 2000: 86-93.

[18] Varma M, Babu B R. More generality in efficient multiple kernel learning [C]//Proceedings of the 26th Annual International Conference on Machine Learning. Montreal Quebec Canada. New York: ACM, 2009: 1065-1072.

[19] Hardoon D R, Szedmak S, Shawe-Taylor J. Canonical correlation analysis: An overview with application to learning methods [J]. Neural Computation, 2004, 16 (12): 2639-2664.

[20] Lai P L, Fyfe C. Kernel and nonlinear canonical correlation analysis [J]. International Journal of Neural Systems, 2000, 10 (5): 365-377.

[21] Andrew G, Arora R, Bilmes J, et al. Deep canonical correlation analysis [J]. 30th International Conference on Machine Learning, ICML 2013, 2013 (PART 3): 2284-2292.

[22] Kan M N, Shan S G, Zhang H H, et al. Multi-view discriminant analysis [J]. IEEE Transactions on Pattern Analysis and Machine Intelligence, 2016, 38 (1): 188-194.

[23] Singh A P, Gordon G J. Relational learning via collective matrix factorization [C]//Proceedings of the 14th ACM SIGKDD International Conference on Knowledge Discovery and Data Mining. Las Vegas Nevada USA. New York: ACM, 2008: 650-658.

[24] Ma Y, Fu Y. Manifold learning theory and applications [J]. Crc Press, 2011.

[25] Pearl J. Probabilistic reasoning in intelligent systems - networks of plausible inference [C]//Proceedings of the Morgan Kaufmann series in representation and reasoning. 1989: 552.

[26] Kindermann R P, Snell J L. Markov random fields and their applications [M]. American Mathematical Society, 1980.

[27] Yang C, Yang C J, Zhang X M, et al. Multisource information fusion for autoformer: Soft sensor modeling of FeO content in iron ore sintering process [J]. IEEE Transactions on Industrial Informatics, 2023, 19 (12): 11584-11595.

[28] Qin Z Q, Zhang P Y, Wu F, et al. FcaNet: Frequency channel attention networks [C]//Proceedings of IEEE/CVF International Conference on Computer Vision (ICCV). October 10-17, 2021, Montreal, QC, Canada. Piscataway, NJ: IEEE, 2021: 763-772.

[29] Wu H, Hu T, Liu Y, et al. Timesnet: Temporal 2d-variation modeling for general time series analysis [J]. ArXiv, 2022.

[30] Greff K, Srivastava R K, Koutník J, et al. LSTM: A search space odyssey [J]. IEEE Transactions on Neural Networks and Learning Systems, 2017, 28 (10): 2222-2232.

[31] Wu H X, Xu J H, Wang J M, et al. Autoformer: Decomposition transformers with auto-correlation for long-term series forecasting [C]//Proceedings of Neural Information Processing Systems., 2024.

[32] Zeng A L, Chen M X, Zhang L, et al. Are transformers effective for time series forecasting? [J]. Proceedings of the AAAI Conference on Artificial Intelligence, 2023, 37 (9): 11121-11128.

第7章

工业虚实数据协同建模分析方法

7.1 工业数据增强方法

工业生产过程中涉及到的数据种类多种多样，但由于事件稀缺、标注成本高等原因，采集到的各类数据数据量普遍较为稀少。正如前面几章内容所提到的，数据驱动模型，尤其是深度学习模型的成功建立离不开高质量数据。然而实际工业生产中可获取的数据量稀少，并且大多为稳态工况下获取的数据，不能涵盖异常或者外因扰动下生产情况，距离建立可靠模型所需的数据质量仍有差距。数据增强（Data Augmentation，DA）技术搭建了低质工业生产数据到高质数据驱动工业模型之间的桥梁，数据增强技术的基本思想是生成覆盖未探索输入空间的合成数据集，同时保持正确的标签。要从低质数据通过数据增强技术生成高质量数据，还涉及多个环节，在这一节中主要讨论“如何生成”这一环节，介绍一些主要的数据增强方法，在下一节中将讨论“何为优质数据”这一环节。

7.1.1 数据变换操作的数据增强方法

最基础的一类数据增强方法是直接对原始特征进行变换操作，通过简单变换，在相应样本邻近区域生成合成的数据，以达到不改变标签值下生成合理数据的目标。这类数据增强的方法往往是根据数据本身的特性进行变换方法的设计，针对不同类型的数据变换操作往往不通用，比如，用于图像数据增强的方法可能不适用于时间序列数据。

基本的图像处理操作主要集中于图像变换，例如旋转、翻转和裁剪等。这些技术大多数直接对图像进行操作，且易于实现。相关方法及其简要描述列于表 7-1。

表 7-1 基本图像处理及简要描述

方法	描述
翻转	水平、垂直或两轴同时翻转图像
旋转	以一定角度旋转图像
缩放比例	放大或缩小图像
噪声注入	向图像中添加噪声
色彩空间	改变图像的颜色通道
对比度	调整图像对比度
锐化	修改图像的锐度
平移	水平、垂直或两轴同时移动图像
裁剪	裁剪图像的子区域

时间序列数据的数据增强可以从时域和频域两方面进行变换。时域的变换方法直接操作原始输入的时间序列，典型方法比如窗口裁剪（cropping）或切片、窗口变形（wrapping）、翻转、噪声注入等。除了这些通用的方法，还有特定于时间序列异常检测的数据增强方法，例如时域中的标签扩展。

窗口裁剪类似于计算机视觉领域中的裁剪操作，是一种子采样方法[1]，用于从原始时间序列中随机提取连续的片段，片段长度为可调参数。对于分类问题，裁剪片段的标签与原始时间序列相同。测试时，通过对测试序列的每个片段进行分类，并采用多数投票法决定最终分类。对于异常检测问题，异常标签会随着值序列一起被裁剪。

窗口变形是时间序列中特有的一种增强方法。类似于动态时间变形（DTW），该方法选择一个随机时间范围，对其进行压缩（下采样）或扩展（上采样），而保持其他时间范围不变。由于窗口变形会改变原始时间序列的总长度，因此需要与窗口裁剪结合使用，此方法还包括通过对整个时间序列长度的普通下采样。在简单的下采样之外，Fawaz 等通过 DTW 生成新的时间序列，并通过加权的重心平均（DBA）算法进行集成[2]。在某些时间序列分类公开数据集上，这种方法改进了分类性能。

翻转是通过翻转原始时间序列 $x_1, \cdots, x_N$ 的符号，得到新时间序列 $x'_1, \cdots, x'_N$，其中有 $x'_t = -x_t$。对于异常检测和分类任务，假设上下方向具有对称性，翻转后的序列标签仍保持不变。

噪声注入的方法通过向时间序列中注入少量噪声或异常点[3]，同时不改变相应的标签。注入噪声的类型目前有高斯噪声、尖峰（peak）、阶梯状趋势（step-like trend）和斜率状趋势（slope-like trend）。

在时间序列异常检测中，异常通常持续一定的连续时间段，导致起点和终点有时较为模糊。一个数据点如果在时间距离和数值距离上都接近标记的异常点，则很可能也是异常。标签扩展方法将这些数据点及其标签标记为异常（通过赋予异常分数或改变其标签）[4]。

频域上数据增强方法首先对时间序列进行频域变换，而后在频域上进行操作生成增强的数据。与时域类似，在频域当中也可直接进行变换进行数据增强，典型的做法包括将时间序列通过傅里叶变换生成相应频谱特征，在幅值和相位谱上增加扰动[5]。另外一种方法是利用代理数据实现数据增强，Lee 等人采用了两种传统的代理时间序列生成方法[6]：幅度调整傅里叶变换（AAFT）和迭代幅度调整傅里叶变换（IAAFT）生成代理时间序列来提升深度神经网络在康复过程时间序列分类中的性能。其主要思想是在傅里叶变换后的相位谱中进行随机相位重排，然后在逆傅里叶变换后对时间序列进行秩排序。通过 AAFT 和 IAAFT 生成的时间序列可以近似保留原始时间序列的时间相关性、功率谱和幅度分布。

基于变换的数据增强方法也存在一些局限性。首先，只有在假设现有数据分布接近实际数据分布的情况下，基本图像处理操作才具有意义。其次，一些基本操作方法（如平移和旋转）会受到填充效应的影响。比如，操作后，图像的某些区域可能会移出边界而丢失。因此，通常会采用插值方法来填充空白部分。通常假设图像边界外的区域为常量 0，这部分在处理后会显示为黑色。此外，无论计算机视觉任务的具体类型如何，感兴趣的目标都不应被移动到画面之外。

7.1.2 基于采样的数据增强方法

基于采样的数据增强方法通常用于在小样本条件下解决分类任务类别不平衡问题。其中，下采样技术通过减少多数类样本的数据量来解决数据不平衡问题，而上采样方法则通过扩展少数类样本的数据量来实现数据增强。上采样方法较为常用的是合成少数类样本过采样方法（SMOTE），SMOTE 通过插值少数类样本之间的特征值，生成新的少数类样本，而不是简单地复制已有样本。这种方法避免了数据重复可能带来的过拟合问题，同时增强了分类器对少数类样本的学习能力。

给定一个少数类样本 $\boldsymbol{x}_i$，从其 k-近邻中随机选择一个邻居 $\boldsymbol{x}_i^{\text{neighbor}}$。下一步在 $\boldsymbol{x}_i$ 和其邻居之间生成一个随机插值样本 $\boldsymbol{x}_{\text{new}}$，公式为：

$$\boldsymbol{x}_{\text{new}}=\boldsymbol{x}_i+\lambda(\boldsymbol{x}_i^{\text{neighbor}}-\boldsymbol{x}_i) \tag{7-1}$$

式中，$\lambda\in[0,1]$ 为插值系数。

一种更简单的上采样数据增强方法为 mixup，其将两组样本的输入数据和标签按照随机权重进行线性混合。通过这种方式，模型在训练时学习不同样本之间的过渡关系，而不是仅仅拟合孤立的点，从而提高对未见样本的鲁棒性。针对标签的插值使其也适用于回归问题。给定两组样本（$\boldsymbol{x}_i,\boldsymbol{y}_i$）和（$\boldsymbol{x}_j,\boldsymbol{y}_j$），以及一个从分布 Beta($\alpha,\alpha$) 采样的混合系数 $\lambda\in[0,1]$，生成的增强样本和标签为：

$$\begin{aligned}\tilde{\boldsymbol{x}}&=\lambda\boldsymbol{x}_i+(1-\lambda)\boldsymbol{x}_j\\ \tilde{\boldsymbol{y}}&=\lambda\boldsymbol{y}_i+(1-\lambda)\boldsymbol{y}_j\end{aligned} \tag{7-2}$$

7.1.3 基于深度生成模型的数据增强方法

深度生成模型已被证明能够生成接近真实的高维数据对象，例如图像和序列。在深度学习时代，使用深度生成模型生成逼真的虚拟数据来提高数据集质量的技术方法愈发受到关注。本小节中将介绍两个常用的深度生成模型：生成对抗网络（Generative Adversarial Network，GAN）和扩散模型。

（1）生成对抗网络

生成对抗网络是 Goodfellow 等[7] 在 2014 年提出的一种深度生成模型，用于无监督和半监督的学习。不同于拟合联合概率分布的生成模型，GAN 根据两样本假设检验的理论进行设计，这种设计开创了生成模型的新思路并被广泛应用，也让它获得了 2024 年神经信息处理系统会议（NeurIPS）的时间检验奖。

如图 7-1 所示，它由两个网络组成，一个用于生成现实数据，称为生成器，另一个用于评估样本的真实性，称为判别器。两者相互竞争，生成器被训练成能够骗过判别器的样本，而判别器被训练成能够尽可能地分辨出样本是来自生成器（假样本）还是来自原始数据集（真样本）。理论上，经过良好训练的生成器可以生成极其真实的样本，使得判别器完全迷惑而无法区分样本的真假。

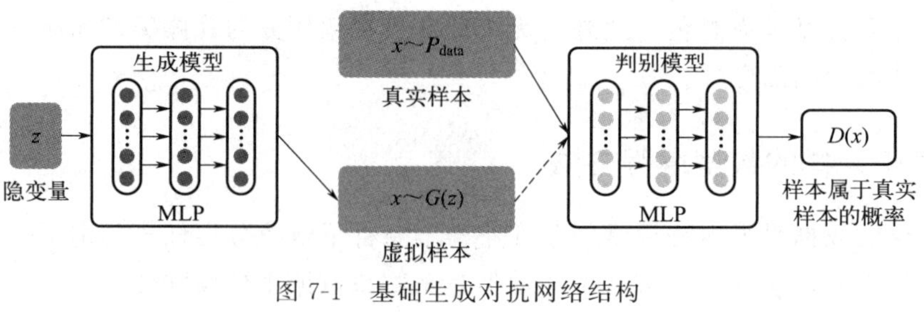

图 7-1 基础生成对抗网络结构

生成器 G 学习从噪声空间到样本空间的映射，G：$\boldsymbol{Z}\rightarrow\boldsymbol{X}$，以捕捉真实的数据分布并且生成逼真的样本，$G(\boldsymbol{z}) \in \boldsymbol{X}$，判别器 D 的作用是给出的输入样本来自真实数据分布的概率，$D: \boldsymbol{X} \rightarrow [0,1]$。在基本的 GAN 中，生成器和判别器都是多层感知器，两者进行零和博弈，即最小最大（minimax）优化，生成器和判别器的价值函数 $V(D,G)$ 如下所示：

$$\min_{G}\max_{D} V(D,G)=\mathbb{E}_{\boldsymbol{x}\sim p_{\text{data}}(\boldsymbol{x})}[\lg D(\boldsymbol{x})]+\mathbb{E}_{\boldsymbol{z}\sim p_{\boldsymbol{z}}(\boldsymbol{z})}[\lg(1-D(G(\boldsymbol{z})))] \tag{7-3}$$

式中，$\boldsymbol{x} \in \boldsymbol{X}$ 是从真实数据分布 $p_{\text{data}}(\boldsymbol{x})$ 中采样的，$\boldsymbol{z} \in \boldsymbol{Z}$ 是从高斯随机分布 $p_{\boldsymbol{z}}(\boldsymbol{z})$ 中采样的。生成器网络和判别器网络的交替训练构成了整个训练过程，它们的优化过程都是基于梯度下降算法进行的。

Goodfellow 在 2014 年的论文[7] 中指出，对于式(7-3) 中的损失函数，给定一个固定的生成器 G，可以得到最优判别器 $D^*(\boldsymbol{x})$ 的输出，以真实数据概率分布 $p_{\text{data}}(\boldsymbol{x})$ 和生成数据概率分布 $p_G(\boldsymbol{x})$ 的形式可以表示为：

$$D^*(\boldsymbol{x})=\frac{p_{\text{data}}(\boldsymbol{x})}{p_{\text{data}}(\boldsymbol{x})+p_G(\boldsymbol{x})} \tag{7-4}$$

将式(7-4) 代入式(7-3)，可得到另一种形式的损失函数：

$$\min_{G} 2JS(p_G(\boldsymbol{x}) \parallel p_{\text{data}}(\boldsymbol{x}))-2\lg 2 \tag{7-5}$$

式中，$JS(\cdot \parallel \cdot)$ 表示香农-维纳（Jensen-Shannon）散度，这是一种衡量两个概率分布之间相似性的方法，当两个分布处处相等时，JS 散度达到最小值零，GAN 中生成器的优化目标可以理解为 $p_{\text{data}}(\boldsymbol{x})$ 和 $p_G(\boldsymbol{x})$ 之间的 JS 散度。当生成器和判别器都得到收敛时，生成器精确地学习了从隐噪声空间到样本空间的映射 $G: \boldsymbol{Z} \rightarrow \boldsymbol{X}$，这意味着生成样本和真实样本的概率密度完全相同，即 $p_{\text{data}}(\boldsymbol{x})=p_G(\boldsymbol{x})$。此时，判别器对所有输入样本输出的概率值为 0.5，两个分布之间的 JS 散度达到 0，损失函数达到最小值 $-2\lg 2$。

在实际中，训练 GAN 是相当困难的，其中最严重的一个问题是模型无法收敛，这导致了判别器和生成器在训练中不能平衡，在模型训练的起始阶段，判别器的训练速度通常过快，并且能够精确区分真假样本，而生成器的训练速度则慢得多，这就使得从判别器传播到生成器的梯度过小，生成器难以继续训练，这也被称作梯度消失。为解决这一问题，Wasserstein GAN（WGAN）[8] 及其变体通过引入 Wasserstein 距离作为损失函数，有效地提高了训练过程的稳定性。

另外，为提高生成数据的质量、解决生成模式单一的模式崩溃问题，其他的 GAN 变体也被提出。条件生成对抗网络（CGAN）[9] 及其变体引入了条件信息，使生成过程更可控，并降低了模式崩溃的风险。信息最大化生成对抗网络（InfoGAN）[10] 及其变体通过最大化生成的信息量来增强样本的多样性和表达性。

（2）扩散模型

扩散模型已经成为概率生成模型领域中一个非常强大的子类。它们的主要目标是学习和模仿复杂的数据分布。扩散模型之所以近年来受到关注，是其双向的方法，可概括为前向扩散过程和反向扩散过程，如图 7-2 所示。在反向过程中的每一步去噪通常需要估计分数函数，该函数是指向具有更高似然度和更少噪声的数据方向的梯度。

1）变分的角度　在变分领域，一类利用变分推断来逼近目标分布的模型被引入，它们通常通过缩小近似分布与目标分布之间的 Kullback-Leibler(KL) 散度来实现。去噪扩

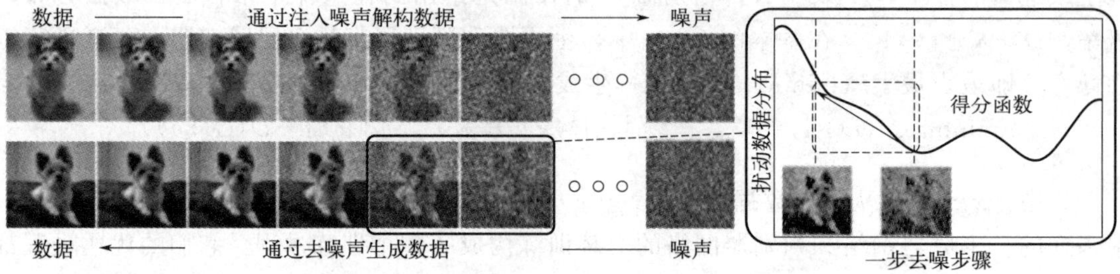

图 7-2　扩散模型通过加入噪声来平滑地扰动数据，然后反向进行该过程，从噪声中生成新数据

散概率模型（Denoising Diffusion Probabilistic Model，DDPM），如文献［11］中所述，是这一方法的典范。它们利用变分推断来推导潜在扩散过程的参数。

① 前向扩散过程　前向过程中，DDPM 将正向扩散过程描述为一个马尔可夫链（Markov Chain）。该链通过连续迭代引入高斯噪声，从而生成一系列噪声逐渐增加的样本。假设初始数据分布 $q(\boldsymbol{x}_0)$ 是未被污染的。当获取一个数据样本 $\boldsymbol{x}_0$ 时，后续的正向加噪过程 p 会通过在每个时间点 t 引入高斯噪声，从而获得从 $\boldsymbol{x}_1$ 到 $\boldsymbol{x}_T$ 的隐变量的后验分布为：

$$q(\boldsymbol{x}_t|\boldsymbol{x}_{t-1})=\mathcal{N}(\boldsymbol{x}_t;\sqrt{1-\beta_t}\boldsymbol{x}_{t-1},\beta_t\boldsymbol{I}),\forall t\in\{1,\cdots,T\} \tag{7-6}$$

式中，T 表示总的扩散步数，$\beta_1,\cdots,\beta_T$ 表示分布在前向过程中每一步计划的方差，$\mathcal{N}(\boldsymbol{x};\mu,\Sigma)$ 表示均值为 μ、方差为 Σ 的正态分布。记 $\alpha_t=1-\beta_t$ 和 $\overline{\alpha}_t=\prod_{s=0}^{t}\alpha_s$，并且以 $\boldsymbol{x}_0$ 作为式中一项变量，则前向扩散过程可表示为：

$$\begin{gathered}q(\boldsymbol{x}_t|\boldsymbol{x}_0)=\mathcal{N}(\boldsymbol{x}_t;\sqrt{\overline{\alpha}_t}\boldsymbol{x}_0,(1-\overline{\alpha}_t)\boldsymbol{I})\\ \boldsymbol{x}_t=\sqrt{\overline{\alpha}_t}\boldsymbol{x}_0+\sqrt{1-\overline{\alpha}_t}\epsilon\end{gathered} \tag{7-7}$$

式中，$\epsilon\sim\mathcal{N}(0,I)$ 为高斯噪声。

② 反向扩散过程　利用之前定义的内容，可以通过反向过程从 $q(\boldsymbol{x}_0)$ 中提取样本。通过对该过程进行参数化并初始化为 $p(\boldsymbol{x}_T)=\mathcal{N}(\boldsymbol{x}_T;0,\boldsymbol{I})$，可得到：

$$\begin{gathered}p_\theta(\boldsymbol{x}_{0:T})=p(\boldsymbol{x}_T)\prod_{t=1}^{T}p_\theta(\boldsymbol{x}_{t-1}|\boldsymbol{x}_t)\\ p_\theta(\boldsymbol{x}_{t-1}|\boldsymbol{x}_t)=\mathcal{N}(\boldsymbol{x}_{t-1};\boldsymbol{\mu}_\theta(\boldsymbol{x}_t,t),\boldsymbol{\Sigma}_\theta(\boldsymbol{x}_t,t))\end{gathered} \tag{7-8}$$

式中，$\boldsymbol{\mu}_\theta(\boldsymbol{x}_t,t)$ 和 $\boldsymbol{\Sigma}_\theta(\boldsymbol{x}_t,t)$ 为预测第 t 步后验概率 $p_\theta(\boldsymbol{x}_{t-1}|\boldsymbol{x}_t)$ 均值和方差的参数化的模型，模型以 $\boldsymbol{x}_t$ 为输入。为了使模型预测分布 $p_\theta(\boldsymbol{x}_0)$ 逼近真实数据分布 $q(\boldsymbol{x}_0)$，需要优化负对数似然的变分下界：

$$\begin{aligned}\mathbb{E}[-\lg p_\theta(\boldsymbol{x}_0)]&\leqslant\mathbb{E}_q\left[-\lg\frac{p_\theta(\boldsymbol{x}_{0:T})}{q(\boldsymbol{x}_{1:T}\mid\boldsymbol{x}_0)}\right]\\ &=\mathbb{E}_q\left[-\lg p(\boldsymbol{x}_T)-\sum_{t\geqslant 1}\lg\frac{p_\theta(\boldsymbol{x}_{t-1}\mid\boldsymbol{x}_t)}{q(\boldsymbol{x}_t\mid\boldsymbol{x}_{t-1})}\right]\\ &=-L_{\mathrm{VL.B}}\end{aligned} \tag{7-9}$$

式中，通常预设前向过程最终的隐变量 $\boldsymbol{x}_T$ 的分布为标准正态分布，即 $p(\boldsymbol{x}_T)\sim$

$\mathcal{N}(0,\boldsymbol{I})$；$L_{\mathrm{VL.B}}$ 表示变分下界。

2）分数的角度

分数视角模型依赖于基于最大似然的估计技术，利用数据对数似然的得分函数来推测扩散过程的参数。在这一领域中，有一个主要的子类别——噪声条件分数网络（NCSN），其专注于在不同噪声水平下，估计扰动数据分布的对数密度函数的导数。

数据分布 $p(\boldsymbol{x})$ 的得分函数为$\nabla_{\boldsymbol{x}}\lg p(\boldsymbol{x})$。通过分数匹配（score matching），可以训练一个由参数 θ 定义的神经网络 $s_\theta(\boldsymbol{x})$，以近似该函数，即 $s_\theta(\boldsymbol{x})\approx\nabla_{\boldsymbol{x}}\lg p(\boldsymbol{x})$。其训练目标为：

$$\mathbb{E}_{\boldsymbol{x}\sim p(\boldsymbol{x})}\left\| s_\theta(\boldsymbol{x})-\nabla_{\boldsymbol{x}}\lg p(\boldsymbol{x})\right\|_2^2 \tag{7-10}$$

由于计算上的挑战，分数匹配在深度网络和高维数据中表现出困难。Song 等人[12]利用去噪得分匹配和切片得分匹配来解决这一问题。他们指出，得分函数在低密度区域可能不够准确，这支持了流形假设。为了解决这个问题，通过在不同噪声水平上加入高斯噪声对数据进行扰动，从而简化了基于得分的生成模型建模。提出了 NCSN 来估计跨噪声水平的得分函数。对于不同水平的高斯噪声 $\sigma_1<\sigma_2<\cdots<\sigma_T$，有 $\boldsymbol{x}_i=\boldsymbol{x}+\sigma_i$，其目标函数为：

$$\frac{1}{T}\sum_{i=1}^{T}\lambda(\sigma_i)\,\mathbb{E}_{p(\boldsymbol{x})}\,\mathbb{E}_{\boldsymbol{x}_i\sim p_{\sigma_i}(\boldsymbol{x}_i|\boldsymbol{x})}\left\| s_\theta(\boldsymbol{x}_i,\sigma_i)+\frac{\boldsymbol{x}_i-\boldsymbol{x}}{\sigma_i}\right\|_2^2 \tag{7-11}$$

式中，$\lambda(\sigma_i)$ 表示权重系数，T 表示迭代次数。得到分数估计网络后，通过 Langevin 动力学采样算法得到生成的数据。Langevin 动力学是一种仅使用分数函数的马尔可夫链蒙特卡罗（MCMC）方法，其迭代过程为：

$$\boldsymbol{x}_i=\boldsymbol{x}_{i-1}+\frac{\gamma}{2}\nabla_{\boldsymbol{x}}\lg p(\boldsymbol{x}_{i-1})+\sqrt{\gamma}\omega_i \tag{7-12}$$

式中，$\omega_i\sim\mathcal{N}(0,\boldsymbol{I})$，且 $i\in\{1,\cdots,T\}$，初始 $\boldsymbol{x}_0$ 服从先验分布，即 $\boldsymbol{x}_0\sim\pi(\boldsymbol{x})$，$\gamma>0$ 表示采样步长。在极限情况（$\gamma\to0$，$T\to\infty$）下，样本会收敛到 $p(\boldsymbol{x})$。对此进行修改，提出退火 Langevin 动力学算法，其中噪声水平 σ_i 随时间逐渐减小，以改进分数匹配的效果。

7.2 工业虚实数据协同建模方法

随着生成模型的不断进步，合成样本生成技术取得了突破性的发展，并在众多领域引发了革命。然而，一个持续存在的挑战是，这些模型有时会生成质量较低、不具代表性的样本。虚拟质量主要问题如图 7-3 所示，包括真实性差、多样性不足和缺乏完整性。当虚拟数据的真实性较差时，表现为虚拟数据偏离了实际数据的分布。此时，虚拟数据不再具有代表实际数据参与建模的能力，这甚至会恶化建模效果。虚拟数据的多样性表明了未知实际数据的恢复程度。如果虚拟数据的多样性不足，这意味着它们将与真实数据非常相似，这将导致建模过度拟合。而当虚拟数据缺乏完整性时，这意味着它仍然在真实数据的分布范围内，但不能覆盖整个实际数据分布。多样性不足的虚拟数据会打乱原始实际数据的采样密度，导致训练数据不平衡。此外，这将使建模有做出错误决策的倾向。因此，在为数据增强建模选择虚拟数据时，我们需要考虑数据的质量。

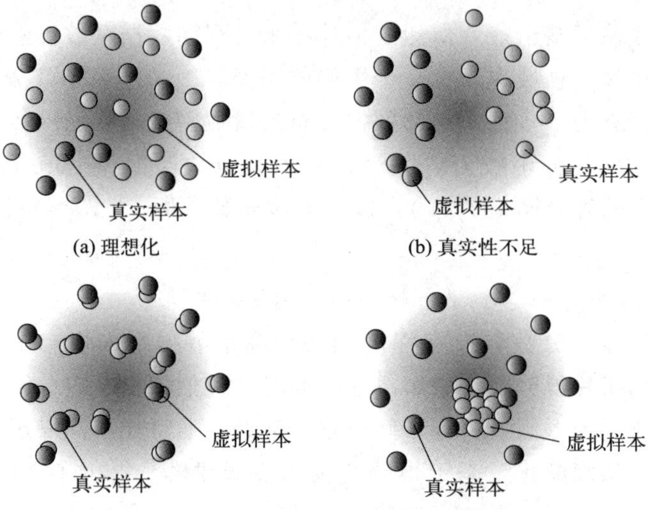

图 7-3　生成的数据质量问题

数据增强建模通过实际数据和虚拟数据的协同驱动来实现模型的参数化学习。在收集现场实际数据后，我们将数据增强建模过程大致分为三个阶段：虚拟数据生成、训练数据融合和数据驱动建模。

① 虚拟数据生成：首先，对实际数据集进行标准化，并将其分为训练数据、验证数据和测试数据。以训练数据为原始数据集，选择数据增强方法生成虚拟数据。

② 训练数据融合：然后，生成大量虚拟数据，这些数据与实际数据一起构建为增强数据集。

③ 数据驱动建模：接下来，选择算法并初始化模型参数。根据建模的范围，确定是使用局部模型还是全局模型。最后，训练模型，确定模型参数并预测测试样本的标签。

从这三个环节来看，使用虚拟数据建立可靠工业模型还存在着诸多需要解决的开放问题，在这一小节当中，着重讨论虚拟数据生成环节当中如何选择相对可靠的数据。

7.2.1　生成数据选择

（1）基于判别网络的选择方法

一些研究提倡使用预训练的判别网络或样本评估方法。这些网络的主要功能是从生成的样本池中筛选出高质量的样本，过滤掉低质量的样本。驱动这一筛选过程的核心标准是基于 top-k 的评估排名。具体而言，只有当生成样本的真实标签在评估方法的 top-k 排名中时，才会被选定用于后续使用；否则，该样本将被丢弃。接受样本数量的数学表示如下：

$$G=\sum_{i=1}^{N}\mathbb{I}(f_k(\boldsymbol{x}_i,c_i)=c_i) \tag{7-13}$$

式中，c_i 表示第 i 个生成样本的标签；$f_k(\cdot)$ 表示 top-k 筛选的判别网络；$\mathbb{I}(\cdot)$ 表示指示函数，符合条件为 1，反之为 0；N 表示生成轮次。

（2）基于真实分数的选择方法

此外可采用基于真实感评分（realism score）进行数据筛选，其中真实感评分用于量化合成样本与真实数据的接近程度：

$$R(\boldsymbol{\phi}_g,\boldsymbol{\Phi}_r)=\max_{\phi_r}\left\{\frac{\|\boldsymbol{\phi}_r-NN_k(\boldsymbol{\phi}_r,\boldsymbol{\Phi}_r)\|_2}{\|\boldsymbol{\phi}_g-\boldsymbol{\phi}_r\|_2}\right\} \tag{7-14}$$

式中，$\boldsymbol{\phi}_g$ 和 $\boldsymbol{\phi}_r$ 分别表示从合成样本和真实样本中提取的特征向量，$NN_k(\boldsymbol{\phi}_r,\ \cdot)$ 表示 $\boldsymbol{\phi}_r$ 的最邻近 k 个真实样本。当计算得到的 $R\geqslant 1$ 时，意味着特征向量 $\boldsymbol{\phi}_g$ 位于至少一个 $\boldsymbol{\Phi}_r$ 的邻域超球体内。为了去除劣质样本，对每个合成样本逐一计算其真实感评分 $R(\boldsymbol{\phi}_g,\boldsymbol{\Phi}_r)$。$R<1$ 的样本，会被系统性地丢弃，从而确保只有最优质的合成样本被输入到模型中。

除了基于距离的评分方法，对于生成的图像数据，还可通过图像-文本多模态预训练大模型 CLIP 得到评分，假设有 $G_c=\{G_c^i\}_{i=1}^N$，$R_c=\{R_c^i\}_{i=1}^M$，其中 G_c 表示第 c 类生成数据集，G_c^i 表示数据集中第 i 个样本。R_c 表示真实小样本数据集中第 c 类样本，N 和 M 分别表示生成和真实数据量。则选中的生成样本集 G_s 计算规则如下：

$$G_s=\begin{cases}\mathrm{Se}(\mathrm{CLIP}(G_c,T))\\ \mathrm{Se}(\cos(\mathrm{CLIP}(G_c),\mathrm{CLIP}(R_c)))\end{cases} \tag{7-15}$$

式中，T 表示输入文本，CLIP 用于生成文本与图像之间的相似度分数。在没有文本 T 的情况下，CLIP 仅使用其图像编码器，处理生成的样本和真实样本以提取图像特征。选择模块 Se（·）使用均匀采样来识别具有代表性的样本，并通过余弦相似度计算距离。

（3）基于聚类的选择方法

还可以用聚类的方法进行生成数据的选择，首先通过聚类得到类中心：

$$C_c=\mathrm{Clu}(\mathrm{CLIP}(R_c),k_c) \tag{7-16}$$

式中，C_c 是类别 c 的类中心，Clu 是聚类方法，k_c 是类别 c 的中心数量。可使用 k-均值聚类或谱聚类来计算类中心，文献［13］中发现使用谱聚类算法能够实现最佳性能。

$$G_{\mathrm{clu}}=\mathrm{argmin}_i\cos(C_c,G_c^i)_{i=1}^N \tag{7-17}$$

式中，选择距离 k_c 个聚类中心 C_c 最近的样本作为类别 c 的代表样本。距离通过余弦相似度计算。

上面总结的三种方法或使用了预训练的判别模型或使用了特定评分模型，从积极的一面看，这些方法能够显著提高数据质量，简化生成数据在实际任务中的应用门槛，特别是在深度学习模型中。然而，需要谨慎对待的是，这些方法依赖于判别网络或特定评分模型，这些技术的表现取决于其底层模型的质量。如果底层模型存在偏差或不足以准确反映数据分布，选择结果可能存在问题。此外，使用真实感评分或类似指标来评估样本质量具有一定的主观性，并可能因领域或特定应用的不同而有所变化。基于聚类的方法依赖于聚类算法的效率和相关性，但聚类有时可能以不够有意义的方式对数据进行分组，或遗漏数据中的细微差异。

7.2.2 可靠性权重

与实际数据相比，虚拟数据的添加并不总是提高模型的泛化能力。虽然虚拟数据带来了额外的信息，但它也在真实数据分布之外引入了大量噪声，特别是在虚拟数据缺乏真实性的情况下。因此，提出了虚拟数据的可靠性权重 $\boldsymbol{W}_r$ 来缓解这一问题。

用 $\boldsymbol{X}_a \in \mathbb{R}^{N\times p}$ 和 $\boldsymbol{Y}_a \in \mathbb{R}^{N\times d}$ 来表示真实样本及其标签，其中 p 和 d 表示样本和标签的维度。然后数据增强方法生成更多的虚拟数据，其样本和标签表示为 $\boldsymbol{X}_\nu \in \mathbb{R}^{M\times p}$ 和 $\boldsymbol{Y}_\nu \in \mathbb{R}^{M\times d}$，其中 M 是虚拟数据量。首先，需要适当地度量虚拟数据质量以确定虚拟数据的可靠性权重。这里，欧几里得距离用于计算虚拟数据相对于真实数据的可靠性，其表示如下：

$$\mathbf{dist}_i = \sqrt{(\boldsymbol{X}_{\nu i} - \boldsymbol{X}_a)(\boldsymbol{X}_{\nu i} - \boldsymbol{X}_a)^{\mathrm{T}}} \tag{7-18}$$

式中，$\mathbf{dist}_i$ 是第 i 个虚拟样本和所有真实样本之间的距离度量。然后，可以得到所有虚拟数据的距离度量矩阵：

$$[\mathbf{dist}_1, \mathbf{dist}_2, \cdots, \mathbf{dist}_M] = \begin{bmatrix} \mathbf{dist}_1^{(1)} & \mathbf{dist}_2^{(1)} & \cdots & \mathbf{dist}_M^{(1)} \\ \mathbf{dist}_1^{(2)} & \mathbf{dist}_2^{(2)} & \cdots & \mathbf{dist}_M^{(1)} \\ \vdots & \vdots & \ddots & \vdots \\ \mathbf{dist}_1^{(p)} & \mathbf{dist}_2^{(p)} & \cdots & \mathbf{dist}_M^{(p)} \end{bmatrix} \tag{7-19}$$

此外，虚拟数据与实际数据的最近距离通过以下公式计算：

$$\begin{aligned} \mathbf{dist}_{\min} &= (\min([\mathbf{dist}_1, \mathbf{dist}_2, \cdots, \mathbf{dist}_M])) \\ &= [\min(\mathbf{dist}_1), \min(\mathbf{dist}_2), \cdots, \min(\mathbf{dist}_M)] \end{aligned} \tag{7-20}$$

式中，$\mathbf{dist}_{\min}$ 在一定程度上反映了虚拟数据的真实性，较小的值表示更好的质量。然后，第 i 个虚拟数据样本的可靠性权重计算公式为：

$$w_{ri} = \exp\left(-\frac{\eta_1 \min(\mathbf{dist}_i)}{\sigma_{\mathbf{dist}_i}}\right) \tag{7-21}$$

式中，$\sigma_{\mathbf{dist}_i}$ 代表$\mathbf{dist}_{\min}$ 的标准差，η_1 是度量系数。真实数据的$\mathbf{dist}_{\min}$ 为 0，可靠性权重为 1。当 η_1 变大时，有着更大$\mathbf{dist}_{\min}$ 的虚拟数据会对建模产生更小的影响。可得到权重的矩阵为：

$$\boldsymbol{W}_r = \mathrm{diag}([w_{r_1}, w_{r_2}, \cdots, w_{r_M}]) = \begin{bmatrix} w_{r_1} & 0 & \cdots & 0 \\ 0 & w_{r_2} & \cdots & 0 \\ \vdots & \vdots & \ddots & \vdots \\ 0 & 0 & \cdots & w_{r_M} \end{bmatrix} \tag{7-22}$$

7.2.3 虚实权重

训练数据表示为 $\boldsymbol{X} = [\boldsymbol{X}_a, \boldsymbol{X}_\nu] \in \mathbb{R}^{(N+M)\times p}$ 和 $\boldsymbol{Y} = [\boldsymbol{Y}_a, \boldsymbol{Y}_\nu] \in \mathbb{R}^{(N+M)\times d}$，它同时包

含实际数据和虚拟数据。除了虚拟数据噪声外，其数量也可能影响数据驱动建模的有效性。如果包含在训练数据集中的虚拟数据量不断增加，则真实数据的比例将被稀释，此时虚拟数据对模型优化过程的影响将很快超过实际数据。一旦虚拟数据提供的有价值信息达到饱和，训练数据的分布将变得不平衡，导致模型的学习过程产生偏差。因此，虚实权重 $\boldsymbol{W}_{v-a}$ 被设计用于自动权衡实际数据和虚拟数据的影响。

与真实数据相比，虚拟数据的采样成本非常低。因此在数据增强建模中，虚拟数据的数量将很轻松地超过实际数据。此外，由于虚拟数据存在的质量问题，虚拟样本的有效信息将低于实际样本的有效数据。因此，对于建模过程，实际样本的权重应大于虚拟样本。假设实际样本的虚实权重为1，有：

$$w_{v-a,i}=\begin{cases}1, & \boldsymbol{X}_i\in\boldsymbol{X}_a\\ \eta_2, & \boldsymbol{X}_i\in\boldsymbol{X}_v\end{cases} \tag{7-23}$$

式中，η_2 表示一个（0,1）之内的常数，$\boldsymbol{X}_i$ 是从训练数据集中采样得到的。类似地，虚拟数据的虚实权重由对角矩阵表示：

$$\boldsymbol{W}_{v-a}=\begin{bmatrix}\eta_2 & 0 & \cdots & 0\\ 0 & \eta_2 & \cdots & 0\\ \vdots & \vdots & \ddots & \vdots\\ 0 & 0 & \cdots & \eta_2\end{bmatrix} \tag{7-24}$$

上述两种权重可在参数估计时应用，将不真实的虚拟数据影响减小，以免参数估计出现偏差。

7.3 应用案例：工业关键设备在线诊断

7.3.1 业务背景

机械轴承作为旋转机械的重要组成部分，其运行状态直接影响设备的性能、效率和可靠性。由于轴承长期处于高负荷、高速度和复杂环境下工作，故障的发生不可避免，如滚道磨损、滚动体裂纹、润滑不足等。这些故障若未能及时检测和处理，可能导致设备性能下降、停机甚至重大安全事故。因此，对轴承故障的早期诊断具有重要意义。

传统的轴承故障诊断方法主要依赖于经验和基于信号处理的技术，如时域分析、频域分析和时频域分析（如短时傅里叶变换和小波变换）。这些方法能够提取轴承振动信号中的故障特征，但通常对信号噪声敏感，且需要人工选择特征。此外，随着工业设备复杂度的提高，传统方法面临处理多变量、非线性和高维数据的挑战。近年来，机器学习和深度学习技术在轴承故障诊断中得到了广泛应用。通过构建数据驱动模型，结合传感器采集的振动信号或其他测量数据，这些方法能够高效地提取故障特征并实现高精度分类。

7.3.2 案例介绍

提出的方法在凯斯西储大学的电机轴承数据集[14] 上进行评估。如图 7-4 所示，轴承数据集的实验在一台两马力❶的电机进行，在靠近和远离电机轴承的地方采集振动的加速度信号。一共得到了 10 个轴承模态，其中有 1 个正常模态和 9 个故障模态，故障模态包括三种不同故障类型和三个不同的损坏直径。故障类型包括球（B），内圈（IR）和外圈（OR）故障，损坏直径为 0.007(007)、0.014(014) 和 0.021(021) 英寸❷。

图 7-4 轴承数据集的实验设施

在轴承数据集的实验中，在满足采样定理的前提下，振动信号的段长分别被设置为 500 和 1000。然后，通过 CWT 将信号转换为时频图像。转换后的图像大小为 3×64×64。经过数据预处理操作，共收集了 3300 个正常样本和 33 个故障样本（每个故障）作为轴承数据集的训练数据。可以看出，正常数据和每类故障数据之间的不平衡比分别高达 100∶1。此外，我们为每种工况各准备了 100 个样本作为案例的测试数据。

7.3.3 基于域适应 GAN 的轴承在线故障诊断

在不平衡故障分类任务中，正常数据往往是多数类，而少数类则是偶然发生的故障。在不平衡的情况下，我们将多数类定义为源域数据，而少数类定义为目标域数据。因此，这意味着迁移学习任务中，给定源域和目标域的数据模式是不同的。其中，源域数据的模型预训练可以被认为是从源域中提取知识并将其定量存储在模型的结构中。对于 GAN 而言，预训练的生成器（$\boldsymbol{G}_s$）和判别器（$\boldsymbol{D}_s$）同时保留源域的数据信息。然后，在知识转移过程中，使用目标数据将 $\boldsymbol{G}_s$ 和 $\boldsymbol{D}_s$ 微调为 $\boldsymbol{G}_t$ 和 $\boldsymbol{D}_t$。在预训练过程中，生成器的参数更新公式可以写成：

$$\theta_g \leftarrow \theta_g - \eta \nabla (\mathbb{E}_{\boldsymbol{x} \sim p_g} \lg(1-\boldsymbol{D}(\boldsymbol{x}))) \tag{7-25}$$

可见 $\boldsymbol{G}$ 的有效梯度实际上来自于 $\boldsymbol{D}$ 的输出。$\boldsymbol{D}$ 作为 $\boldsymbol{G}$ 的监督者，决定了训练后的 $\boldsymbol{G}$ 是否能够生成真实多样的高质量数据。

在 GAN 迁移的知识提取阶段，源域和目标域的特征分布被期望是更接近的。这有助于在 GAN 的微调阶段，域适应过程将通过少量的目标域样本来实现。在 $\boldsymbol{D}$ 的预训练时对

---

❶ 1 马力约等于 745.7 瓦。

❷ 1 英寸等于 2.54 厘米。

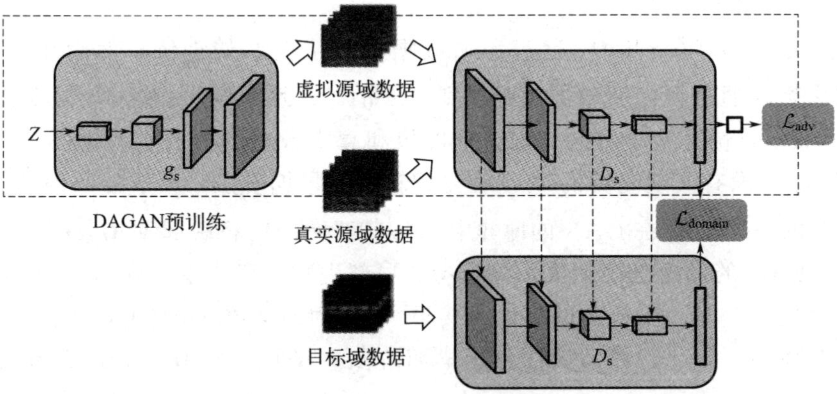

图 7-5　DAGAN 的结构

源域和目标域进行深度的域混淆，以优化域适应 GAN（DAGAN）的微调操作。DAGAN 的结构如图 7-5 所示。其中，判别器包含一对具有共享参数的网络结构，用于学习特征不变量，并在深度特征域中建立源域数据和目标域数据之间的隐含关系。将源域数据集定义为 $\boldsymbol{X}_s=\{\boldsymbol{x}_s^1,\boldsymbol{x}_s^2,\cdots,\boldsymbol{x}_s^n\}\in\mathbb{R}^{n\times d}$，其中 n 和 d 分别是源域样本的数量和维度。首先，通过 DAGAN 在源域中的预训练，使 $\boldsymbol{G}_s$ 具有生成虚拟源域数据的能力，过程如前面 GAN 的介绍。同时，将目标域数据集定义为 $\boldsymbol{X}_t=\{\boldsymbol{x}_t^1,\boldsymbol{x}_t^2,\cdots,\boldsymbol{x}_t^m\}\in\mathbb{R}^{m\times d}$，$m$ 是目标域样本的数量。在 DAGAN 对源域数据进行训练的同时，目标域数据也被送入并行的判别器网络，以获得源域数据和目标域数据的隐藏层特征 $\boldsymbol{h}_s$ 和 $\boldsymbol{h}_t$。然后，最大平均差异（MMD）被用来作为两个特征分布之间的距离估计。深度域混淆的损失由以下公式给出：

$$
\begin{aligned}
\mathcal{L}_{\text{domain}} &= \text{MMD}^2(\boldsymbol{h}_s,\boldsymbol{h}_t) \\
&= \left\| \frac{1}{n}\sum_{i=1}^{n}\phi(\boldsymbol{h}_s^i)-\frac{1}{m}\sum_{i=1}^{m}\phi(\boldsymbol{h}_t^i)\right\|_{\mathcal{H}_k}^2 \\
&= \frac{1}{n^2}\sum_{i=1}^{n}\sum_{j=1}^{n}k(\boldsymbol{h}_s^i,\boldsymbol{h}_s^j)+\frac{1}{m^2}\sum_{i=1}^{m}\sum_{j=1}^{m}k(\boldsymbol{h}_t^i,\boldsymbol{h}_t^j) \\
&\quad -\frac{2}{nm}\sum_{i=1}^{n}\sum_{j=1}^{m}k(\boldsymbol{h}_s^i,\boldsymbol{h}_t^j)
\end{aligned}
\tag{7-26}
$$

式中，$\mathcal{H}_k$ 是再生核希尔伯特空间（RKHS），$k(\cdot)$ 是特征核，$\phi(\cdot)$ 是其非线性特征映射。在此基础上，使用多核平均来进一步增强域对齐能力：

$$
K=\Delta\{k=\sum_{i=1}^{u}\beta_i k_i:\sum_{i=1}^{u}\beta_i=1,\beta_i\geqslant 0,\forall i\} \tag{7-27}
$$

式中，u 和 β 分别是核的数量和加权因子。为了在少量数据微调时仍能保证判别器的性能，最小化 $\mathcal{L}_{\text{domain}}$，以在源域和目标域之间获得近距离的特征分布。这将使得 G_t 在目标域上具有更好的生成能力。综上，DAGAN 综合了原始对抗损失和额外的深度域混淆损失，得到其在知识提取阶段的完整损失函数：

$$
\mathcal{L}_{\text{DAGAN}}=\mathcal{L}_{\text{adv}}+\lambda\mathcal{L}_{\text{domain}} \tag{7-28}
$$

式中，$\mathcal{L}_{\text{adv}}$ 是对抗损失函数，λ 是两项损失的加权因子。

（1）参数遗忘机制

在知识提取之后，$\boldsymbol{G}_s$ 和 $\boldsymbol{D}_s$ 通过源域数据进行了良好的训练。然后在知识迁移中，它们的网络参数将通过目标域数据微调得到 $\boldsymbol{D}_t$ 和 $\boldsymbol{G}_t$。此时 $\boldsymbol{D}_t$ 的输入数据变成了 $\boldsymbol{X}_t$。在微调步骤中，$\boldsymbol{D}_t$ 将快速地学习并实现区分虚拟和真实数据的能力，成为一个“完美”的判别器。但 $\boldsymbol{G}_s$ 还没有实现完美的 $\boldsymbol{G}_t$。在知识转移的早期阶段，生成器和判别器的能力差异会引起对抗的失衡[15]。在 GAN 的博弈中，“完美”的 $\boldsymbol{D}_t$ 将引起 $V(\boldsymbol{G},\boldsymbol{D}^*)=-\lg(4)\rightarrow\theta_{\boldsymbol{G}}=0$，这表明 $\boldsymbol{G}_t$ 的梯度已经消失，导致参数更新失败。事实上，在 GAN 的训练中，当判别器接近“完美”时，生成器的梯度会接近 0。这种现象在 DAGAN 的微调阶段比预训练阶段更容易发生。因此，在知识迁移的早期阶段，我们希望 $\boldsymbol{D}_t$ 与 $\boldsymbol{G}_t$ 的博弈能够更加稳定。

为此，在知识迁移的过程中，我们提出了基于参数遗忘的 DAGAN。具体包括两种遗忘策略，即完全遗忘和暂时遗忘。深度判别模型的更深层网络层具有较弱的可迁移性，因为它们与具体的任务更相关。在完全遗忘策略中，$\boldsymbol{D}_s$ 的全连接层被重新初始化，它所有的参数都需要被重新学习。它不仅有利于 DAGAN 在知识转移的初始阶段进行有效的训练，而且还能避免异常的梯度更新。然而，$\boldsymbol{D}_t$ 可以看作是一个两类优化问题，只遗忘全连接层的参数，它也可以快速完成学习过程。为了不过度丢弃从源域提取的知识，引入了一个临时遗忘策略。$\boldsymbol{D}_t$ 使用暂退（dropout）技巧来实现对浅层网络的暂时遗忘，以减慢训练速度。$\boldsymbol{D}_t$ 在第 l 层的暂时遗忘实现过程可以用以下公式表示：

$$\begin{gathered}\boldsymbol{r}_l\sim\text{Bernoulli}(p_{\text{dropout}})\\ \tilde{\boldsymbol{x}}_l=\boldsymbol{r}_l\times\boldsymbol{x}_l\\ \boldsymbol{y}_{l+1}=\sigma(\boldsymbol{W}_l\tilde{\boldsymbol{x}}_l+\boldsymbol{b}_l)\end{gathered}\tag{7-29}$$

式中，p_{dropout} 表示网络节点参数置零的比例。

（2）不平衡故障诊断应用

基于 DAGAN，一个整合了数据预处理、迁移数据增强、分类建模和故障分类的不平衡故障分类流程被提出。在这个系统下，无需任何专家知识，该流程将自动对任何镜头的故障数据进行合理的建模和故障分类。以轴承故障分类为例，如图 7-6 所示，该流程包括以下步骤。

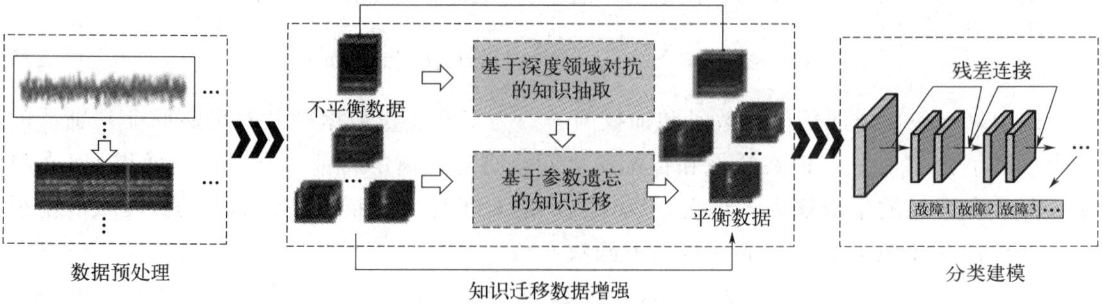

图 7-6　不平衡故障诊断流程

① 数据预处理：采集设备中指定传感器的振动信号，用滑动窗口将其分成若干段。然后通过 CWT 将分段信号从时间序列数据转换为时频图像，并在计算机中转换为一定比例的特征图。随后，将像素值和特征图的数据分布分别归一化为（0,1）和（−1,1）。

② 迁移数据增强：统计数据和标签的数量，得到不平衡的比率。然后选择多数类数据对 DAGAN 进行预训练，同时受到其他少数类数据的深度域混淆的约束。然后，在目标域少数类的学习中，结合参数遗忘对预训练的 DAGAN 进行微调。随后，得到的训练有素的 DAGAN 被用来为每个少数类别生成虚拟数据，直到数据集达到平衡。

③ 分类建模：再平衡的数据集通过最小化真实类别和预测类别之间的误差来训练 ResNet。经过梯度下降的迭代训练，得到一个基于 ResNet 的故障分类模型，并保存其网络结构和参数。

④ 故障分类的应用：测试数据经过预处理后，输入到故障分类模型中进行验证。通过预测结果的分类指标对该模型进行评估，满足精度要求的故障分类模型被部署到工业设备的故障分类系统中。

（3）结果分析

采用 F_1 得分和分类准确率衡量方法对特征分类的准确性。在这一案例中，真阳性样本表示正确分类为故障的样本，假阳性样本表示分类为故障，实际上为正常样本，假阴性样本表示未分类出的故障样本。

表 7-2　轴承故障的分类结果

不平衡故障诊断方法	F_1 得分											准确率
	一般	B007	B014	B021	B007	B014	B021	B007	B014	B021	平均	
无 DA	1.00	0.74	0.65	0.41	0.99	0.80	0.99	0.99	0.97	0.95	0.85	85.3%
SMOTE	1.00	0.80	0.63	0.45	0.94	0.81	0.98	0.99	0.99	0.95	0.86	86.8%
ADASYN	1.00	0.83	0.67	0.45	0.98	0.82	0.98	1.00	0.97	0.97	0.87	87.4%
DCGAN	1.00	0.90	0.72	0.55	1.00	0.81	0.98	1.00	0.94	0.94	0.88	88.6%
CDCGAN	1.00	0.75	0.61	0.43	0.96	0.83	0.98	0.98	0.99	0.94	0.85	85.2%
DAGAN	1.00	0.90	0.70	0.65	0.99	0.82	1.00	1.00	1.00	1.00	0.91	90.7%

表 7-2 展示了基于 DAGAN 数据增强建模方法在轴承数据集上的故障分类准确性。DAGAN 在准确率和大多数故障的 F_1 得分上表现最好，这充分验证了 DAGAN 在应用中的有效性和优势。此外，图 7-7 展示了 DAGAN 生成的数据情况，左图为真实样本，右图为 DAGAN 生成样本。图中横坐标是同一故障的样本数，纵坐标从上到下依次表示故障类型 B008、B014、B021、IR007、IR021、OR007、OR014、OR021，最后一列是散点图。从可视化图中可以看到，在各类轴承的不同故障上，DAGAN 生成的数据从模式特征上看接近真实数据，DAGAN 生成的虚拟数据和真实数据分布的重叠度较高，生成的数据多样性较好。

图 7-7 真实数据（左）和 DAGAN 生成虚拟数据（右）的可视化，及通过 PCA 降维后的散点图

7.4 本章小结

虽然现代工业已经实现多样数据的高速采集、高效传输、大容量存储，但受限于工业场景的复杂性，可用于建模的优质数据往往有限。运行工况的多样性、特殊变量的存在以及数据隐私的保护等因素，都极大地限制了可用数据的数量。因此，尽管今天已经进入了“大数据”时代，但是在很多情况下工业数据建模不得不面对数据匮乏的窘境。本章重点探讨如何通过数据增强技术来缓解数据匮乏难题，介绍了从简单数据变换到深度生成模型的一系列数据增强方法。进一步介绍了如何使用虚拟数据协同真实数据建模的策略，以提升模型的准确度和可靠性。最后，以轴承故障诊断为案例，展示了虚实数据协同建模方法在实际工业场景中的应用效果。

参考文献

[1] Guennec A L, Malinowski S, Tavenard R. Data augmentation for time series classification using convolutional neural networks [C]//European Conference on Principles of Data Mining and Knowledge Discovery. 2016.

[2] Fawaz H I, Forestier G, Weber J, et al. Data Augmentation Using Synthetic Data for Time Series Classification with Deep Residual Networks [J]. ArXiv, 2018.

[3] Wen T L, Keyes R. Time series anomaly detection using convolutional neural networks and transfer learning [J]. ArXiv e-Prints, 2019: arXiv: 1905. 13628.

[4] Gao J, Song X, Wen Q, et al. RobustTAD: Robust Time Series Anomaly Detection via Decomposition and Convolutional Neural Networks [J]. ArXiv, 2020.

[5] Steven Eyobu O, Han D S. Feature representation and data augmentation for human activity classification based on wearable IMU sensor data using a deep LSTM neural network [J]. Sensors, 2018, 18 (9): 2892.

[6] Lee T E K M, Kuah Y L, Leo K H, et al. Surrogate rehabilitative time series data for image-based deep learning [C]//Proceedings of 27th European Signal Processing Conference (EUSIPCO). September 2-6, 2019, A Coruna, Spain. Piscataway, NJ: IEEE, 2019: 1-5.

[7] Goodfellow I J, Pouget-Abadie J, Mirza M, et al. Generative Adversarial Nets [C]. //Advances in Neural Information Processing Systems 27, NeurIPS 2014.

[8] Arjovsky M, Chintala S, Bottou L. Wasserstein Generative Adversarial Networks [C]. //Proceedings of the 34th International Conference on Machine Learning, ICML 2017, 2017: 214-223.

[9] Mirza M, Osindero S. Conditional Generative Adversarial Nets [J]. ArXiv, 2014 (2014-11-06) [2024-12-13].

[10] Chen X, Duan Y, Houthooft R, et al. InfoGAN: Interpretable representation learning by information maximizing generative adversarial nets [J]. ArXiv e-Prints, 2016: arXiv: 1606. 03657.

[11] Ho J, Jain A, Abbeel P. Denoising Diffusion Probabilistic Models [C]. //Advances in Neural Information Processing Systems 33, NeurIPS 2020.

[12] Song Y, Ermon S. Generative Modeling by Estimating Gradients of the Data Distribution [C]. //Advances in Neural Information Processing Systems 32, NeurIPS 2019.

[13] Lin S B, Wang K, Zeng X Y, et al. Explore the power of synthetic data on few-shot object detection [C]//Proceedings of IEEE/CVF Conference on Computer Vision and Pattern Recognition Workshops (CVPRW). June 17-24, 2023, Vancouver, BC, Canada. Piscataway, NJ: IEEE, 2023: 638-647.

[14] Anonymous. Papers with Code - CWRU Bearing Dataset Dataset [EB/OL] [2024-12-16]. https: //paperswithcode. com/dataset/cwru-bearing-dataset.

[15] Salimans T, Goodfellow I, Zaremba W, et al. Improved techniques for training GANs [J]. ArXiv, 2016.

第8章

工业数据隐私保护与安全防御建模方法

8.1 工业数据隐私与安全防御分析

8.1.1 工业互联网安全挑战

（1）不安全环节

对于安全作业场景，基于可编程逻辑控制器（PLC）和个人计算机的传统工业处理系统可以作为一个整体放置在安全的工业场所内，并与外部环境隔离[1]。然而，在物联网和工业 4.0 的趋势下，智能数据驱动的工业系统有所不同，其处理链路的许多环节都暴露在不安全的环境中[2]：①无线传感器网络提供了大量数据，这是高性能模型的基础[3]；②高性能系统需要大量昂贵的计算资源，由于恶劣的工业环境，机器学习模型和数据库通常不在工业现场，而是在一些远程服务器和云机器学习平台（即机器学习即服务）上，如亚马逊的 AWS 和谷歌云 AutoML；③模型构建过程也可能涉及许多第三方链接，如数据科学家和机器学习专家。这些环节和中间通信的安全性超出了工业现场的防护范围，目前不太受关注，这将大大增加数据和模型遭遇泄露、攻击和污染的风险。

（2）智能模型漏洞

关注数据驱动模型本身，机器学习模型还面临着各种威胁[4]，如对抗攻击[5]、投毒攻击[6]、后门攻击[7]、隐私窃取[8] 等安全风险，极大威胁了人工智能技术的发展和应用。与其他方法相比，对抗攻击被认为是对机器学习模型最具威胁性的安全风险[9]。对抗攻击利用了机器学习模型的特性秘密攻击目标，这种隐藏功能实现了长期攻击而不会被发现，如同伊朗核项目中的 Stuxnet 病毒一样。中国信息通信研究院发布《人工智能安全白皮书》[10]，强调了人工智能发展和安全的重要性。近年来，工业智能模型面临的对抗攻击问题越来越严峻，其中一些攻击者已经成功攻击了电力、化工、钢铁等行业的真实数据[11]。随着人工智能技术和各类机器学习算法在工业系统中的广泛研究、部署和应用，这些智能模型本身面临的安全风险问题必须引起足够的重视，否则众多工业装备和系统将暴露在危险的环境中，一旦受到对抗攻击，后果不堪设想。

8.1.2 安全性测试方法

为了确保机器学习模型的安全性和鲁棒性，安全性测试成为不可或缺的一环。通过模拟现实世界中的攻击形式，可以全面评估模型在面对潜在威胁时的表现，从而识别并修复其弱点。

如图 8-1 所示，用 $\boldsymbol{x}$ 表示要扰动的 n 维原始样本，用 $\boldsymbol{\eta}$ 表示相同形状的扰动向量，用 $\boldsymbol{x}'=\boldsymbol{x}+\boldsymbol{\eta}$ 表示对抗样本。对抗性攻击是用约束向量 $\boldsymbol{\eta}$ 扰乱原始输入数据 $\boldsymbol{x}$。对抗性扰动的输入 $\boldsymbol{x}$ 将导致模型给出错误的输出（跨越图 8-1 中的决策边界）。从形式上讲，对抗性攻击应该满足

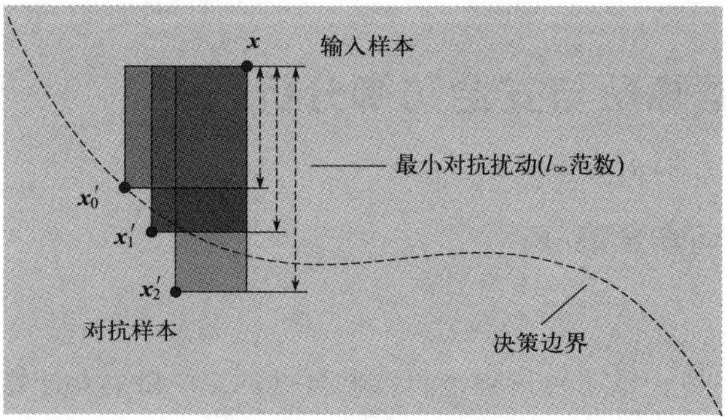

图 8-1　对抗攻击说明图

$$f(\boldsymbol{x}') \neq f(\boldsymbol{x}) \tag{8-1}$$

（1）白盒攻击

白盒场景下攻击者可以访问目标模型的所有详细信息，包括结构、参数和梯度。代表性方法有以下几种。

① 快速梯度符号法（Fast Gradient Sign Method，FGSM）：快速梯度符号法[12] 是最早和最典型的对抗攻击方法之一，它沿着对抗损失梯度的上升方向（即符号）执行一步更新，以增加正确故障类型的损失。公式如下：

$$\boldsymbol{x}' = \boldsymbol{x} + \varepsilon \cdot \mathrm{sign}[\nabla J(\boldsymbol{x}, \boldsymbol{y})] \tag{8-2}$$

式中，ε 表示控制扰动的大小，$J(\boldsymbol{x}, \boldsymbol{y})$ 表示损失函数。FGSM 可以在不迭代的情况下快速计算对抗样本，但由于其线性分类边界的假设，在模型使用非线性决策面的情况下梯度并不恒定，手动选择的 ε 大小会对攻击成功率造成很大的影响。

② 迭代梯度符号法：基于单步的 FSGM，直观的拓展方法是迭代地采用多步，在每一步后重新计算梯度方向。基本迭代方法（Basic Iterative Method，BIM）[13] 和投影梯度下降（Projected Gradient Descent，PGD）[14] 都采用了这一思想。更新的对抗样本公式为：

$$\boldsymbol{x}'_{t+1} = \mathrm{Clip}\{\boldsymbol{x}'_t + \alpha \cdot \mathrm{sign}[\nabla J(\boldsymbol{x}'_t, \boldsymbol{y})]\} \tag{8-3}$$

式中，$\boldsymbol{x}'_t$表示第 t 次迭代时的扰动样本，Clip{ • } 将变量值投影到其正常样本的一l_∞邻域中，α 表示迭代步长。迭代方法改善了 FGSM 的单步产生的扰动相对粗糙的问题，被认为是一种强的一阶攻击。然而，Kurakin 等人[15] 也发现，迭代方法容易过度拟合并陷入局部最优，这导致对抗样本的可迁移性比单步法弱。

③ C&W 攻击：Carlini 和 Wagner 提出了一种基于优化的高效对抗攻击方法，命名为 C&W 攻击[16]。C&W 攻击的核心思想是通过求解一个优化问题来生成对抗样本。它旨在最小化输入样本的扰动，同时确保生成的对抗样本被分类为指定的目标类或任何不同于原始类的类，即：

$$\begin{aligned} \boldsymbol{x}'_i &= \mathrm{argmin}\, \| \boldsymbol{x}'_i - \boldsymbol{x}_i \|_p \\ \text{s.t. } & f(\boldsymbol{x}'_i) \neq f(\boldsymbol{x}_i) \end{aligned} \tag{8-4}$$

考虑到对抗样本的分类决策函数 $f(\boldsymbol{x}+\varepsilon)=\hat{c}$ 通常是高度非线性的，C&W 攻击探索了函数空间，设计了自定义目标损失函数 f'来替换 f。该优化问题表示为：

$$\min_{\varepsilon}\|\varepsilon\|_p+cf'(\boldsymbol{x}+\varepsilon) \quad (8\text{-}5)$$

式中，ε 表示对抗扰动，p 表示范数度量。一种经验制定的 f'是：

$$f'(\boldsymbol{x}')=\max(\max_{i\neq c}(\boldsymbol{Z}(\boldsymbol{x}')_i)-\boldsymbol{Z}(\boldsymbol{x}')_c-\boldsymbol{k}) \quad (8\text{-}6)$$

式中 $\boldsymbol{Z}(\cdot)_i$ 是第 i 类的分类 logit 输出，t 是真实类别，$\boldsymbol{k}$ 是分类置信度。

与简单梯度攻击方法相比，C&W 攻击更为精细和有效，能够应对复杂的深度神经网络，并支持多种攻击类型。

④ DeepFool 攻击：Moosavi-Dezfooli 等人[17] 提出的 DeepFool 方法具有充分的理论依据和计算对抗扰动的准确性，避免了不准确方法造成的结论误导。DeepFool 假定原始样本位于相应类别决策边界的限制区域内，每次迭代都会积累一个小的扰动向量，直到构建的对抗样本越过决策边界并导致错误分类为止。

以仿射二元分类器 f 为例，$f(\boldsymbol{x})=\boldsymbol{w}^{\mathrm{T}}\boldsymbol{x}+\boldsymbol{b}$，其中 $\boldsymbol{w}$ 是分类器的权重，$\boldsymbol{b}$ 是分类器的偏差。样本 $\boldsymbol{x}$ 到分类边界的距离 $-\dfrac{f(\boldsymbol{x})}{\boldsymbol{PwP}_2^2}\boldsymbol{w}$ 是使分类器误分类的最小干扰。在迭代过程中，$\boldsymbol{x}$ 附近的决策边界被线性化，最小扰动的计算方法如下：

$$\underset{\varepsilon}{\operatorname{argmin}}\|\varepsilon\|_2 \text{ s. t. } f(\boldsymbol{x}')+\nabla f(\boldsymbol{x}')^{\mathrm{T}}\varepsilon=0 \quad (8\text{-}7)$$

该算法可以扩展到一般的多分类器，这相当于计算从 $\boldsymbol{x}$ 到由所有类别之间的决策边界形成的凸多面体表面的距离。通过迭代最小化投影到最近超平面的向量，可以求解近似的最小对抗扰动。

（2）灰盒和黑盒攻击

黑盒攻击无法获得神经网络的内部结构、参数信息和模型梯度，这意味着攻击者只能提供输入并观察相应的输出，而内部信息是未知的。灰盒攻击则介于白盒和黑盒之间，它假设在训练过程中数据和架构可用，但模型参数不可用。

① 通用对抗扰动（Universal Adversarial Perturbation，UAP）：Moosavi-Dezfooli 等人[18] 提出了一种通用对抗扰动方法。生成的单个扰动向量可以添加到模型的任何输入样本中，以实现欺骗效果。UAP 的原理是累积单个输入的扰动，在每次迭代中，计算从当前扰动点 $\boldsymbol{x}+\boldsymbol{\eta}$ 到周围决策边界所需的最小扰动，并将其汇总为当前扰动 $\boldsymbol{\eta}$。约束条件为：

$$\underset{\boldsymbol{x}\sim\boldsymbol{\mu}}{\mathbb{P}}(f(\boldsymbol{x}+\boldsymbol{\eta})\neq f(\boldsymbol{x}))\geqslant\delta,\text{ s. t. }\|\boldsymbol{\eta}\|_p\leqslant\varepsilon \quad (8\text{-}8)$$

式中，$\boldsymbol{\mu}$ 是数据的分布，ε 限制扰动 p 范数的大小，$\delta\in(0,1]$是欺骗率。该方法的迭代计算基于 DeepFool 算法，通过累积扰动并逐渐将对抗样本推出决策边界。作为一种灰盒方法，UAP 使用训练样本生成，并在测试阶段不需要任何额外信息。

② 同步扰动随机近似（Simultaneous Perturbation Stochastic Approximation，SPSA）：Uesato 等人[19] 提出了一种使用同步扰动随机近似的黑盒无梯度优化方法。当模型不可微，或梯度不指向有用的方向时，SPSA 将有效。SPSA 非常适合高维优化问题，即使在有噪声的目标的情况下也是如此。第 t 步中 SPSA 对抗攻击的扰动为：

$$\boldsymbol{x}'_{t+1}=\boldsymbol{x}'_t+\frac{\alpha}{n}\sum_{i=1}^{n}\frac{(f(\boldsymbol{x}'_t+\delta\boldsymbol{v}_i)-f(\boldsymbol{x}'_t-\delta\boldsymbol{v}_i))\boldsymbol{v}_i^{-1}}{2\delta} \quad (8\text{-}9)$$

式中，$\boldsymbol{v}_i\sim\{1,-1\}^D$ 表示从 Rademacher 分布中采样的样本，而 δ、α 是扰动和迭代

步长的大小，n 是采样的样本数量。

③ 随机噪声：随机噪声是一种弱黑盒攻击，甚至不需要相应的输出，这是对抗性攻击方法的基线。对抗样本在原始样本周围的有效空间（ε 约束 $\boldsymbol{l}_p$ 范数球）中随机选取。扰动向量 $\boldsymbol{\eta}$ 从区间均匀分布中采样：

$$\boldsymbol{\eta} \sim \boldsymbol{U}(-\varepsilon, \varepsilon) \tag{8-10}$$

（3）模型验证

原则上，对抗安全（鲁棒性）认证方法解决了与基于优化的攻击相同的优化问题。同时，对抗攻击方法用来评估对抗安全性，在某些验证工作中被称为启发式方法[20]。

一般来说，机器学习模型验证的思想是将原始的对抗优化问题［即式(8-4)］转化为线性规划或混合整数线性规划（Mixed-Integer Linear Programming，MILP），这些问题都是凸的，可以求得最优解[20-22]。凸性保证了全局最小对抗扰动能够被求解，这适用于（分段）线性机器学习模型［例如，带有 ReLU（Rectified Linear Unit）的神经网络或线性支持向量机（SVM）］。完整的认证方法是最强的对抗攻击手段，但计算成本非常高。对于其他模型，在构建新的优化问题时需要进行一些放松处理，这种放松问题的最优值接近原始问题的最优值[23]。

MILP 作为一种完全的形式验证方法，可以求解对抗优化问题中的最优解。这意味着可以找到对抗样本 $\boldsymbol{l}_p$ 范数的认证下界（图 8-1 中的安全邻域），并且计算出的鲁棒半径是可认证最小的：

$$\varepsilon = \inf\{\ \|\boldsymbol{x}_i' - \boldsymbol{x}_i\|_p \mid f(\boldsymbol{x}_i') \neq f(\boldsymbol{x}_i)\} \tag{8-11}$$

8.1.3 工业系统安全防御框架

（1）安全系统建设

由于攻击的隐蔽性和高欺骗性带来的真实威胁，构建一个完整的防御系统至关重要，需要在模型鲁棒性保证、工业控制系统的入侵检测和拦截以及网络控制系统等许多方面进行全面改进[24]。具体而言，有以下策略可供选择。

① 多任务保护：工业系统的广泛下游任务包括软测量、设备健康评估、故障分析和恢复等，涉及不同的建模技术和工业背景。而先前的研究对图像分类以外的任务的鲁棒结构研究较少，在工业场景中则需要更有效和特定于任务的防御。

② 鲁棒性强化：当系统的准确性和复杂性允许时，提取鲁棒特征或强制修改训练过程以获得鲁棒模型，对抗样本趋向于被视为低频噪声，并被系统有效抵抗。如果不允许，可以构建具有压缩特征空间差异的更稳定的模型，例如满足 Lipschitz 约束或基于可解释设计的模型。

③ 对抗检测和校正：对抗样本检测与特定模型参数和决策边界无关，便于在不调整模型的情况下在样本输入时进行防御，基于量化或校验码的数据校正方法也是如此[25,26]。同时，对于需要低延迟和高精度的系统，预先过滤恶意样本避免了增强模型产生的计算负担，这也是实现轻量级防御的一个重要视角。

（2）任务和数据隐私

数据驱动的工业系统集成了通信技术，并引入了许多不安全的链接，可传输路径的暴露和系统相关信息的泄露需要紧急关注，解决方案主要包括以下方面。

① 任务隔离：由于对抗样本在任务之间的可迁移性，有必要从预防的角度设计隔离策略，以避免任何异常任务牵连到其他任务，导致无法正常提供服务。即使是使用相同数据的故障分类和检测系统也需要良好的隔离屏障，以避免大规模瘫痪并确保系统可用性。

② 避免数据泄露：明文数据传输暴露出许多漏洞，容易被恶意窃取和篡改。特别重要的是，要加大对过程数据加密、高精度差分隐私设计以及预测敏感信息风险识别的研究力度。

8.2 工业安全可信数据建模方法

为了消除或减轻恶意攻击对智能模型造成的威胁，研究和开发具备高度安全性和鲁棒性的数据建模方法变得至关重要。

8.2.1 鲁棒训练

（1）对抗训练

对抗训练是一种直观有效的防御方法，它被训练为对对抗样本进行正确的预测。对抗训练试图解决最小-最大问题的外部最小化：最大化项进行对抗样本 $\boldsymbol{x}'$的计算，最小化项则是模型参数优化，以最小化原始样本 $\boldsymbol{x}$ 的对抗输出 $f(\boldsymbol{x}')$ 和真值 $\boldsymbol{y}$ 之间的损失。Goodfellow 等人[12] 首次提出 FGSM 对抗训练，这和 PGD 对抗训练[14] 的实现类似。这两种方法的训练目标都是最小化：

$$\boldsymbol{J}(f(\boldsymbol{x}),\boldsymbol{y})+\lambda\boldsymbol{J}(f(\boldsymbol{x}'_{\text{FGSM/PGD}}),\boldsymbol{y}) \tag{8-12}$$

式中，λ 是原始样本和对抗样本的学习精度的平衡参数。虽然这两种方法的原理相似，但 PGD 攻击被认为是一种通用的一阶 l_∞ 攻击。该模型对 PGD 攻击的鲁棒性可以扩展到其他一阶 l_∞ 攻击。Athalye 等人[27] 在研究中证明，PGD 对抗训练是最有效的 l_∞ 防御模型。然而，PGD 生成对抗样本的计算成本相对较高，训练效率较低。此外，这两种对抗训练都是非适应性的：这些模型通常只对训练中生成对抗样本的攻击方法具有很强的鲁棒性。

（2）认证防御

认证防御的区别在于它使用认证方法来计算对抗样本集。与 8.1.2 小节中提到的机器学习模型的鲁棒性认证相关，已经提出了可认证的防御方法[28]。如果对于任何输入 $\boldsymbol{x}$，能够获得一个保证，即在围绕 $\boldsymbol{x}$ 的某个集合（通常是 l_2 或 l_∞ 球）内，模型的预测保持不变，则称该模型为可认证的鲁棒模型。与启发式防御不同，后者可能会在未来被更强的攻击者攻破，而可认证的防御方法则始终能够保持一定的对抗准确性。

这里介绍一种可认证的防御方法，即区间边界传播（Interval Bound Propagation，IBP）鲁棒训练[28]。IBP 是一种简单的边界技术，用于鲁棒性验证时属于不完全方法。

IBP 的目标是为式(8-4) 中的对抗攻击优化问题找到一个上界。具体来说，IBP 通过使用仿射层的区间运算，对每一层的激活函数进行轴对齐的边界框限制。IBP 可用于定义损失，以最小化经认证的鲁棒网络训练的上限。IBP 训练的目标是最小化：

$$\boldsymbol{J}(f(\boldsymbol{x}),\boldsymbol{y})+\lambda\boldsymbol{J}(\hat{z}_f(\varepsilon,\boldsymbol{x}),\boldsymbol{y}) \tag{8-13}$$

式中，$\hat{z}_f(\varepsilon,\boldsymbol{x})$是模型 f 的输出边界，给定输入样本 $\boldsymbol{x}$ 邻域界限为ε。在训练中，最小化输出边界和真值 $\boldsymbol{y}$ 之间的差距。

8.2.2 梯度遮蔽

(1) 数据量化

输入预处理是一种有效的防御对抗攻击的方法。该策略旨在推理之前对输入样本应用转换函数。该函数有望通过混淆梯度来减少精心设计的扰动对模型预测的影响[29]。相比之下，这种防御方法具有计算成本低（无需模型再训练）、通用性强（覆盖各种攻击）和模型不可知的优点。然而，大多数提出的输入预处理方法仅适用于图像数据，如 JPEG 压缩、裁剪、重新缩放和模糊[30,31]。

数据量化是一种适用于故障分类系统的技术，类似于图像位深度压缩[32]。在工业场景中，收集的数据通常是连续的，并存储为高精度浮点。量化可以将数据转换为规则间隔的网格，其中原始数据可以用一组整数近似。对于 [0,1] 范围内的数据，量化可以用以下方程表示：

$$\hat{\boldsymbol{x}}=\frac{\lfloor \boldsymbol{x}\times 2^Q \rfloor}{2^Q} \tag{8-14}$$

式中，$\lfloor\cdot\rfloor$表示取小于等于该值的最大整数（即向下取整操作），Q 是量化位数。小位宽量化（8 位或更少）可以平滑对抗扰动并减少攻击效果。

(2) 防御蒸馏

Hinton 等人[33] 提出了知识蒸馏的概念，通过蒸馏压缩将大型网络的知识转移到更简单的网络。防御蒸馏模型是 Papernot 等人[34] 基于知识蒸馏提出的一种防御方法。本质上，它从自己的结构中提取知识来平滑模型以增强鲁棒性。

防御蒸馏首先通过在原始训练集上进行标准训练来获得模型 f，然后使用 f 的类别概率向量输出作为软标签来训练具有相同结构和训练样本的模型 f^d。在知识提取中考虑了广义 softmax 函数，将其设置为教师模型 f 的输出层：

$$f(\boldsymbol{x})=\left[\frac{\mathrm{e}^{z_i(\boldsymbol{x})/T}}{\sum_{l=0}^{C-1}\mathrm{e}^{z_l(\boldsymbol{x})/T}}\right]_{i\in 0,\cdots,C-1} \tag{8-15}$$

式中，$z_i(\boldsymbol{x})$ 是第 i 类别的对数输出。训练完成后，类别概率在温度 T 时由 $f(\boldsymbol{x})$ 输出，并形成新的数据集$(\boldsymbol{x},f(\boldsymbol{x}))$，发送给学生模型 f^d 进行训练。相比之下，软标签包含更多类别间相对差异信息的附加知识，并引入了平滑损失函数，有助于模型围绕数据点进行泛化。对于未知的对抗样本，它的分类准确率也更高。然而，防御性蒸馏方法无法抵御 C&W 攻击，而且由于梯度遮蔽问题的存在，防御性蒸馏也会被黑盒攻击所规避[35]。

8.2.3 正则化

从正则化的角度来看，对网络权重、输入梯度的惩罚可以有效地提高模型的鲁棒性。Guo 等人[36] 首次证明了权重 l_1 正则化（权重稀疏性）与网络对对抗样本的鲁棒性之间的内在关系。在实践中，需要结合 l_1 正则化和对抗训练来实现理想的鲁棒性。因此，此处专注于输入梯度的正则化[37]，这与对抗训练具有竞争力。深度神经网络（DNN）通过惩罚输入变化所引起的输出变异程度来进行训练，从而隐式地确保小的对抗扰动不太可能大幅改变训练后模型的输出。带有惩罚项的损失函数为：

$$\boldsymbol{J}(f(\boldsymbol{x}),\boldsymbol{y})+\frac{\lambda}{2}\|\nabla_x \boldsymbol{J}(f(\boldsymbol{x}),\boldsymbol{y})\|_F^2 \tag{8-16}$$

式中，$\lambda\in[0,1)$ 表示权重系数，第二项是损失对输入的梯度的 Frobenius 范数。

对于工业系统无监督任务中常见的自编码器（AE）模型，正则化技术应用更为广泛，例如收缩自编码器（Contractive Autoencoders，CAE）[38] 和去噪自编码器（Denoising Autoencoders，DAE）[39]。然而，对于对抗防御，这些方法通常与其他方法结合使用，以提高分类器的鲁棒性。对于 AE，我们惩罚的是隐藏表示的梯度，而不是重建输出。这一方法源自 CAE 的工作，但其目的是实现鲁棒特征提取。利用这种正则化方法可以提高工业系统中故障检测模型的鲁棒性。目标函数为：

$$\boldsymbol{J}(f(\boldsymbol{x}),\boldsymbol{y})+\lambda\|\boldsymbol{J}_h(\boldsymbol{x})\|_F^2 \tag{8-17}$$

式中，第二个惩罚项是隐藏表示相对于输入的雅可比矩阵 $\boldsymbol{J}_h(\boldsymbol{x})$ 的 Frobenius 范数。

8.3 应用案例：工业模型安全性评测

8.3.1 业务背景

田纳西伊斯曼过程（TE 过程）是由田纳西伊斯曼公司在 1990 年代开发的一种经典的工业化学工艺模型。它被广泛用于过程控制和故障诊断研究领域。TE 过程模拟了一个复杂的化学反应系统，涉及多个反应器、分离器和循环单元，其特点是过程非线性动态性、高维输入输出变量和多种潜在故障模式。

8.3.2 案例介绍

TE 过程包含 53 个过程变量，其中有 41 个过程测量变量和 12 个控制变量，过程变量涉及流量、压力、温度、成分等。该故障诊断模型从 53 个变量中选用 50 个变量，包括 41 个过程测量变量和 9 个控制变量，选用的变量如表 8-1 所述。

在实验中，考虑了前 15 种故障类型和正常工作条件（故障描述如表 8-2 所示），并将数据分为训练集、验证集和测试集（详细样本数量见表 8-3）。

表 8-1　所选 TE 过程变量描述

编号	变量描述	编号	变量描述	编号	变量描述
1	物料 A 流量	18	汽提塔温度	35	成分 G(流 9)
2	物料 D 流量	19	汽提塔上部蒸汽流量	36	成分 H(流 9)
3	物料 E 流量	20	压缩机功率	37	成分 D(流 11)
4	总进料流量	21	反应器冷却水出口温度	38	成分 E(流 11)
5	循环流量	22	分离器冷却水出口温度	39	成分 F(流 11)
6	反应器进料流量	23	成分 A(流 6)	40	成分 G(流 11)
7	反应器压力	24	成分 B(流 6)	41	成分 H(流 11)
8	反应器等级	25	成分 C(流 6)	42	D 进料量
9	反应器温度	26	成分 D(流 6)	43	E 进料量
10	排空速率	27	成分 E(流 6)	44	A 进料量
11	分离器温度	28	成分 F(流 6)	45	总进料量
12	分离器液位	29	成分 A(流 9)	46	压缩机再循环阀
13	分离器压力	30	成分 B(流 9)	47	排放阀
14	分离器塔底流量	31	成分 C(流 9)	48	分离器罐液流量
15	汽提塔等级	32	成分 D(流 9)	49	汽提器液体流量
16	汽提塔压力	33	成分 E(流 9)	50	汽提器水流阀
17	汽提塔底部流量	34	成分 F(流 9)		

表 8-2　所选 TE 过程故障描述

故障编号	故障描述	类型
1	A/C 进料流量比值变化，B 含量不变(流 4)	阶跃
2	B 含量变化，A/C 进料比不变(流 4)	阶跃
3	物料 D 进料温度变化(流 2)	阶跃
4	反应器冷却水入口温度变化	阶跃
5	冷凝器冷却水入口温度变化	阶跃
6	物料 A 损失(流 1)	阶跃
7	物料 C 压力损失(流 4)	阶跃
8	物料 A 的成分变化(流 4)	随机变化
9	物料 D 的进料温度变化(流 2)	随机变化
10	C 进料温度(流 4)	随机变量
11	反应器冷却水入口温度变化	随机变化
12	冷凝器冷却水入口温度变化	随机变化
13	反应动力学参数	慢漂移
14	反应器冷却水阀	黏滞
15	冷凝器冷却水阀门	黏滞

将这些 TE 过程样本用于工业故障分类和检测系统的构建，对于故障检测系统，将所有故障类型归为一类，并调整样本量，使验证和测试集中的故障样本和正常样本的数量维持平衡。由于故障检测系统的训练过程是无监督的，因此只涉及正常样本。应用在验证集上表现最佳的防御模型，并在测试集上使用攻击方法计算模型鲁棒性。

由于神经网络在不同的工业数据集和任务中最为普遍和通用，本节将神经网络作为故障分类和检测模型的支柱。所有的防御方法都构建在相同的网络结构上，故障分类器和检测器共享相同的训练超参数，实施细节见表 8-3。

表 8-3　TE 过程故障分类和检测系统实施细节

数据划分	模型结构
—	故障分类(DNN)
训练：验证：测试	Dense(50,64)ReLu
14126：392：392	Dense(64,64)ReLu
各故障类别数量一致	Dense(64,16)SoftMax
—	故障检测(AE)
训练：验证：测试	Dense(50,32)ReLu
2205：246：246	Dense(32,16)ReLu
验证集和测试集中正常和故障样本数量为 1：1	Dense(16,32)ReLu,Dense(32,50)SoftMax

注：Dense 表示全连接层。

8.3.3　基于对抗攻击和防御的数据驱动诊断模型安全性验证

基于 8.1.2 小节中的对抗攻击方法来挖掘模型漏洞，测评工业系统的安全性，同时基于 8.2 节所介绍的建模方法在工业系统中进行部署，实现在不安全环境下的鲁棒决策。下面给出所研究的任务模型、测评指标、具体适应性应用等细节。

（1）故障分类和检测系统

由于故障分类和检测是工业系统中最基本、应用最广泛的两项任务，因此本案例将故障检测器和分类器定义为威胁模型。

① 故障分类：数据驱动的故障分类可以看作是机器学习中的监督分类问题，即将工业数据分类到正确的故障类别中。对抗攻击发生在模型应用（测试）阶段，不涉及模型构建。故障分类器 f_{FC} 的训练可以表示为一个函数：

$$f_{FC}(x)=\underset{f}{\arg\max} J(y,f_{FC}(x)) \tag{8-18}$$

式中，$x\in R^d$ 为输入数据，$y\in\{1,2,\cdots,L\}$ 为故障类型，argmax 的输出为与最小损失函数 J 相对应的分类器参数。基于 DNN 的深度学习由一系列与映射权重和偏差相关的全连接层组成，广泛用于故障分类任务，所以本案例基于表 8-3 中的 DNN 结构进行分析。

② 故障检测：依据重建误差 J 和一个阈值 δ，基于数据驱动的故障检测可以被视为一个二分类问题。具体来说，它使用重建误差作为故障评分。具有高重建误差的样本被认为是故障样本。本节中仅使用正常实例的数据来训练重建模型（即 AE）。训练完成后，AE 能够很好地重建正常数据，而对于未遇到的故障数据则无法有效重建。阈值（控制限）δ 是通过正常数据的重建误差 J 的概率分布进行核密度估计，并以 0.99 的置信限计

算得出[40]。AE和故障检测器 f_{FD} 可以表示为：

$$f_{\text{AE}}(x)=\underset{f}{\text{argmax}}J(y,f(x)) \tag{8-19}$$

$$f_{\text{FD}}(x;\delta)=\begin{cases}0, & J(x,f_{\text{AE}}(x))\leqslant\delta \\ 1, & \text{其他}\end{cases} \tag{8-20}$$

式中，0 表示正常标签，1 表示故障。

（2）对抗鲁棒性指标

为了有效地分析工业系统的安全性，下面采用了两种度量指标，以系统化的方式评估攻击的强度和防御的鲁棒性。

① 最小对抗扰动（Minimal Adversarial Perturbation，MAP）：MAP 确定了攻击方法能够找到的最小对抗扰动（针对每个测试输入）。平均 MAP 可以表示为：

$$\overline{\text{MAP}}=\frac{\sum_{i=1}^{n}\min_{x'_i:f(x')\neq f(x)}\|x'_i-x_i\|_\infty}{n} \tag{8-21}$$

式中，n 是干净的（正确预测的）测试样本的数量。

② 对抗测试准确率（Adversarial Test Accuracy，AAcc）：AAcc 是指在特定约束边界内的扰动不会导致误分类的测试样本所占的比例。AAcc 可以表示为

$$\text{AAcc}=\frac{\sum_{i=1}^{m}\mathbb{I}\{f^*(x'_i)=y_i\}}{m},\|x'_i-x_i\|_\infty\leqslant\varepsilon \tag{8-22}$$

式中，m 是正确预测的扰动样本的数量，ε 限制扰动∞范数的大小。对于攻击方法，在相同的威胁模型上，平均 MAP 和 AAcc 越小，表示攻击方法越强，另一方面，这两个指标中的较小值表示防御方法越脆弱。

（3）故障检测特定对抗方法

在训练过程中，无监督检测模型仅最小化正常样本的重建误差 J。在测试（应用）阶段，故障检测器隐式地期望最大化故障样本的重建误差 J，以使故障与正常情况明显区分开来。

相反，在对抗方法中，故障样本的重建误差 J 被最小化，而正常样本的重建误差 J 被最大化。不同样本类型的对抗方向如图 8-2 所示。形式上来说，故障检测的对抗目标是：

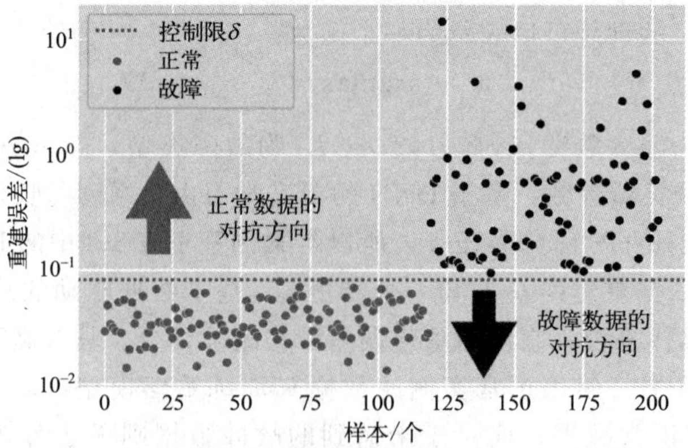

图 8-2 故障检测器对抗方法的说明

$$\min\{-I(y=0)\cdot J(x,f_{AE}(x))+I(y=1)\cdot J(x,f_{AE}(x))\} \tag{8-23}$$

式中，$I(\cdot)$ 是指示函数，第一项表示正常样本的损失，第二项表示故障的损失。

（4）结果分析

1）故障分类对抗安全结果

评测报告了两个指标下的安全性评估结果。

① 平均 *MAP*：如表 8-4 所示平均 MAP 显示了成功攻击测试样本上的分类器需要多大的扰动，其中较小的扰动代表更脆弱的系统和更强的攻击方法。

② AAcc：表 8-5 报告了 $l_\infty<0.03$ 扰动下的 AAcc。图 8-3 显示了 MILP 验证器下不同 l_∞ 界限扰动的 AAcc 曲线。AAcc 显示了有界扰动下的鲁棒测试样本比例。

表 8-4 l_∞ 范数下平均最小对抗扰动 单位：10^{-2}

类别	干净准确率	噪声	SPSA	FGSM	PGD	C&W	DeepFool	MILP
原始 DNN	90.56	4.01	1.97	2.87	1.56	1.21	1.20	0.98
FGSM 训练	86.48	9.06	8.33	7.12	4.07	4.24	4.17	3.24
PGD 训练	76.79	**9.87**	8.41	6.93	5.44	5.78	5.95	4.58
IBP 训练	74.49	**9.87**	9.16	8.70	6.83	**7.48**	**8.02**	**4.60**
防御蒸馏	85.20	4.48	3.57	**12.50**	**12.60**	1.36	1.30	1.24
量化	**90.56**	4.19	2.30	3.41	1.95	—	—	1.21
正则化	78.32	8.86	5.59	5.44	3.83	4.43	4.13	3.01

表 8-5 $l_\infty<0.03$ 范数下平均最小对抗扰动 单位：%

类别	干净准确率	噪声	SPSA	UAP	FGSM	PGD	C&W	DeepFool	MILP
原始 DNN	90.56	51.79	8.16	47.70	28.83	8.67	3.83	5.36	1.53
FGSM 训练	85.46	67.60	**80.36**	**74.74**	**80.10**	56.63	58.61	57.91	51.28
PGD 训练	77.04	**68.62**	76.28	71.68	65.31	59.69	61.48	60.46	54.34
IBP 训练	74.23	65.05	75.00	68.88	65.56	60.46	**61.99**	**62.50**	**56.63**
防御蒸馏	85.46	50.00	12.76	38.52	69.94	**72.19**	5.36	5.36	4.34
量化	**90.56**	53.32	8.67	43.62	33.42	10.71	39.29	35.96	2.81
正则化	78.06	68.37	60.97	71.17	55.61	48.47	56.12	51.53	39.54

在 TE 过程中实现的不同类型的对抗攻击，都对模型输出准确性造成了严重损害，这将使得工业故障分类系统不可用。对不同类型攻击的具体分析如下。

① 黑盒和灰盒攻击：对于某些模型，黑盒攻击 SPSA 的性能接近甚至优于基本的白盒 FGSM，这可能是因为小网络的梯度近似更为准确。此外，基于梯度混淆（如蒸馏和量化）的防御方法对黑盒攻击的影响较小。由于其黑盒特性，这种攻击在潜在的工业场景中更具风险，可能会遇到更多挑战。至于 UAP（通用对抗扰动），由于它使用单一扰动来攻击所有样本，在工业故障分类系统中并不明显优于噪声扰动。由 UAP 生成的通用扰动在结构化工业数据上失去了传递性，因为结构化数据中的常见弱模式可能不像不同图像之间共享的模式那样明显。

② 白盒攻击：除了单步 FGSM 攻击外，约束方法 PGD 的性能与两种优化方法 C&W

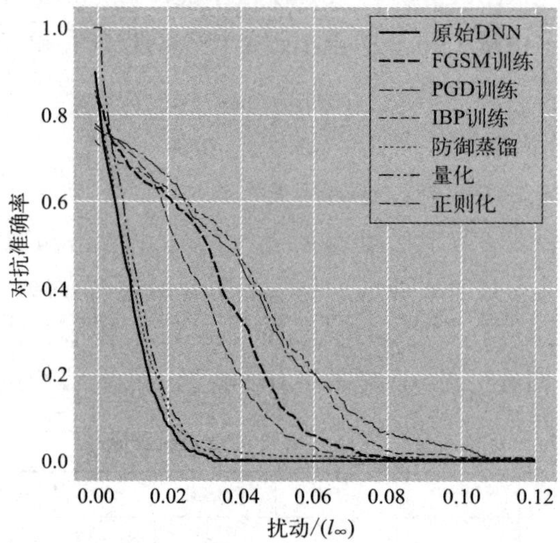

图 8-3　MILP 验证下的 AAcc 曲线

和 DeepFool 相似。PGD 和 FGSM 的一个缺点是它们可以通过梯度遮蔽方法有效防御。面对其他防御模型时，PGD 是最强且最接近 MAP 认证下界的攻击方法之一，这与"PGD 是最强的一阶攻击"的说法一致。

③ 验证：作为可保证攻击上限的完全验证方法，MILP 无疑是所有攻击中最强大的。完全的验证能够报告模型的实际鲁棒性，并显示出防御蒸馏其实达到的是一种虚假鲁棒性。然而，验证方法的计算成本极高，MILP 求解最小扰动所需的平均时间甚至是最快方法 FGSM 的 4.1×10^5 倍。

安全数据建模方法被部署用以防御对抗攻击，MILP 用于验证其对抗安全性。关于 l_∞ 扰动幅度的精度曲线如图 8-3 所示。首先，没有任何防御的简单故障分类系统非常容易受到对抗性攻击，其中大多数样本仅需 0.02 的 l_∞ 扰动即可成功攻击。通过有效的防御方法，故障分类系统的对抗安全性得到了显著提高，但是伴随着干净样本的准确率下降，这是一个值得考虑的权衡问题。

① 鲁棒训练：鲁棒训练是一种有效提升安全性的方法，其中三种方法（FGSM 训练、PGD 训练和 IBP 训练）都能显著提高系统的鲁棒性。鲁棒训练提高了样本邻域的安全范围，这与训练期间生成的对抗样本的幅度相当。IBP 训练在所有攻击方法中表现出最广泛的适用性和最高的平均 MAP 值（忽略"假"的蒸馏方法）。然而，在 AAcc 指标方面，IBP 训练在面对小幅度或弱攻击时并不优于 PGD 和 FGSM 训练。这是因为当攻击较弱时，鲁棒性的增加较小，难以弥补清洁准确率的大幅下降；而当攻击变强时，鲁棒性再次变得显著。这一现象表明了全面评估模型鲁棒性的重要性，仅依赖单一指标有时会存在偏差。

② 梯度遮蔽：由于量化使得梯度难以传播，因此在实验中，我们将量化视为对攻击的黑盒处理，即在推理前对对抗样本进行量化。尽管基于梯度遮蔽的方法（如蒸馏和量化）能够成功抵御白盒攻击，但在黑盒攻击面前却失效了。量化不适合工业数据，因为大多数特征是连续变量，而图像数据是离散的，天然适合小位宽量化。从 AAcc 曲线结果可以看出，梯度遮蔽并未真正提升鲁棒性，反而给人一种"虚假的安全感"。

③ 正则化：根据结果，输入梯度正则化并没有显著优势。梯度正则化可以得到不错

的不受扰动的安全范围。这是因为在数据分布周围，正则化并未显式地强制安全边界，而是缩小了梯度。不过平均 MAP 的增强也为较小的扰动带来了额外的稳定性。

2）故障检测对抗安全结果

评测报告了对抗攻击和防御方法在故障检测系统上的性能。故障检测器的特性与分类器存在一些差异：并非所有样本都能被成功扰动，其中正常样本比故障样本更容易被扰动。黑盒攻击方法 SPSA 和防御方法 IBP 训练不能用于故障检测，因此它们不在结果中。图 8-4 中绘制了相对于扰动的 AAcc 曲线。扰动的 l_∞ 范数在对数尺度（x 轴）上，虚线表示故障样本的干净检测精度。图 8-5 显示了在 $l_\infty<0.03$ 有界扰动下正常和故障之间的混淆矩阵。

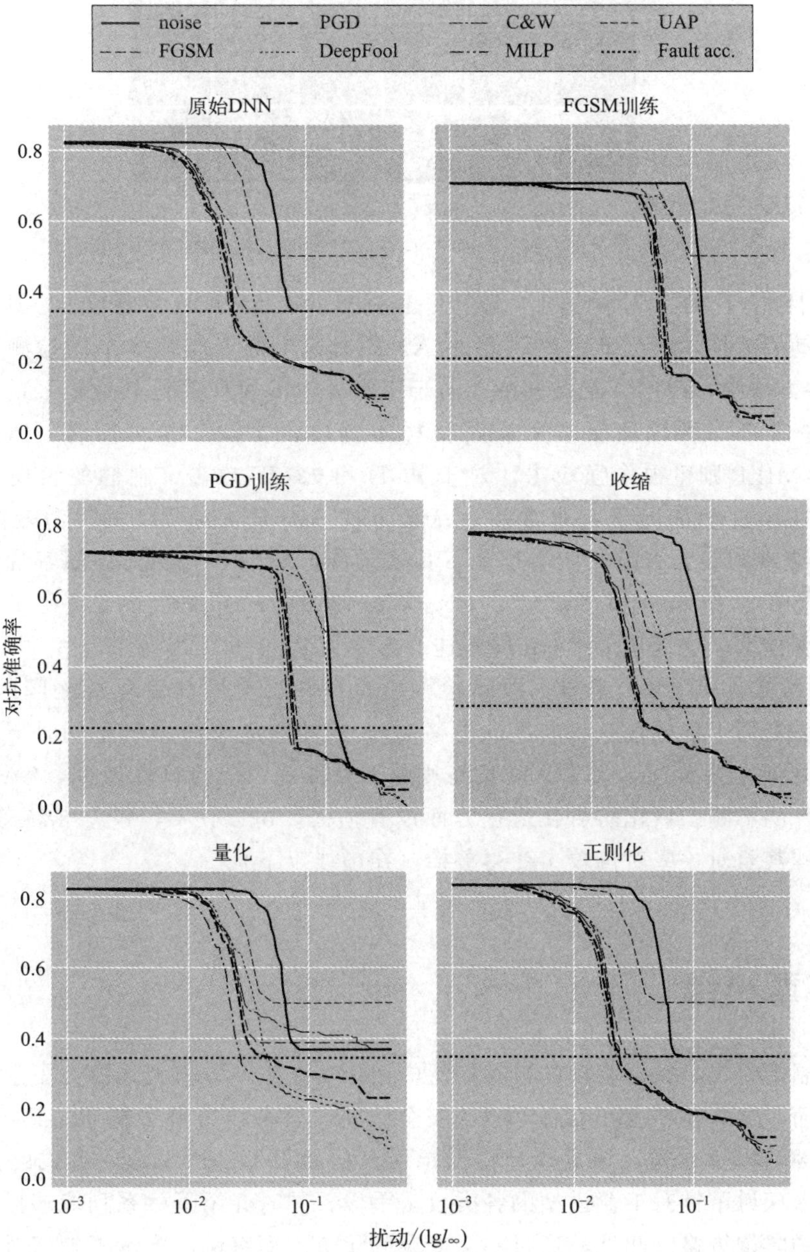

图 8-4　故障检测器的 AAcc 曲线

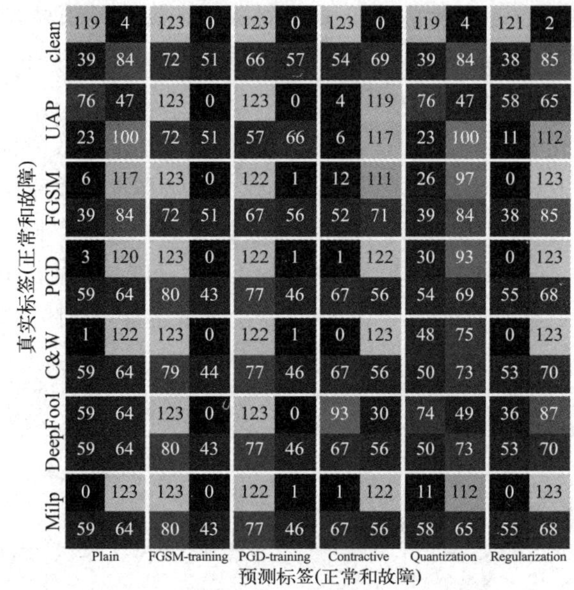

图 8-5　有界扰动下故障检测器的混淆矩阵

① 攻击性能：在故障检测器上，噪声、FGSM 和 UAP 被视为弱攻击，这些攻击方法无法成功扰动故障样本，因此它们的最小 AAcc 指标不低于故障样本的检测准确率（虚线）。在这些方法中，FGSM 是最强的，对于正常样本的表现接近其他更强的攻击。灰盒攻击 UAP 是唯一一种无法突破所有正常样本的攻击方法。相对而言，PGD、C&W、DeepFool 和 MILP 则可视作强攻击。对于 PGD 和 C&W 攻击，它们的表现几乎没有区别，尤其是在小扰动情况下，非常接近认证方法 MILP（也可以从混淆矩阵中看出）。DeepFool 的表现则较为有趣，在小扰动下其效果甚至弱于 FGSM，但随着扰动增大，其表现变得具有竞争力。可能的原因是，DeepFool 假设的局部线性并不适用于具有二次重建误差的检测模型，这也是 UAP 表现不佳的部分原因。

② 防御性能：从图 8-4 来看，故障检测中也存在安全性和泛化性之间的权衡问题。对抗训练显著提高了鲁棒性（将曲线向右移动），但相应的干净准确率同时下降。基于正则化的两种防御方法（CAE 和输入梯度正则化）更准确，但鲁棒性较差，CAE 对 FGSM 攻击具有特殊的影响。量化防御在泛化方面没有损失，可以使 C&W 攻击无效。量化后，一些正常样本甚至对一些对抗攻击变得鲁棒（在虚线以下）。

8.4　本章小结

在智能制造时代，数据驱动的模型广泛应用于工业生产，极大地提升了生产效率和产品质量。然而，这些模型也面临着严峻的安全威胁。恶意攻击者可能通过篡改模型输入、扰乱模型内部结构等方式，导致模型输出错误，从而引发生产事故，造成巨大的经济损失。本章深入探讨了针对工业模型的各类攻击手段，同时介绍了一系列能够提升模型安全性与鲁棒性的防御策略。此外，通过一个复杂的化工流程案例，展示了如何对工业模型进行安全评估，以确保模型在实际应用中的可靠性。

参考文献

［1］ Lee A N，Martinez Lastra J L. Enhancement of industrial monitoring systems by utilizing context awareness ［C］//Proceedings of IEEE International Multi-Disciplinary Conference on Cognitive Methods in Situation Awareness and Decision Support（CogSIMA）. February 25-28，2013，San Diego，CA，USA. Piscataway，NJ：IEEE，2013：277-284.

［2］ Mourtzis D，Vlachou E，Milas N. Industrial big data as a result of IoT adoption in manufacturing ［J］. Procedia CIRP，2016，55：290-295.

［3］ Brito T，Pereira A I，Lima J，et al. Wireless sensor network for ignitions detection：An IoT approach ［J］. Electronics，2020，9（6）：893.

［4］ Liu Q，Li P，Zhao W T，et al. A survey on security threats and defensive techniques of machine learning：A data driven view ［J］. IEEE Access，2018，6：12103-12117.

［5］ Szegedy C，Zaremba W，Sutskever I，et al. Intriguing properties of neural networks ［C］//2nd International Conference on Learning Representations（ICLR 2014）. Banff，AB，Canada，2014.

［6］ Koh P W，Liang P. Understanding black-box predictions via influence functions ［C］//Proceedings of International Conference on Machine Learning.，2017.

［7］ Geigel A. Neural network Trojan ［J］. Journal of Computer Security，2013，21（2）：191-232.

［8］ Stahl B C，Wright D. Ethics and privacy in AI and big data：Implementing responsible research and innovation ［J］. IEEE Security & Privacy，2018，16（3）：26-33.

［9］ McGraw G，Bonett R，Shepardson V，et al. The top 10 risks of machine learning security ［J］. Computer，2020，53（6）：57-61.

［10］ 人工智能安全白皮书 ［EB/OL］.（2018-09-18） ［2024-01-20］. https：//www. caict. ac. cn/kxyj/qwfb/bps/201809/P020180918473525332978. pdf.

［11］ Zizzo G，Hankin C，Maffeis S，et al. Adversarial attacks on time-series intrusion detection for industrial control systems ［C］//Proceedings of IEEE 19th International Conference on Trust，Security and Privacy in Computing and Communications（TrustCom）. December 29 - January 1，2021，Guangzhou，China. Piscataway，NJ：IEEE，2020：899-910.

［12］ Goodfellow I J，Shlens J，Szegedy C. Explaining and harnessing adversarial examples ［C］//Proceedings of the 3rd International Conference on Learning Representations（ICLR）. San Diego，CA，USA，2015.

［13］ Kurakin A，Goodfellow I J，Bengio S. Adversarial examples in the physical world ［M］//Artificial Intelligence Safety and Security. First edition. Boca Raton，FL：CRC Press/Taylor & Francis Group，2018. Chapman and Hall/CRC，2018：99-112.

［14］ Madry A，Makelov A，Schmidt L，et al. Towards deep learning models resistant to adversarial attacks ［C］//Proceedings of the 6th International Conference on Learning Representations（ICLR）. Vancouver，BC，Canada，2018.

［15］ Kurakin A，Goodfellow I，Bengio S. Adversarial machine learning at scale ［C］//Proceedings of the 5th International Conference on Learning Representations（ICLR）. Toulon，France，2017.

［16］ Carlini N，Wagner D. Towards evaluating the robustness of neural networks ［C］//Proceedings of IEEE Symposium on Security and Privacy（SP）. May 22-26，2017，San Jose，CA，USA. Piscataway，NJ：IEEE，2017：39-57.

［17］ Moosavi-Dezfooli S M，Fawzi A，Frossard P. DeepFool：A simple and accurate method to fool deep neural networks ［C］//Proceedings of IEEE Conference on Computer Vision and Pattern Recognition（CVPR）. June 27-30，2016，Las Vegas，NV，USA. Piscataway，NJ：IEEE，2016：2574-2582.

［18］ Moosavi-Dezfooli S M，Fawzi A，Fawzi O，et al. Universal adversarial perturbations ［C］//Proceedings of IEEE Conference on Computer Vision and Pattern Recognition（CVPR）. July 21-26，2017，Honolulu，HI，USA. Piscataway，NJ：IEEE，2017：86-94.

［19］ Uesato J，O'Donoghue B，van den Aar V D O，et al. Adversarial risk and the dangers of evaluating against weak attacks ［J］. ArXiv，2018.

[20] Tjeng V. Evaluating robustness of neural networks with mixed integer programming [J]. Massachusetts Institute of Technology, 2018.

[21] Li L, Qi X, Xie T, et al. SoK: Certified robustness for deep neural networks [J]. ArXiv, 2020.

[22] Cheng C H, Nührenberg G, Ruess H. Maximum resilience of artificial neural networks [J]. Springer, Cham, 2017.

[23] Mirman M, Gehr T, Vechev M T. Differentiable abstract interpretation for provably robust neural networks [C]//International Conference on Machine Learning. PMLR, 2018.

[24] Jiang Y C, Wu S M, Yang H Y, et al. Secure data transmission and trustworthiness judgement approaches against cyber-physical attacks in an integrated data-driven framework [J]. IEEE Transactions on Systems, Man, and Cybernetics: Systems, 2022, 52 (12): 7799-7809.

[25] Zhuo Y, Ge Z Q. Data guardian: A data protection scheme for industrial monitoring systems [J]. IEEE Transactions on Industrial Informatics, 2022, 18 (4): 2550-2559.

[26] Wu S M, Jiang Y C, Luo H, et al. An integrated data-driven scheme for the defense of typical cyber-physical attacks [J]. Reliability Engineering & System Safety, 2022, 220: 108257.

[27] Athalye A, Carlini N, Wagner D. Obfuscated gradients give a false sense of security: Circumventing defenses to adversarial examples [J]. ArXiv, 2018.

[28] Gowal S, Dvijotham K, Stanforth R, et al. Scalable verified training for provably robust image classification [C]//Proceedings of IEEE/CVF International Conference on Computer Vision (ICCV). October 27-November 2, 2019. Seoul, Korea. IEEE, 2019: 4841-4850.

[29] Qiu M K, Qiu H. Review on image processing based adversarial example defenses in computer vision [C]//Proceedings of IEEE 6th Intl Conference on Big Data Security on Cloud (BigDataSecurity), IEEE Intl Conference on High Performance and Smart Computing, (HPSC) and IEEE Intl Conference on Intelligent Data and Security (IDS). May 25-27, 2020. Baltimore, MD, USA. IEEE, 2020: 94-99.

[30] Qiu H, Zeng Y, Zhang T, et al. FenceBox: A platform for defeating adversarial examples with data augmentation techniques [J]. ArXiv, 2020.

[31] Guo C, Rana M, Cissé M, et al. Countering adversarial images using input transformations [C]//Proceedings of the 6th International Conference on Learning Representations (ICLR). Vancouver, BC, Canada, 2018.

[32] Xu W L, Evans D, Qi Y J. Feature squeezing: Detecting adversarial examples in deep neural networks [C]//Proceedings 2018 Network and Distributed System Security Symposium. San Diego, CA. Internet Society, 2018.

[33] Hinton G, Vinyals O, Dean J. Distilling the knowledge in a neural network [C]//Proceedings of the NIPS Deep Learning and Representation Learning Workshop, 2015.

[34] Papernot N, McDaniel P, Wu X, et al. Distillation as a defense to adversarial perturbations against deep neural networks [C]//Proceedings of IEEE Symposium on Security and Privacy (SP). May 22-26, 2016, San Jose, CA, USA. Piscataway, NJ: IEEE, 2016: 582-597.

[35] Papernot N, McDaniel P, Goodfellow I, et al. Practical black-box attacks against machine learning [C]//Proceedings of the 2017 ACM on Asia Conference on Computer and Communications Security. Abu Dhabi United Arab Emirates. New York: ACM, 2017: 506-519.

[36] Guo Y, Zhang C, Zhang C, et al. Sparse DNNs with improved adversarial robustness [C]//Advances in Neural Information Processing Systems, 2018.

[37] Ross A, Doshi-Velez F. Improving the adversarial robustness and interpretability of deep neural networks by regularizing their input gradients [J]. Proceedings of the AAAI Conference on Artificial Intelligence. ArXiv, 2018.

[38] Rifai S, Vincent P, Muller X, et al. Contractive auto-encoders: Explicit invariance during feature extraction [J]. Proceedings of the 28th International Conference on Machine Learning, ICML 2011, 2011: 833-840.

[39] Bengio Y. Learning Deep Architectures for AI [M]. Boston, MA, USA: Now Publishers Inc, 2009.

[40] Fan J C, Wang W, Zhang H J. AutoEncoder based high-dimensional data fault detection system [C]//Proceedings of IEEE 15th International Conference on Industrial Informatics (INDIN). July 24-26, 2017, Emden, Germany. Piscataway, NJ: IEEE, 2017: 1001-1006.